W9-AXF-068

DIDEROT
ET
BAUDELAIRE

CRITIQUES D'ART

GITA MAY

DIDEROT
ET
BAUDELAIRE

CRITIQUES D'ART

LIBRAIRIE E. DROZ
8, rue Verdaine
GENÈVE

LIBRAIRIE MINARD
73, rue Cardinal Lemoine
PARIS Ve

1957

Printed in France.

PRÉFACE

Cette étude se propose avant tout de réhabiliter la critique d'art de Diderot à la lumière de ses incidences sur l'esthétique baudelairienne.

La réputation de Diderot écrivain et philosophe a bénéficié des recherches récentes dans la vaste mesure que l'on sait. Malheureusement, des aspects primordiaux de sa critique d'art, cette partie intégrante de son activité créatrice, continuent toujours à être l'objet de jugements superficiels et irréfléchis : résultat des appréciations incompréhensives d'un Brunetière qui se sont transmises, souvent à peine modifiées, jusqu'à nos jours. Il est vrai que la personnalité multiforme du philosophe, son désir de renouveler les nombreux domaines, qui avaient le don d'éveiller son extraordinaire curiosité intellectuelle, n'ont pas peu contribué à dérouter les esprits amoureux de catégories étanches et de spécialisations étroitement systématisées.

D'autre part, Baudelaire, bien que hanté sa vie durant par le « guignon », s'est aisément imposé à la postérité comme un grand critique d'art. En effet, sa réputation de salonnier génial n'a fait que grandir parallèlement à sa réputation de poète.

Une confrontation des affinités et des divergences entre ces deux grandes figures des lettres françaises pourrait, en servant utilement de « repoussoir », non seulement aider à révéler la stature véritable de Diderot critique d'art, mais aussi éclairer d'une lumière nouvelle l'esthétique de Baudelaire.

Nous tenons à exprimer ici notre vive reconnaissance au professeur Otis E. Fellows qui nous encouragea à entreprendre cette étude, et sous la direction de qui nous avons eu le privilège de travailler ; ses conseils éclairés ainsi que son constant intérêt nous furent d'un prix inestimable.

Notre profonde gratitude va au professeur Norman L. Torrey dont la bienveillante attention et les suggestions encourageantes nous ont été d'une grande aide morale dans l'accomplissement de notre tâche.

Nous devons remercier d'une façon toute spéciale le professeur Jean-Albert Bédé de ses observations hautement utiles et judicieuses.

Il nous est également très agréable de remercier les professeurs Margaret Gilman, Jean Hytier et Michael Riffaterre pour leurs critiques constructives.

Gita MAY.
Columbia University
New York, juin 1957.

CHAPITRE PREMIER

RAPPROCHEMENTS

> Diderot, Goethe, Shakespeare, autant de producteurs, autant d'admirables critiques.
> (*Richard Wagner et Tannhäuser à Paris,* Baudelaire.)

Diderot et Baudelaire, représentants de leurs époques respectives ainsi que précurseurs, s'apparentent par le même genre de problèmes qui les confrontent dans leurs *Salons.* En étudiant ces problèmes et la manière dont chacun s'y est attaqué, nous espérons arriver à une meilleure compréhension de l'évolution de la critique d'art, en tant que forme littéraire. En effet, personne n'ignore que durant les quelque cent ans qui séparent les *Salons* de Diderot (considéré comme le fondateur du genre) [1] de ceux de Baudelaire, la critique d'art a connu un épanouissement considérable sous l'influence de grands écrivains qui, tout comme nos deux salonniers, se sont préoccupés de questions picturales : Stendhal, Balzac, Gautier, les frères Goncourt et Fromentin, pour n'en citer que quelques-uns.

L'esthétique ayant évolué depuis le dix-huitième siècle, il est évident que certaines idées de l'Encyclopédiste différeront de celles de l'auteur

---

[1] Si l'on peut, à juste titre, considérer Diderot comme le fondateur de la critique d'art en tant que genre littéraire, il serait faux d'en conclure qu'il ait été le premier ou le seul de son époque à s'intéresser de manière active à la peinture et à faire des comptes rendus des *Salons.* Sans entrer dans le détail de l'histoire de la critique d'art, ce qui nous éloignerait de notre sujet, notons que les théoriciens académiques remontent à Aristote. La critique d'art proprement dite — comptes rendus d'expositions, gazettes artistiques, pamphlets, libelles — fait son apparition en même temps que l'organisation, en 1725, du *Salon carré du Louvre,* plus tard appelé *Salon* tout court. Cette exposition publique annuelle devint bisannuelle en 1748, afin de donner aux membres de l'Académie et aux peintres invités le temps de produire suffisamment pour que le *Salon* pût se renouveler de façon adéquate. Est-il nécessaire de souligner que la grande majorité de ces écrits critiques sont inférieurs par la monotonie du style et la pauvreté d'idées à ceux du philosophe, et qu'ils ne conservent aujourd'hui qu'un intérêt purement historique ? La Font de Saint-Yenne, auteur de réflexions fort pertinentes sur l'exposition de 1746, fait sans doute exception à cette règle. Pour une étude sur les prédécesseurs de Diderot, voir André Fontaine, *Les Doctrines d'art en France de Poussin à Diderot, Paris* (H. Laurens, 1909), et pour plus de détails sur les Salons, au XVIIIe s., voir l'Introduction à l'édition critique des *Salons* de Diderot, éd. J. Seznec et J. Adhémar, vol. I (Oxford, 1957). Cet ouvrage paraît à l'heure où nous mettons sous presse.

des *Fleurs du Mal.* Il n'en demeure pas moins vrai qu'il existe une profonde parenté, une filiation réelle entre ces deux critiques. Notre but sera d'étudier l'influence que Diderot a exercée sur Baudelaire, et, chose bien plus importante, d'analyser les origines intellectuelles et affectives des affinités et divergences significatives entre ces deux grands « poètes-critiques ». [2]

La parenté d'idées et même quelquefois de style entre les *Salons* de Diderot et de Baudelaire avait d'ailleurs frappé nombre de critiques dès 1845. [3] Depuis lors, d'éminents érudits ont amorcé l'examen de l'influence de Diderot sur Baudelaire ; ils ont institué des rapprochements et établi quelques parallèles significatifs. [4] Mais les parallèles mêmes ne prouvent rien si l'on ne tente point d'en trouver les causes profondes dans le tempérament respectif des deux auteurs, dans le

---

[2] Pour qui s'étonnerait de l'appellation de poète appliquée au « Philosophe », nous voudrions le renvoyer aux « poetic paragraphs strewn throughout Diderot's prose, from the *Encyclopédie* to the *Paradoxe sur le comédien* », (Norman L. Torrey, Introduction, *Diderot Studies II,* p. 18) lesquels attestent que Diderot possédait non seulement la tête la plus philosophique de son âge, mais aussi la plus poétique. De plus, « Daniel Mornet, in his lectures at the Ecole de Droit (1948), chose for an 'explication de texte' the famous description of nephew Rameau's musical ecstasy at the Café de la Régence, a passage which he says is 'perhaps the most lyrical that can be found in all eighteenth-century literature' » *(ibid.).*

[3] Cf. *The Growth of Diderot's Fame in France from 1784 to 1875* par Mary Lane Charles (1942, p. 92). Auguste Vitu écrivit dans la *Silhouette* du 20 juillet 1845, « *Le Salon de 1845* par Ch. Baudelaire » : « Il possède les allures franches, naïves, la bonhomie cruelle de Diderot, dont il a certainement étudié l'œuvre critique. » Cf. aussi Baudelaire, *Correspondance générale,* I, 69 ; Champfleury ayant promis à Baudelaire un article sur son *Salon de 1845,* le jeune critique lui envoya ce billet : « Si vous voulez me faire un article de blague, faites-le, pourvu que cela ne me fasse pas trop de mal. Mais si vous voulez me faire plaisir, faites quelques lignes sérieuses et parlez des *Salons* de Diderot. Il vaudrait peut-être mieux les deux choses à la fois. » Champfleury s'étant exécuté de bonne grâce, mais en se contentant d'une remarque fort générale, dans le *Corsaire-Satan* du 27 mai l'on pouvait lire : « Ce petit volume est une curiosité, une excentricité, une vérité. M. Baudelaire-Dufays est hardi comme Diderot, moins le paradoxe... Il a beaucoup d'allures, de ressemblance avec Stendhal, les deux hommes qui ont le mieux écrit peinture. »

[4] Cf. Jean Thomas, « Diderot et Baudelaire », *Hippocrate,* 1936, pp. 328-342. Cf. aussi Jean Pommier, *Dans les Chemins de Baudelaire,* Chap. XVII, « Les *Salons* de Diderot » : « Né dans le canton de Sainte-Menehould, François Baudelaire connut-il l'enfant de Langres ? En tout cas, sa maison de la rue Hautefeuille, à Paris — celle où naquit Charles —, avait appartenu à Le Breton, le libraire de l'Encyclopédie. Il était de la même génération que Jean-Claude Naigeon, parent de l'ami de Diderot. Et ce Jean-Claude, « peintre, conservateur du musée royal du Luxembourg », était assez lié avec François Baudelaire pour signer en qualité de second témoin l'acte de naissance du futur poète des *Fleurs* », p. 251. Par ailleurs, Margaret Gilman, dans son étude intitulée *Baudelaire the Critic,* consacre des pages pénétrantes aux sources « diderotiennes » de la critique d'art de Baudelaire. (Voir pp. 40-46). Finalement, H. Brugmans, dans ses « Quelques Remarques sur Diderot et l'esthétique baudelairienne », *Neo-Philologus,* Vol. 23, pp. 284-290, estime que « la question... paraît d'une importance singulière », et espère « qu'elle fera bientôt le sujet d'un ouvrage d'ensemble » (p. 284).

contexte général de leurs théories littéraires ainsi que dans les grands courants idéologiques et esthétiques de leur époque propre. C'est ce que nous nous proposons de faire dans cet essai.

Bien entendu, nous n'entreprenons point ici l'étude systématique des doctrines de Diderot et de Baudelaire. Nous avons l'intention d'examiner surtout, d'une part, les idées qui synthétisent les jugements esthétiques de leur époque, et d'autre part, les idées qui contiennent en germes les courants à venir et soulèvent par là même des problèmes intéressants. Dans son article « Diderot et Baudelaire », Jean Thomas fait remarquer avec justesse qu' « il y aurait autant de témérité à reprendre l'étude de Baudelaire sans tenir compte de Diderot qu'à interpréter la doctrine de Diderot sans en suivre les prolongements chez Baudelaire ».

Tout lecteur qui a tant soit peu pratiqué Diderot et Baudelaire n'ignore point que ces deux auteurs jouent un rôle important comme figures de transition et comme précurseurs — le rôle de Diderot, précurseur de la technique du roman moderne en particulier, est de plus en plus apprécié à sa juste valeur. Malheureusement, maint lettré garde encore des préjugés à l'égard de ses doctrines d'art et ne tend à voir en lui qu'un dilettante disert, spirituel, bien informé sans doute, mais éclectique et bavard, et, en face d'une toile, coutumier de parler de tout — surtout de sa « chère morale » — excepté de problèmes purement picturaux : faute de goût s'il en fut, et impardonnable au XXe siècle ! En effet, à la lumière de nos préférences actuelles, le critique attitré doit surtout se garder d'établir des rapports entre l'éthique et l'esthétique, ou entre le plastique et le littéraire... Même un érudit aussi distingué que Daniel Mornet semble se contenter de cette idée convenue et superficielle d'un critique et d'un créateur dont l'un des grands mérites réside précisément dans son aptitude à percevoir des « correspondances » [5] et des relations dynamiques là où un esprit moins génial n'eût trouvé qu'un corps de doctrines bien « cohérentes », mais artificielles et stériles : « Il serait vain de vouloir dégager des *Salons* de Diderot une 'doctrine d'art' ayant la moindre cohérence. Mais on peut dire que cela n'a guère d'importance et que leur intérêt est ailleurs.... Les comptes rendus des *Salons* les plus étendus sont comme des contes qu'on peut relire aujourd'hui. » [6] Et plus loin : « Entre deux arrêts et contemplations silencieuses, avant que la voix soit occupée et les idées confondues, il y a la promenade, la conversation et les 'idées'. Et si ces idées partent de la peinture elles en sont bientôt si loin qu'on n'y pense plus. » [7] Certes, il y a une part de vérité dans cette appréciation de Mornet, mais en ne révélant qu'un aspect, et non le plus important, des *Salons* de Diderot, elle en falsifie et diminue la véritable portée. Nous espérons,

---

[5] Avant Baudelaire, Diderot avait déjà rapproché des impressions provenant de différents domaines sensoriels, surtout celles qui prennent naissance dans l'ouïe et la vue. Nous aurons d'ailleurs à reparler de la manière dont l'un et l'autre mettront en valeur ces relations.

[6] Daniel Mornet, *Diderot, l'homme et l'œuvre*, p. 191.

[7] *Ibid.*, p. 193. Même le savant Ferdinand Brunot n'hésite pas à avancer cette assertion : « Avec Diderot [critique d'art] on ne sait jamais à quoi s'en tenir » (*Histoire de la langue française*, VI, 262).

pour notre part, prouver que la critique d'art de Diderot est plus que prétexte à dissertations ou à contes divertissants et sans conséquence... [8] Par ailleurs, nous estimons que Jean Thomas, dans son excellent *Humanisme de Diderot,* néglige également une facette importante des *Salons* de cet auteur lorsqu'il affirme que « c'est sous le point de vue de l'humanisme qu'il convient de juger sa critique d'art ». [9] Humaniste dans tout ce qu'il écrit, certes, Diderot est encore autre chose dans ses *Salons* ; ses théories artistiques méritant d'être approfondies pour elles-mêmes et sous un angle plus technique.

Pour ce qui est de la connexion de l'esthétique et de l'éthique dans la critique d'art de Diderot, nous voudrions en élucider certains aspects, non en jugeant exclusivement en rétrospective, ce qui provoque des malentendus et des appréciations injustement sévères, mais en replaçant les jugements de l'Encyclopédiste dans le cadre du mouvement « engagé » du XVIIIe siècle, dont il fut sans doute le porte-parole le plus persévérant ; rappelons sa boutade dans le *Salon de 1767* : « L'*Encyclopédie* à laquelle j'aurai sacrifié vingt-cinq ans de ma vie » (XI, 266). [10] Plus loin, nous verrons que la distinction entre le Beau et le Bon (ou l'utilitaire) n'était pas encore clairement établie au XVIIIe siècle — à cet égard, encore sous l'influence platonicienne de la tradition néo-classique — et il faudra attendre jusqu'au milieu du dix-neuvième siècle, jusqu'aux théories parnassiennes pour assister à un divorce explicite, et souvent éloquent, du domaine esthétique d'avec toute connotation éthique ou philosophique ; divorce contre lequel Baudelaire réagira d'ailleurs.

---

[8] Dès 1851, Sainte-Beuve, coupable à l'égard de ses contemporains de certaines incompréhensions peu sympathiques, garde toute sa perspicacité lorsqu'il s'agit d'apprécier l'importante innovation des *Salons* de Diderot. Voici notamment ce qu'il en écrit dans ses *Causeries du lundi* : « Sa principale gloire à nos yeux aujourd'hui est d'avoir été le créateur de la critique émue, empressée et éloquente ; c'est par ce côté qu'il survit et qu'il nous doit être à jamais cher à nous tous, journalistes et improvisateurs sur tous sujets. Saluons en lui notre père et le premier modèle du genre. » (III, 299). Par contre, Delécluze, le critique sincère bien que timoré des *Débats,* grand admirateur de David et de l'Antiquité, et hostile aux innovations de Delacroix, en 1832, condamne dans *L'Artiste* la méthode de Diderot au nom du « bon sens » : « Cette critique purement imaginaire qui ne repose sur rien mais qui impose par la hardiesse, par la singularité et quelquefois par l'éclat du style, comme les *Salons* de Diderot en fournissent l'exemple, cette critique en langage artistique, dis-je, est extraordinairement stérile. » Cité dans *L'Esthétique de Baudelaire* par André Ferran, p. 125. Il est intéressant de noter que Jules Janin donne cette appréciation du style de Delécluze : « Il écrivait ses critiques du Salon d'un style... presque timide, au milieu de tous ces disciples de Diderot qui continuaient avec tant de verve et d'entrain les leçons de leur maître », cité dans *E.-J. Delécluze, témoin de son Temps* par Robert Baschet, p. 323.

[9] Jean Thomas, *L'Humanisme de Diderot,* p. 119.

[10] Toutes les citations de Diderot seront faites d'après l'édition Assézat et Tourneux (Paris, 1875-77) à l'exception de sa correspondance. Les citations de Baudelaire seront faites d'après l'édition de la Pléiade préparée par Y.G. le Dantec (Paris, 1954) à l'exception des citations tirées d'écrits non publiés dans cette édition. Pour la correspondance de Baudelaire, nous nous servirons de l'édition Jacques Crépet.

Il était naturel que Diderot, humaniste militant et réfléchi, permît quelquefois à des considérations d'ordre moral d'intervenir dans sa critique ; nous avons l'intention de démontrer que ces cas se présentent plus rarement que ne l'impliquent certains érudits et qu'on ne pense généralement. En fait, l'artiste en lui a toujours vu juste et loin, et, par des intuitions souvent surprenantes, a pressenti les théories d'art les plus modernes. Quant à Baudelaire, défendre l'importance de sa critique se réduirait à enfoncer une porte ouverte puisque son talent dans ce domaine n'a presque jamais été sous-estimé. [11] Cependant, tout comme l'on a quelque peu exagéré le moralisme de Diderot critique d'art, on a trop parlé de l'amoralité de l'esthétique baudelairienne en rangeant celle-ci, souvent automatiquement, sous la bannière de « l'art pour l'art » de Gautier et des Parnassiens. Dans le cas de Baudelaire, comme dans celui de Diderot, une mise au point s'impose. « Baudelaire was never a wholehearted partisan of art for art's sake, » suggère justement Margaret Gilman, « his doctrine was not Gautier's or even Poe's and... he never ceased to insist on the inherent morality of art. » [12] Si l'on prend le mot « moralité » dans son acception large, et non au sens où l'entendaient les bourgeois contemporains de Baudelaire (dont le « vertuisme » victorien avait le don de le mettre en fureur), on s'apercevra que certains aspects de la critique baudelairienne sont moins éloignés du « moralisme » de Diderot qu'on ne l'eût soupçonné au premier abord. « Je crois », écrit le poète à Swinburne le 10 octobre 1863 « que tout objet d'art *bien fait* suggère naturellement et forcément *une morale* » (*Correspondance,* IV, 198). C'est que pour Baudelaire, comme pour Diderot, la création artistique implique nécessairement une discipline intellectuelle et morale à toute épreuve. Chardin et Delacroix sont de grands artistes à cause d'une unité de style réalisée, chez l'un comme chez l'autre, grâce à un renoncement de chaque jour aux séduisantes tentations de l'argent, de la renommée, et de la facilité de certains poncifs d'atelier. Tout en affirmant que l'art vise avant tout à la beauté supérieure d'une toile, et l'activité poétique à la perfection formelle du poème, et en insistant sur la nécessité de ne point sacrifier ou négliger quelque aspect esthétique pour un but extérieur à la discipline dans laquelle on s'est engagé, [13] il précise néanmoins : « Je ne veux pas dire que la poésie n'ennoblisse pas les mœurs... que son résultat final ne soit pas d'élever l'homme au-dessus des intérêts vulgaires. » Lorsque Diderot proclame que « rendre la vertu aimable, le vice odieux, le ridicule saillant, voilà le sujet de tout honnête homme qui prend la plume,

---

[11] Et ceci, en dépit du fait qu'il n'avait que vingt-quatre ans lorsqu'il débuta dans la critique d'art. Diderot avait quarante-six ans lorsqu'il composa son premier *Salon de 1759,* dont Grimm lui avait confié la rédaction pour sa *Correspondance littéraire.*

[12] *The Romanic Review,* compte rendu par Margaret Gilman de « L'Esprit du Mal et l'esthétique baudelairienne », de Marcel Ruff (déc. 1955, pp. 280-285).

[13] « J'ai même une haine très décidée... contre toute *intention* morale exclusive », peut-on lire dans cette même lettre à Swinburne.

le pinceau ou le ciseau » (X, 502), il n'est pas très loin du point de vue de Baudelaire qui affirme dans son *Art romantique* : « L'art est-il utile ? oui. Pourquoi ? Parce qu'il est l'art. ... Je défie qu'on me trouve un seul ouvrage d'imagination qui réunisse toutes les conditions du beau et qui soit un ouvrage pernicieux » (p. 973).

La pensée de Diderot ne nous déplaira que dans la mesure où on l'associera avec un de ses artistes favoris. Aujourd'hui, une partie importante de l'œuvre de Greuze répugne à notre goût à cause des poncifs théâtraux de ses compositions sentimentalement et platement édifiantes. Mais la maxime de Diderot nous semble parfaitement acceptable lorsque nous songeons aux artistes qui se proposèrent un but éthique, mais qui surent en même temps rehausser leurs œuvres d'une facture puissamment originale ainsi que de qualités purement plastiques, lesquelles, au-delà du contenu moral du sujet traité, exercent leur magie sur le spectateur. Malheureusement, aucun artiste contemporain de Diderot ne fut à même de rendre « le vice odieux » de façon aussi inoubliable que Goya dans ses *Horreurs de la Guerre,* son *Trois mai 1808* ou ses *Caprices,* dont les monstres évoquaient chez Baudelaire « toute la hideur, toutes les saletés morales, tous les vices que l'esprit humain peut concevoir » (754). Aucun de ceux qui participèrent aux Salons parcourus par l'Encyclopédiste ne fut non plus à même de rendre « le ridicule saillant » avec les traits génialement simplifiés, les accents audacieux des caricatures de Daumier, cet autre favori du poète des *Fleurs du Mal.*

S'il est possible d'analyser côte à côte les *Salons* de Baudelaire, avec leur ton intense, ardent, et ceux de Diderot, c'est que celui-ci, malgré ses *Bijoux indiscrets,* ce « péché » de jeunesse, dépasse, par ses côtés les plus profonds et les plus durables, son époque si friande de libertinage insouciant et de plaisirs éphémères. Devant les extravagances frivoles — bien que géniales, il faut le reconnaître — de décorateurs en vogue tels que Fragonard et Boucher, n'était-il point naturel que celui qui avait été emprisonné pour ses idées, qui avait consacré ses meilleures années à propager les lumières, et possédait une très haute idée de la responsabilité de l'artiste devant la postérité, déplorât que des talents aussi éminents, des artistes aussi doués s'employassent infatigablement à d'interminables représentations mondaines ou érotiques ? Certes, l'auteur de *Jacques le Fataliste* était loin d'être prude. « Je ne suis pas scrupuleux », confesse-t-il dans son *Essai sur la peinture,* « Je lis quelquefois mon Pétrone... Les petits madrigaux infâmes de Catulle, j'en sais les trois quarts par cœur. ... Je pardonne au poète, au peintre, au sculpteur, au philosophe même, un instant de verve et de folie » (X, 502) ; mais de ceci il ne s'ensuit pas « qu'on trempe toujours là son pinceau, et qu'on pervertisse le but des arts » (X, 502). Il n'était d'ailleurs pas insensible à la magie du pinceau chez un Fragonard ou un Boucher. A propos de celui-ci, qu'il aimait à malmener, il dira dans ses *Pensées détachées* : « J'ai dit trop de mal de Boucher » (XII, 122). Et sur le tard, il se lia avec Fragonard, car vers 1782 — ou deux ans avant la mort du philosophe — ce peintre lui dédia ses dessins si poétiquement aériens du Parc Saint James à Neuilly. [14]

Faute d'avoir pu connaître un Goya ou un Daumier, n'était-il pas inévitable que Diderot se rabattît sur Greuze, un des rares artistes « sérieux » du temps, et qu'il émît ces exclamations devenues trop notoires parce que citées hors de tout contexte par toutes les anthologies de peinture et les études consacrées à la critique d'art de l'Encyclopédiste : « C'est vraiment là mon homme que ce Greuze. ... D'abord le genre me plaît ; c'est la peinture morale » (X, 207-208), et « Voici votre peintre et le mien, le premier qui se soit avisé, parmi nous, de donner des mœurs à l'art » (X, 341). L'inoubliable *Rue Transnonain* de Daumier, le magnifique *Guernica* de Picasso, les impressionnantes peintures murales du Mexicain Orozco démontrent que la peinture « morale » ou « sociale » ne doit point nécessairement être ennuyeuse, grivoise ou de mauvais goût, et qu'elle ne doit point forcément sacrifier le souci primordial du peintre ; celui de la forme. Greuze eût pu traiter ses thèmes de manière différente s'il se fût moins préoccupé « d'émouvoir » et de toucher les âmes sensibles du XVIIIe siècle, et si, à l'instar de Chardin, il eût fait primer un faire moins spectaculaire mais plus pur, au lieu de rechercher le succès facile et l'argent. [15] Ses esquisses magistrales ainsi que certains portraits à l'exécution large et généreuse et au rendu fougueux révèlent d'ailleurs qu'il était richement doué. Faute de table de références et de choix dans ce genre, Diderot devait l'encourager avec enthousiasme tout en émettant des réticences sur sa technique « raide » et sa couleur « fade et blanchâtre » (X, 101). Dans son article « Les *Salons* de Diderot », Jean Seznec remarque justement qu' « on associe toujours Greuze à Diderot, trop étroitement peut-être, à coup sûr trop exclusivement ». [16]

Il y a dans l'art de Greuze un mélange étroit de grivoiserie et de « vertuisme » simpliste et sentimental qu'on a trop confondu avec la saine et franche sensualité et les complexes théories esthétiques et éthiques de Diderot. Si ce dernier, fermant les yeux sur les insuffisances et les inharmonies des tons de Greuze, a cru pendant quelque temps avoir trouvé en lui « son peintre », il est faux d'en conclure, comme l'ont fait les Goncourt, que celui-ci « dessinait, ... composait d'après les

---

[14] Voir *One Hundred Master Drawings,* éd. par Agnes Mongan (Harvard Univ. Press, 1949).

[15] Dans son *Salon de 1763,* Diderot raconte l'anecdote suivante : « On m'a dit que Greuze montant au Salon et apercevant le morceau que je viens de décrire [*La Raie*], le regarda et passa en poussant un profond soupir » (X, 195). Nous soupçonnons que c'était la conscience artistique du maître du *Fils ingrat puni* qui devait le tourmenter, en dépit de son triomphe auprès du public... Dans leur chapitre consacré à Greuze de *L'Art du dix-huitième siècle,* les frères Goncourt révèlent un aspect de Greuze qui nous semble extrêmement intéressant : « Il reste le disciple du maître parisien dont il reprendra les scènes et jusqu'aux titres, dans ses coquettes imitations du *Bénédicité* et de *l'Ecureuse* » (II, 12).

[16] *Harvard Library Bulletin,* vol. 5, p. 277.

règles et la poétique du philosophe ».[17] L'auteur du délicieux et profond *Entretien d'un Père avec ses enfants* a sans doute goûté chez le maître du mélodramatique *Paralytique et ses enfants* certaines affinités, certains rapports de thèmes ; mais là s'arrête toute ressemblance. Non seulement les figures maniérées du peintre ne sont-elles pas en accord avec la poétique de l'écrivain, mais elles se trouvent posséder justement un défaut plastique souvent critiqué par Diderot : à savoir, que « tout personnage qui semble vous dire : 'Voyez comme je pleure bien, comme je me fâche bien, comme je supplie bien', est faux et *maniéré* » (XI, 372). Par contre, les personnages de Diderot, si naturels, si magistralement campés en quelques traits, n'ont jamais ce défaut.[18] Diderot ne semble néanmoins pas s'être aperçu que Greuze se rapprochait par certains côtés du faire théâtral et rococo ainsi que de la sensualité d'un Boucher et d'un Fragonard, plus que du modeste et grand Chardin, ce pur coloriste, ancêtre de Cézanne. Il est d'ailleurs notable que Malraux, dans ses *Voix du Silence,* compare certaines esquisses érotiques de Greuze aux tableaux de Fragonard.[19]

Si la scène des *Liaisons dangereuses*[20] de Laclos, où Valmont se trouve entouré d'une pauvre famille éperdue de reconnaissance parce qu'elle a échappé à une saisie des meubles grâce à la charité du libertin, s'il est vrai que cette scène pourrait constituer une transcription fidèle d'une composition de Greuze, elle n'est cependant qu'une parodie habile d'une scène de Diderot.

Tous deux, Diderot et Baudelaire, ont évité d'ériger leurs principes en un système théorique, et, renonçant aux vastes définitions abstraites, ont réussi le tour de force d'énoncer des maximes théoriques expérimentales ; ils ont, en d'autres termes, tiré des généralisations sensées et cohérentes de l'observation continuelle des problèmes difficiles auxquels le peintre doit faire face. Certes, des théories d'une telle nature sont sans doute moins commodes à étudier que quelque système rigoureusement défini : car, ainsi que nous le constaterons par la suite, souvent elles suivront une courbe, subiront une évolution, ou même présenteront certaines ambiguïtés. Mais en revanche, elles gardent, à travers les années et en dépit de l'effet du temps souvent cruel, une fraîcheur, un dynamisme et un caractère novateur qui récompensent largement l'effort du lecteur attentif. Il semble que Baudelaire, autant que Diderot, ait considéré la contradiction comme un des privilèges de l'esprit supérieur. Cependant, il suffit de sonder quelque peu leurs assertions apparemment paradoxales pour découvrir qu'elles reposent en fait sur une vision du monde, sinon rigidement une, du moins richement évolutive et unifiée, car elle obéit à des directions constantes de l'esprit et de la sensibilité. En outre, certaines observations du poète sont aussi quelquefois des

---

[17] *Op. cit.,* II, 23.

[18] Une réserve s'impose cependant à l'égard des pièces de théâtre moins réussies de Diderot.

[19] Cf. *Les Voix du Silence,* p. 527.

[20] Ce roman tant admiré de Baudelaire.

boutades lancées dans des moments d'humeur dus aux misères de toutes sortes qui ont empoisonné sa tragique existence. En face des irritantes vexations de la vie quotidienne et matérielle, Baudelaire, d'un tempérament inquiet et nerveux, était beaucoup plus désarmé et impuissant que l'énergique et sanguin Atlas de *l'Encyclopédie.*

C'est après avoir fréquenté assidûment les artistes du temps et appris à connaître intimement le « métier » que Diderot et Baudelaire arrivèrent à formuler leurs théories les plus marquantes. Des salonniers à la fois théoriciens intelligents et observateurs pénétrants sont d'ailleurs bien rares dans l'histoire de la critique d'art. Or, tous deux étaient capables de comprendre les aspects purement techniques de la peinture, les facteurs complexes qui entrent dans la création artistique. Etant eux-mêmes créateurs, quoique dans un domaine différent, ils pouvaient pénétrer mieux que des critiques professionnels le sens de la lutte solitaire et souvent héroïque de l'artiste, ainsi que les grands principes esthétiques et psychologiques qui règlent la genèse de toute œuvre d'art. De plus, ils possédaient, développé à un degré extraordinaire, le don de sympathie, l'aptitude à sentir diverses formes de beauté et les potentialités plastiques de toutes les conditions et situations humaines. Qu'il atteigne au cynisme débraillé du *Neveu de Rameau,* ou à la sénilité triste des *Petites Vieilles,* l'être humain dans quelque état de déchéance qu'il se trouve, n'a jamais laissé nos auteurs indifférents et détachés. Derrière les traits mêmes de leur ironie, l'on sent vibrer une chaude et profonde sympathie. A l'encontre des Goncourt qui, à force d'envisager les choses du point de vue purement plastique, « artiste » et ésotérique, ont été peu à peu amenés à considérer les formes et les couleurs comme un absolu, Diderot et Baudelaire n'ont jamais omis de replacer le Beau dans le large cadre humain.

Certes, Diderot lui-même a pratiqué ce précepte qu'il donne au jeune peintre dans son *Essai sur la peinture* : « Il faut avoir étudié le bonheur et la misère de l'homme sous toutes ses faces » (X, 488) ; et lorsque Baudelaire écrivait dans son *Salon de 1859* que le vrai critique, ainsi que le vrai poète, doit être à même de jouir « de la grandeur éblouissante de César triomphant et de la grandeur du pauvre habitant des faubourgs incliné sous le regard de son Dieu » (p. 782), il ne faisait qu'énoncer à l'usage d'autrui le programme qu'il s'était tracé et auquel il devait toujours demeurer fidèle, tant dans sa critique que dans son œuvre poétique proprement dite.

Le philosophe et le poète se rejoignent encore dans leur conscience de la haute mission de l'art, cette pure activité de l'esprit, éminemment désintéressée, capable de libérer l'homme de la dure emprise des forces brutes de la nature extérieure et des contingences de la vie ; tous deux ont pratiqué une critique passionnée, dure envers les médiocres, enthousiaste à l'égard de ceux qu'ils estimaient dignes d'encouragement.

Nous verrons que la solidité de leurs principes, sans être dogmatiques, la valeur positive et créatrice de leurs jugements, la richesse de leurs intuitions les placent bien au-dessus des chroniqueurs professionnels (surtout ceux de la deuxième moitié du XIXe siècle)[21] dont l'éclectisme superficiel, l'absence de « point de vue » ou le dogmatisme rigide attestent le plus souvent un manque de sensibilité esthétique. Acceptons donc avec gratitude les invectives et même les gros mots que Diderot et Baudelaire ne se faisaient pas faute de prodiguer lorsque quelque « croûte » les mettaient en colère.[22] Ni Diderot ni Baudelaire ne s'en laissent imposer par le succès d'un peintre ou par sa réputation. Les toiles les plus courues des *Salons* les laissent froids ou subissent une exécution impitoyable lorsque leur coup d'œil perspicace y découvre des poncifs ou des procédés académiques. Par contre, les compositions de quelque artiste jeune, peu connu ou inexpérimenté, et qui cherche encore ses moyens, semblent-elles contenir les germes d'un style authentique, les encouragements ainsi que les conseils judicieux ne lui manqueront point. C'est que dans le domaine artistique, la recherche sincère d'un idéal, même tâtonnante et maladroite, peut éventuellement aboutir à des chefs-d'œuvre, tandis que l'habileté superficielle, sans passion d'aventure, sans amour de la recherche, reste à jamais la marque d'un rapin médiocre.

Les indignations, les boutades et le ton fervent des *Salons* de Diderot et de Baudelaire sont signe que, tout en exerçant des qualités de lucidité et d'objectivité propres au critique, ils n'en faisaient pas moins crédit à leur sensibilité artistique. Par conséquent, leur critique d'art

---

[21] Cf. *Le Salon de 1845,* édition critique avec introduction, notes et éclaircissements par André Ferran, pour une bonne étude des critiques contemporains de Baudelaire. Seul Théophile Gautier, lui-même peintre et poète, semble faire exception à la médiocrité de ces chroniqueurs.

[22] A cet égard, il est intéressant de faire remarquer qu'en note à son *Salon* de 1846, Baudelaire s'autorise de l'exemple de Diderot pour expliquer sa sévérité pour les peintres médiocres : « Je recommande à ceux que mes pieuses colères ont dû parfois scandaliser la lecture des *Salons* de Diderot. Entre autres exemples de charité bien entendue, ils y verront que ce grand philosophe, à propos d'un peintre qu'on lui avait recommandé parce qu'il avait du monde à nourrir, dit qu'il faut abolir les tableaux ou la famille » (p. 1469). Comme d'habitude, Baudelaire cite de mémoire et interprète largement son auteur. Le seul passage qui se rapproche le plus de la référence en question est d'un esprit plus conciliateur : « Avez-vous vu quelquefois dans des auberges des copies de grands maîtres ? Eh bien, c'est cela. Mais gardez-m'en le secret. C'est un père de famille que ce Parrocel qui n'a que sa palette pour nourrir une femme et cinq ou six enfants » (X, 341). Il existe, par ailleurs, nombre de passages où le philosophe s'est amèrement plaint de l'entrave que présente « ce maudit lien conjugal » (XI, 265) à un esprit créateur. De plus, comme l'a déjà noté Jean Pommier, Baudelaire semble oublier qu'écrivant pour les souscripteurs étrangers de la *Correspondance littéraire* de Grimm, Diderot ne courait pas grand danger d'être lu par le public amateur et artiste parisien. Il pouvait, par conséquent, s'exprimer librement sur un nombre de sujets sans faire de tort à autrui ou à soi-même, car les lecteurs aristocrates de ses comptes rendus semblent ne s'être formalisés ni de ses vues « hérétiques » ni de son langage quelquefois plein de verdeur ; en fait, ils semblent avoir été plus larges d'esprit que les contemporains parisiens de Baudelaire. Diderot, désireux de ne pas causer de difficultés aux artistes dont il connaissait si bien les problèmes, a d'ailleurs fort tenu au secret. « J'aimerais mieux perdre un doigt que de contrister d'honnêtes gens qui se sont épuisés de fatigue pour nous plaire » (X, 226), écrit-il dans sa conclusion au *Salon de 1763.*

déborde de lyrisme, d'images audacieuses, de thèmes subtilement variés et de formules frappantes qui mettent en valeur une grande richesse d'idées. Baudelaire a noté dans son essai sur Richard Wagner : « Je considère le poète [entendez le créateur] comme le meilleur de tous les critiques. Les gens qui reprochent au musicien Wagner d'avoir écrit des livres sur la philosophie de son art et qui en tirent le soupçon que sa musique n'est pas un produit naturel, spontané, devraient nier également que Vinci, Hogarth, Reynolds, aient pu faire de bonnes peintures, simplement parce qu'ils ont déduit et analysé les principes de leur art. Qui parle mieux de la peinture que notre grand Delacroix ? Diderot, Goethe, Shakespeare, autant de producteurs, autant d'admirables critiques » [23] (p. 1060).

Que seraient les *Salons* de nos deux « producteurs » sans l'action dynamique, entraînante de leur puissante personnalité et de leur vibrante émotivité ? De plats, monotones et fastidieux comptes rendus qui, à l'égal de tant d'autres inventaires médiocres, n'intéresseraient plus personne aujourd'hui et reposeraient, oubliés, dans quelque recoin de bibliothèque.

Esprits poétiques, ils ne pouvaient pas non plus se contenter d'analyser, d'interpréter les œuvres d'autrui sans transcender les idées et les opinions populaires à l'époque, sans y « mettre du leur ». Nous verrons que si les véritables chefs-d'œuvre les aidaient à formuler leur propre esthétique, les tableaux médiocres leur étaient souvent prétextes à des reconstructions selon leur propre vision artistique. Génies créateurs, ils devaient s'annexer tous les éléments qui pussent les aider dans leur recherche d'un idéal esthétique. Sous ce rapport, les *Salons* de Diderot et de Baudelaire acquièrent une nouvelle signification que le lecteur n'avait point soupçonnée de prime abord. Comptes rendus pleins de jugements brillants, spirituels et profonds, au style personnel et varié, [24] certes, mais encore des créations poétiques puissamment originales. Les *Salons*, en dehors de leur valeur autonome, font partie intégrale des œuvres les plus marquantes de Diderot et de Baudelaire. Sans leur critique d'art, une appréciation de leur esthétique demeure forcément imparfaite et superficielle.

Il importe de préciser qu'il n'entre pas dans notre intention de retracer ici le développement de la critique d'art au XIXe siècle. Un sujet aussi vaste dépasserait de loin les cadres du présent essai. [25]

---

[23] Les allusions au philosophe que l'on peut trouver dans la critique de Baudelaire dénotent une réelle admiration et même de l'affection, fait peu commun chez Baudelaire qui, à l'exception de Delacroix et de Poe, tendait à traiter durement dans ses accès d'humeur les gens qu'il admirait d'ordinaire.

[24] Nous verrons plus loin qu'au cours de la description et de la transposition, Diderot, en particulier, utilisa presque toutes les formes littéraires où il excellait : conte, dialogue, récit, anecdote, rêve, etc.

[25] Pour des ouvrages d'une portée générale sur l'esthétique au XIXe siècle, cf., T. M. Mustoxidi, *Histoire de l'esthétique française,* 1700-1900 (Champion, 1920) ; W. Folkierski, *Entre le Classicisme et le Romantisme* (Paris, 1925), malheureusement le chapitre consacré à Diderot a été dépassé par la parution

Nous ne noterons certaines tendances des divers mouvements artistiques et littéraires (romantisme, Parnasse, réalisme, symbolisme) que si elles sont en relation directe avec le sujet qui nous concerne. Il nous semble également que, dans une étude de ce genre, il serait plus significatif de mettre l'accent sur les questions esthétiques auxquelles ces deux grands esprits se sont appliqués que de suivre un ordre strictement chronologique.

De même, dans un travail destiné à mettre en lumière les théories esthétiques de Diderot et de Baudelaire, nous n'émettrons d'aperçus sur le caractère, le tempérament et la biographie de ces écrivains que s'ils ont un rapport étroit avec notre analyse.

Nos rapprochements aideront à apprécier l'intelligence perceptive et la modernité de la critique d'art de deux figures littéraires marquantes ainsi que leur surprenante communauté d'esprit en matière de peinture ; et ceci, en dépit des circonstances si différentes où elles travaillèrent. Cette filiation se révèle d'ailleurs de moins en moins fortuite à mesure que l'on approfondit les méthodes d'approche que ces auteurs ont pratiquées. Leurs divergences mêmes sont significatives en ce qu'elles illustrent le plus souvent d'importantes évolutions dans la philosophie de l'art.

Par comparaison, nous espérons également arriver à une meilleure compréhension de la personnalité de Diderot et de Baudelaire, car, estimant que le critique compétent se doit d'avoir un point de vue personnel, ils ont envisagé l'art sous un angle « romantique » en ce sens qu'ils n'hésitaient pas à se laisser suggestionner par les tableaux qui répondaient le mieux à leur tempérament propre. Aussi, leur personnalité a-t-elle déterminé leurs appréciations artistiques et la tonalité si particulière de leurs *Salons*. Il est sans doute significatif que dans son étude consacrée à Poe (*Edgar Poe, sa Vie et ses Œuvres,* 1856), le premier nom qui se présente à l'esprit de Baudelaire, lorsqu'il cherche à comparer et à opposer le tempérament de l'auteur américain à un caractère différent, soit celui du philosophe : « Diderot... est un auteur sanguin ; Poe est l'écrivain des nerfs. » [26]

Certains auteurs et artistes du XIXe siècle ont exercé une influence importante sur la genèse de l'esthétique baudelairienne, notamment :

---

d'inédits et la critique récente ; et H. A. Needham, *Le Développement de l'esthétique sociologique en France et en Angleterre au XIXe siècle* (Champion, 1926). Pour d'autres études générales consacrées à l'esthétique et à Diderot ainsi qu'à Baudelaire, nous renvoyons le lecteur à notre bibliographie.

[26] *Edgar A. Poe, sa Vie et ses Œuvres,* éd. par Jacques Crépet (Louis Conard, 1932), p. xxviii. Par ailleurs, il est à noter que Pierre Mesnard, dans son analyse caractérologique de Diderot, intitulée *Le Cas Diderot,* range cet auteur dans la catégorie des « colériques ». « Une primarité effrénée, servie par une émotivité puissante... voilà qui va constituer pour longtemps notre philosophe en *colérique débridé* » (p. 67).

Stendhal, Delacroix[27] et Edgar Poe ; Jean Pommier n'en a pas moins affirmé, à juste titre, qu' « aucun auteur du XVIIIe siècle... [n'a] agi sur Baudelaire autant que Diderot. Philosophie, romans, théâtre, critique littéraire et musicale, toutes ces parties de l'œuvre ont marqué leur trace, et les *Salons* plus encore que le reste. »[28] H. Brugmans, dans ses « Quelques remarques sur Diderot et l'esthétique baudelairienne », va encore plus loin et, notant la coïncidence de la date du *Salon* de 1845 de Baudelaire avec la parution du *Salon de 1759* de Diderot, il se demande « si la publication, plus ou moins sensationnelle, du *Salon de 1759,* par Walterdin, dans *L'Artiste* du 9 mars 1845, n'a pas directement déterminé Baudelaire à se lancer dans l'étude des arts plastiques ».[29] Et cette hypothèse semble justifiée non seulement par d'importantes similitudes d'idées, mais même par la présentation de ces deux *Salons* rédigés à près d'un siècle d'intervalle : noms d'artistes en caractères majuscules et faisant titre, parallèles dans la phraséologie, même système d'approche.

Qu'on nous permette de préciser davantage encore la coïncidence des dates. Jusqu'en 1845, Baudelaire s'intéresse vivement à la peinture — sa « passion des images » remonte à son enfance — mais sans concevoir de projet défini et sans assumer la tâche du critique d'art. Il parcourt assidûment le Louvre, le Musée de Versailles, le Luxembourg, la Galerie d'Orléans, s'intéresse à la collection espagnole du Louvre. En 1844, il écrit à sa mère qu'il compte « travailler rondement à son livre de peinture » (*Correspondance,* I, 48). Projet dont il ne dit rien de précis et qui fait plutôt penser à quelque histoire de la peinture dans le genre pratiqué par Stendhal. Rien de concret ne résulte de ceci jusqu'à ce que paraisse (le 9 mars, rappelons-le) le *Salon de 1759* de Diderot dans l'*Artiste,* dont Baudelaire était non seulement un lecteur avide, mais où il espérait publier régulièrement.[30] Le 15 mars est le jour de l'ouverture du Salon de 1845. Soudain, Baudelaire décide, au dire de ses amis, de ne plus parcourir l'exposition en spectateur et en dilettante, mais en salonnier attentif à tous les détails, et il fait part de son intention notamment

---

[27] Miss Gilman fait justement remarquer qu'il est souvent difficile de démêler l'influence de Diderot de celle de Stendhal et de Delacroix sur les *Salons* de Baudelaire, car ces figures intermédiaires ont été des admirateurs et des lecteurs fervents de Diderot et du dix-huitième siècle en général. Donc, ce que Baudelaire doit à Stendhal et à Delacroix, il le doit très souvent indirectement à Diderot. Voir *Baudelaire the Critic,* The Disciple of Delacroix, p. 40. Dans le chapitre suivant, nous tenterons de démêler autant que possible les divers fils qui constituent ce canevas compliqué d'influences. Pour ce qui est de Poe, son influence sur Baudelaire n'est pas marquante dans le domaine plastique, excepté, peut-être, dans le style du poète.

[28] Jean Pommier, *op. cit.,* p. 251.

[29] H. Brugmans, *Neo-Philologus,* Vol. 23, p. 285. D'autres écrits critiques de Diderot ayant été publiés auparavant, notamment les *Salons* de 1761, 1765, 1767 et les cinq dernières lettres du *Salon de 1769,* ainsi que *L'Essai sur la peinture* et *Les Pensées détachées sur la peinture* (Voir *Notice préliminaire* aux Salons, X, pp. 87-90 pour plus de détails) il est très vraisemblable que le poète les a également étudiés.

[30] Le 25 mai 1845 y paraît le sonnet *A une Créole.*

au peintre Emile Deroy. [31] Une seule semaine s'est écoulée depuis la publication du *Salon de 1759,* et il faudra approximativement deux semaines de travail au jeune critique pour écrire son premier *Salon,* celui de 1845, qui paraît au début de mai de cette année-là.

Le *Salon de 1759,* et en général la critique d'art de Diderot, furent-ils la « chiquenaude » initiale qui mit l'intelligence aiguë de l'amateur de peinture au service de la critique ? Cette hypothèse paraît d'autant plus convaincante si l'on considère la lettre de Baudelaire à Champfleury (mai 1845), où il lui demande de rapprocher dans un article son *Salon* et ceux de Diderot : « Si vous voulez me faire plaisir, faites quelques lignes sérieuses et parlez des *Salons* de Diderot. » [32] Il est donc très probable qu'à presque cent ans de distance, la pensée esthétique du philosophe agit de façon déterminante sur celle du jeune poète.

Par ailleurs, Brugmans relève que « la parution des *Salons* de 1763, 1769 (complété) 1771, 1775, et 1781 dans *La Revue de Paris* en 1857, fut suivie presque aussitôt par une nouvelle floraison d'essais esthétiques chez Baudelaire ». [33]

Le passage que voici des *Notices sur Edgar Poe* démontre également en quelle estime Baudelaire tenait l'Encyclopédiste et avec quelle justesse il comprenait la nature complexe de son génie :

> Aussi les romanciers forts sont-ils plus ou moins philosophes : Diderot, Laclos, Hoffmann, Goethe, Jean Paul, Maturin, Honoré de Balzac, Edgar Poe. Remarquez que j'en prends de toutes les couleurs et des plus contrastés. Cela est vrai de tous, même de Diderot, le plus hasardeux et le plus aventureux, qui s'appliqua, pour ainsi dire, à noter et à régler l'inspiration ; qui accepta d'abord, et puis, de parti pris utilisa sa nature enthousiaste, sanguine et tapageuse. [34]

Loin d'accuser Diderot d'être un esprit brouillon, comme l'ont fait nombre d'érudits, Baudelaire, avec sa pénétration habituelle, a senti que le salonnier du XVIIIe siècle ne s'était pas laissé emporter aveuglément par sa puissante émotivité, mais qu'il s'en était rendu le maître afin d'en faire en quelque sorte la force motrice de son travail créateur.

Et à propos de l'art dramatique wagnérien, Baudelaire évoque les théories musicales de Diderot en ces termes : « Je sentais revivre dans mon esprit, comme par un phénomène d'écho mnémonique, différents passages de Diderot qui affirment que la vraie musique dramatique ne peut pas être autre chose que le cri ou le soupir de la passion noté et rythmé » (p. 1055).

Si le poète est à même d'avoir des réminiscences aussi précises, il n'y a pas de doute que la critique d'art de son prédécesseur devait lui être au moins aussi familière que les autres aspects de l'œuvre de

---

[31] Voir A. Tabarant, *La Vie artistique au temps de Baudelaire* (Mercure de France, 1942), p. 88.
[32] Voir note 3, p. 2.
[33] *Op. cit.*, p. 285.
[34] Baudelaire, *Œuvres complètes* (Le Club du meilleur livre, 1955), I, 549.

Diderot. Il s'est également intéressé de manière active au théâtre du Pantophile puisqu'il insiste auprès d'Hostein, directeur de la Gaîté, pour faire représenter *Est-il bon? Est-il méchant?*

> M. Hostein doit parfaitement bien comprendre [écrit-il, d'ailleurs en vain, à ce personnage] la valeur d'un ouvrage qui a l'air d'un de ces rares précurseurs du théâtre que rêvait Balzac... Si je voulais surexciter votre orgueil, je pourrais vous dire qu'il est digne de vous de perdre de l'argent avec ce grand auteur, mais malheureusement je suis obligé de vous avouer que je suis convaincu qu'il est possible d'en gagner. [35]

Bien entendu, Hostein, en homme d'affaires prudent, préféra ne pas risquer son argent pour l'amour de l'art, et il fallut attendre plus d'un demi-siècle pour constater que Baudelaire avait raison... Lui-même projette d'ailleurs une comédie inspirée de celle de Diderot, [36] et, d'autre part, dans un poème à la louange de *Volupté,* adressé à Sainte-Beuve, il dépeint ses années de collège et indique clairement à quel point il s'était assimilé *La Religieuse* et en avait fait une partie intégrante de son imagerie personnelle :

> C'était surtout l'été, quand les plombs fondaient
> ....
> Saison de rêverie, où la Muse s'accroche
> Pendant un jour entier au battant d'une cloche ;
> Où la Mélancolie, à midi, au fond du corridor, —
> L'œil plus noir et plus bleu que la Religieuse
> Dont chacun sait l'histoire obscène et douloureuse
> Traîne un pied alourdi de précoces ennuis,
> Et son front moite encore des langueurs de ses nuits. [37]

Il est également significatif que le nom de Diderot réapparaisse dans un passage des plus révélateurs de *La Fanfarlo,* où il est dit de Samuel Cramer (cet *alter ego* de Baudelaire) qu'

> il semblait dans sa vie vouloir mettre en pratique et démontrer la vérité de cette pensée de Diderot : 'L'incrédulité est quelquefois le vice d'un sot, et la crédulité le défaut d'un homme d'esprit. L'homme d'esprit voit loin dans l'immensité des possibles. Le sot ne voit guère de possible que ce qui est. C'est là peut-être ce qui rend l'un pusillanime et l'autre téméraire.' Ceci répond à tout.

En effet, selon Baudelaire, la pensée de Diderot « explique... toutes les bévues que Samuel a commises dans sa vie, bévues qu'un sot n'eût pas commises. » [38]

---

[35] *Correspondance,* I, 310. Lettre datée du 8 novembre 1854.

[36] Le héros de cette pièce eût été " le catholique dandy... enves de Tartuffe... aimable, arrangeant les affaires de tout le monde, à la manière d'Hardouin (drame de Diderot) » (p. 1261).

[37] *Correspondance,* I, 63. Lettre à Sainte-Beuve (1844, sans date exacte). En général, nous sommes incomplètement renseignés sur les lectures de Baudelaire, surtout celles de jeunesse, mais il est évident qu'il a beaucoup pratiqué les auteurs du XVIIIe siècle.

[38] *La Fanfarlo,* p. 392. Baudelaire cite textuellement la pensée XXXII des *Pensées philosophiques.* (I, 140). D'autre part, on est frappé par la manière

Par delà les cadres arbitraires des époques, certains écrivains et artistes se retrouvent et s'influencent les uns les autres. Et les divergences les plus profondes tiennent moins à l'influence de milieux dissemblables qu'à l'unicité du génie.

Charles Baudelaire, fils d'un sérieux amateur de peinture qui fut aussi disciple du XVIIIe siècle,[39] cachait, nous dit Asselineau, « quelque chose de l'homme sensible du XVIIIe siècle »,[40] derrière son dandysme si « fin dix-neuvième ». De son père, le poète a hérité le goût du siècle des lumières. Asselineau écrit également dans son *Baudelaire* que « les Fragonard, les Carle Vernet, les Debucourt le charmaient », et note le caractère si dix-huitième siècle de cet axiome baudelairien : « Pas de grande peinture sans de grandes pensées. »[41] Nous irions volontiers plus loin en voyant dans cette proposition, sinon une réminiscence directe, du moins un parallélisme frappant avec un principe qui réapparaît fréquemment dans les *Salons* du philosophe, et à la lumière duquel il réprimandait Boucher pour s'être contenté des « concetti » et pour n'avoir pas acquis « la pensée de l'art » (X, 258).

Puisqu'une communauté de problèmes existe entre les divers domaines artistiques, l'écrivain ou le poète peut souvent cristalliser ses propres idées esthétiques au contact de chefs-d'œuvre picturaux, et même de morceaux médiocres. C'est surtout en interrogeant anxieusement le silence éloquent des tableaux, non en dilettantes détachés, en amateurs qui se contentent d'admirer, mais en chercheurs, que Diderot et Baudelaire révèlent une filiation importante.

Un autre motif nous pousse à confronter les idées esthétiques de ces deux critiques-poètes. Lecteurs omnivores, esprits éminemment curieux et cultivés ainsi que puissamment synthétiques, ils réunissent en eux-mêmes les divers éléments importants qui caractérisent leurs siècles respectifs, et, tels les « phares » que Baudelaire chantera dans ses *Fleurs du Mal,* tous les deux, imprimant à ces tendances éparses leur forte personnalité, les vivifient, les recréent et les projettent en une lumière puissante, laquelle éclaire non seulement leur propre époque, mais aussi les tendances de l'avenir.

---

similaire dont Diderot et Baudelaire définissent la poésie. Voir la *Lettre sur les sourds et muets* : « Le discours [du poète inspiré] est... un tissu d'hiéroglyphes » (I, 374) et « Victor Hugo » dans *L'Art romantique* : « Tout est hiéroglyphique [aux yeux du poète] » (p. 1086).

[39] Les « philosophes » et *L'Encyclopédie* faisaient partie de la bibliothèque de Joseph-François Baudelaire.

[40] *Baudelaire et Asselineau,* textes recueillis et commentés par Jacques Crépet et Claude Pichoix, p. 85.

[41] *Ibid.,* p. 74.

CHAPITRE II

LES FIGURES INTERMÉDIAIRES : STENDHAL, DELACROIX

> Les plus divers esprits sortirent de Diderot... Source immense et sans fond. On y puisa cent ans. L'infini reste encore.
>
> MICHELET.

Dans le chapitre précédent, nous avons fait observer, comme l'avait déjà fait Margaret Gilman, qu'il est souvent difficile de démêler l'influence de Diderot de celle de Stendhal et de Delacroix sur les *Salons* de Baudelaire. [1]

Stendhal et Delacroix ayant été des admirateurs et des lecteurs fervents de Diderot et du XVIIIe siècle en général, l'intention de ce chapitre est de tenter de démontrer dans quelle mesure ce que Baudelaire doit à ces deux prédécesseurs, il le doit en fait indirectement à Diderot. Bien entendu, nous ne désirons point diminuer l'apport individuel de ces deux figures intermédiaires importantes ; et nous ferons la part de cet apport chaque fois que le cas se présentera.

Après Diderot, Stendhal est le premier homme de lettres éminent qui se soit avisé de rédiger un *Salon*. En 1824, il écrivit dix-neuf feuilletons parus dans le *Journal de Paris*. Auparavant, de 1811 à 1817, il avait composé une *Histoire de la peinture en Italie*. [2]

En dépit de la dette indubitable contractée par Baudelaire envers Stendhal, [3] il suffit d'établir une comparaison entre quelques pages critiques de ces auteurs pour s'apercevoir que, sous le rapport de la facture et de la compréhension des problèmes particuliers aux arts plastiques, le poète est bien supérieur au romancier. S'il est vrai que Baudelaire détruira « les exemplaires du *Salon de 1845*, ayant aperçu des rapports entre les idées qu'il y expose et celles de Heine ou de Stendhal », [4] ces

---

[1] Voir plus haut p. 13, note 27.

[2] Pour plus de détails sur l'histoire complexe de la rédaction de cette œuvre, voir la Préface de Paul Arbelet dans l'édition Champion (2 vols., 1924) des *Œuvres complètes de Stendhal*, ainsi que l'*Histoire de la peinture en Italie et les plagiats de Stendhal* par le même auteur.

[3] L'influence de Stendhal est perceptible en particulier dans le *Salon de 1845*, comme Jean Pommier et Margaret Gilman l'ont indiqué dans leurs études déjà citées. Ils ont établi des rapprochements qui ressemblent même quelquefois à de véritables plagiats.

[4] A. Ferran, *L'Esthétique de Baudelaire*, p. 66.

rapports portent surtout sur des thèmes qui n'ont point une relation directe avec la technique : observation pénétrante des caractères et des passions, étude de l'idéal antique et de l'idéal moderne,[5] influence du climat et de l'occupation sur le type humain et son étroite relation avec l'idéal de beauté,[6] analogies entre les couleurs, les sons et les « états-d'âme »,[7] importance du détail significatif (ou nécessité d'exagérer ce détail en vue de rendre l'expression plus suggestive) et, finalement, corrélation entre une bonne composition et l'absence de détails superflus et secondaires.

D'une manière générale, Baudelaire a certainement été sensible à une finesse subtile dans l'analyse des sentiments tendres et raffinés, au souci d'un style sobre et juste ainsi qu'à certaines expressions et formules heureuses, tous ces aspects qui caractérisent le génie stendhalien, et qu'il ne s'est pas fait faute de s'approprier dans une assez large mesure. Le sentiment très vif que Baudelaire portait à l'importance d'un style original, sa conscience scrupuleuse d'artiste, nous donnent d'ailleurs à penser que ce furent surtout les parallélismes de la forme entre son *Salon de 1845* et certains passages de l'*Histoire de la peinture en Italie* — que Delacroix avait également lue et dont il aimait certaines descriptions[8] — qui se trouvèrent à la source de son malaise, si malaise il y eut vraiment, comme on l'a suggéré.[9] Quant aux idées que l'on retrouve, tant dans les écrits critiques de Stendhal que dans ceux de Baudelaire, certaines étaient déjà monnaie courante parmi les penseurs du XVIIIe siècle[10] dont l'auteur du *Rouge et le Noir* était d'ailleurs le disciple, spécialement en matière philosophique. Mais fait important, et qui à notre connaissance n'a pas été relevé jusqu'ici, il n'est pas un thème, pas une des thèses énoncées plus haut, pas un emprunt direct que Baudelaire fait à Stendhal (Pommier, plus sévère, préfère l'appeler un

---

[5] Stendhal conclut que nous devrions abandonner l'imitation servile des Anciens pour la recherche d'un idéal qui corresponde à notre mode de vie, thèse que Baudelaire devait développer pour en faire la base de son esthétique de la « modernité ».

[6] Taine, en particulier, érigera ce principe en une méthode critique cohérente, aux démonstrations logiques, mais d'un caractère quelque peu mécaniste. Voir sa brillante mais trop systématique *Philosophie de l'art*.

[7] Dans sa *Vie de Rossini*, Stendhal relève une analogie entre le son de la flûte et « les grandes draperies *bleu d'outremer* prodiguées par plusieurs peintres... dans les sujets tendres et sérieux » (I, 75), et, dans son *Histoire de la peinture en Italie*, il remarque que certaines couleurs produisent certains effets psychologiques : « le jaune et le vert sont des couleurs gaies ; le bleu est triste ; le rouge fait venir les objets en avant. » (I, 135).

[8] Voir la *Revue des Deux-Mondes* du 1er août 1837, où Delacroix exprime son admiration pour le « morceau » sur le *Jugement dernier* de Michel-Ange, « l'un des plus poétiques et des plus frappants fue j'aie lus », p. 342.

[9] Par ailleurs, il est intéressant de noter que Valéry discerne des similitudes entre le style de Stendhal et celui de Diderot et de Beaumarchais : « Je trouve à Stendhal le mouvement, le feu, les réflexes rapides, le ton rebondissant, l'honnête cynisme des Diderot et des Beaumarchais, ces comédiens admirables. » *Variété II*, « Stendhal », p. 83.

[10] Voir Paul Arbelet, Préface à l'*Histoire de la peinture en Italie*, ainsi que l'*Histoire de la peinture en Italie et les plagiats de Stendhal*.

plagiat) dont on ne trouve également un écho précis dans la critique d'art de Diderot. La nécessité de l'étude attentive des caractères et des passions, la comparaison entre l'idéal antique et moderne, la diversité des types humains, l'harmonie complète de chaque individu, l'omission du détail inutile, les incidences du climat, de l'époque et de l'occupation sur l'aspect physique et l'esprit de l'homme, les « correspondances » entre les sentiments et les couleurs, l'importance du moment dans le choix du sujet : tous ces principes généraux avaient déjà été abondamment et à maintes reprises discutés par Diderot tant au cours de ses observations directes de tableaux que dans ses essais plus théoriques. En somme, tous les éléments « stendhaliens » de la critique baudelairienne avaient déjà été matière familière à l'esprit curieux et mobile du philosophe.

Voici quelques points de contact entre ces trois auteurs : [11]

Esquisses.

Diderot. — Quatre lignes perpendiculaires, et voilà quatre belles colonnes, et de la plus magnifique proportion. ... Le mouvement, l'action, la passion même sont indiqués par quelques traits caractéristiques ; et mon imagination fait le reste, (XI, 254).

Le crayon du dessinateur habile... *[a]* l'air de courir et de se jouer. La pensée rapide caractérise d'un trait (X, 352).

Stendhal. — Les grands artistes en faisant un dessin peu chargé font presque de l'idéal. Ce dessin n'a pas quatre traits, mais chacun rend un contour essentiel. (II, 97).

Baudelaire. — Dans ses croquis il fait naturellement de l'idéal ; son dessin, souvent peu chargé, ne contient pas beaucoup de traits ; mais chacun rend un contour important.

(A propos d'Ingres, p. 646)

Art, enfance et naïveté.

Diderot. — Outre la simplicité... il faut y joindre l'innocence, la vérité et l'originalité d'une enfance heureuse... et alors le naïf sera essentiel à toute production des beaux-arts.

(*Pensées détachées sur la peinture,* « Du Naïf », XII, 121)

Stendhal. — Voilà l'art qui, pour se perfectionner, revient à son enfance. (II, 94).

Baudelaire. — L'enfant voit tout en *nouveauté*.... Le génie n'est que l'*enfance retrouvée* à volonté (p. 888).

L'art pour se perfectionner revient vers son enfance (p. 644).

Omission des détails non essentiels dans une bonne composition.

Diderot. — Quand on a le courage de faire le sacrifice de ces épisodes [qui distraient de l'ensemble]... on est vraiment un grand maître (XI, 340).

---

[11] Sauf avis contraire, les citations de Stendhal renvoient à l'édition Arbelet et Champion, *Histoire de la peinture en Italie,* vols. I et II.

Stendhal. — L'artiste sublime doit fuir les détails (II, 94).

Baudelaire. — Le sublime doit fuir les détails (p. 644).

Raphaël.

Diderot. — Quand on considère certaines figures, certains caractères de tête de Raphaël, des Carraches et d'autres, on se demande où ils les ont pris. Dans une imagination forte, dans les auteurs, dans les nuages, dans ies accidents du feu, dans les ruines, dans la nation où ils ont recueilli les premiers traits que la poésie a ensuite exagérés (X, 489-90).

Stendhal. — *Comment l'emporter sur Raphaël ?* — Dans les scènes touchantes produites par les passions, le grand peintre des temps modernes, si jamais il paraît, donnera à chacune de ses personnes la beauté idéale tirée du tempérament fait pour sentir le plus vivement l'effet de cette passion (II, 80-81).

Baudelaire cite ce passage de Stendhal dans son chapitre *De l'Idéal et du Modèle* (p. 644).

L'allégorie.

Diderot. — L'allégorie, rarement sublime, est presque toujours froide et obscure (XII, 84).

Stendhal. — Le Saint Jérôme du Corrège venant voir Jésus enfant paraît accompagné du lion, symbole de sa puissante éloquence. Par malheur, personne n'est effrayé de ce lion. Dès lors nous sommes loin de la nature, l'art prend un langage de convention, et tombe dans le froid (II, 26).

Baudelaire. — L'allégorie est un des plus beaux genres de l'art (p. 572).

(On voit que sous le rapport de l'allégorie, Baudelaire a un point de vue diamétralement opposé à celui de ses deux prédécesseurs ; chose d'ailleurs très rare.)

Voici, en outre, quelques propositions stendhaliennes qui instituent des parallèles intéressants avec certains thèmes de Diderot, et suggèrent même des réminiscences assez précises.

Dépendance mutuelle des diverses parties du corps humain.

Stendhal. — (A propos d'Antinoüs) Vous distinguez non seulement chaque partie du corps, mais aussi que ce corps est celui d'un héros. C'est que les grands contours de cette jambe ont la même physionomie, le même degré de convexité que les grands contours du bras (II, 95).

Diderot. — Tournez vos regards sur cet homme, dont le dos et la poitrine ont pris une forme convexe... Couvrez cette figure ; n'en montrez que les pieds à la nature ; et la nature dira, sans hésiter : « Ces pieds sont ceux d'un bossu. » (X, 462).

Expressions et passions.

Stendhal. — Les passions altèrent les habitudes morales et leur expression physique (II, 85).

Diderot. — L'homme entre en colère, il est attentif, il est curieux, il aime, il hait, il méprise, il dédaigne, il admire ; et chacun des mouvements de son âme vient se peindre sur son visage en caractères clairs, évidents, auxquels nous ne nous méprenons jamais (X, 484).

Nature et art.

Stendhal. — Le peintre n'a pas le soleil sur sa palette (I, 136).

Diderot. — La peinture, pour ainsi dire, a son soleil, qui n'est pas celui de l'univers (XIII, 25).[12]

Beauté et utilité.

Stendhal. — La beauté antique est donc l'expression d'un caractère utile (II, 17).

Diderot. — L'auteur [Watelet qui écrivit un *Poème sur l'art de peindre*] la regarde [la beauté] comme un reflet de l'utilité, et il a raison (XIII, 24).

Elaboration du Beau antique.

Stendhal. — L'artiste grec qui fit le choix des formes de sa *Vénus* sur les cinq plus belles femmes de Corinthe cherchait dans chacun de ces beaux corps les traits qui exprimaient *le caractère* qu'il voulait rendre (II, 19).

Diderot. — La nature commune fut le premier modèle de l'art. Le succès de l'imitation d'une nature moins commune fit sentir l'avantage du choix ; et le choix le plus rigoureux conduisit à la nécessité d'embellir ou de rassembler dans un seul objet les beautés que la nature ne montrait éparses que dans un grand nombre (XII, 76).

Esthétique et éthique.

Stendhal. — La peinture n'est que de la morale construite (II, 226). Cité par Baudelaire qui y ajoute cette pensée : « Que vous entendiez ce mot de morale dans un sens plus ou moins libéral, on en peut dire autant de tous les arts » (*Salon de 1846*, p. 609.)

Diderot. — Deux qualités essentielles à l'artiste, la morale et la perspective (XII, 83) [entendez, la pensée et la technique].

Esthétique de l'inachevé.

Stendhal. — Il n'y a qu'un parti, sautons tous ces malheureux détails qui pourraient dérober une part de l'attention (II, 15).

Diderot. — Quand on peint, faut-il tout peindre ? De grâce, laissez quelque chose à suppléer par mon imagination (X, 174).

Couleurs et passions.

Stendhal. — Un choix de couleurs, une manière de les appliquer avec le pinceau... augmentent les effets moraux d'un dessin (I, 133).

Diderot. — Mais j'allais oublier de vous parler de la couleur de la passion... Est-ce que chaque passion n'a pas la sienne ? (X, 473).

---

[12] Cézanne se servira d'une formule analogue : « J'ai découvert que le soleil est une chose qu'on ne peut pas reproduire, mais qu'on peut représenter. »

Dessin.

Stendhal. — Il faut étudier le dessin dans Raphaël et le Rembrandt (I, 135).

Diderot. — Il faut copier d'après Michel-Ange, et corriger son dessin d'après Raphaël (XII, 132).

Accord des tons.

Stendhal. — Avez-vous l'œil délicat, ou, pour parler plus vrai, une âme délicate, vous sentirez dans chaque peintre le ton général avec lequel il *accorde* tout son tableau (I, 136).

Diderot. — Quel est donc pour moi le vrai, le grand coloriste ? C'est celui... qui a su accorder son tableau (X, 471).

Imitation des maîtres.

Stendhal. — Chaque artiste devrait voir la nature à sa manière. Quoi de plus absurde que de prendre celle d'un autre homme et d'un caractère souvent contraire ?... La pauvre vérité, c'est que jusqu'à une certaine époque l'élève ne voit rien dans la nature. Il faut d'abord que sa main obéisse, et qu'après il y reconnaisse ce que son maître a pris (I, 168).

Diderot. — Pendant un temps infini, l'élève copie les tableaux de ce maître, et ne regarde pas la nature ; c'est-à-dire qu'il s'habitue à voir par les yeux d'un autre et qu'il perd l'usage des siens. Peu à peu il se fait un technique qui l'enchaîne, et dont il ne peut ni s'affranchir ni s'écarter (X, 470).

Soleil et ton général.

Stendhal. — Voyez le changement *du ton général* du triste au gai, de l'air de fête à l'air sombre, à chaque nuage qui vient à passer devant le soleil (I, 136).

Diderot. — Vous avez vu cent fois ces deux scènes se succéder en un clin d'œil, lorsqu'au milieu d'une campagne immense quelque nuage épais, porté par les vents... allait à votre insu s'interposer entre l'astre du jour et la terre. Tout a perdu subitement son éclat. Une teinte, un voile triste, obscur et monotone est tombé rapidement sur la scène (X, 478).

Largeur et grandeur du faire.

Stendhal. — C'est en supprimant les détails, suivant une certaine loi, et non en peignant sur une toile immense, que l'on est grandiose (I, 131).

Diderot. — La largeur du faire est indépendante de l'étendue de la toile et de la grandeur des objets (X, 98).

Baudelaire écrira à propos de Marc Baud, peintre sur émail : « Il sait *faire grand* dans le petit » (p. 806).

Style de chaque artiste.

Stendhal. — Reconnaître la teinte particulière de l'âme d'un peintre dans sa manière de rendre le clair-obscur, le dessin, la couleur... distinguer un Paul Véronèse d'un Tintoret, ou un Salviati d'un Cigoli... Le dessin, ou les contours des muscles, des ombres et des draperies, l'imitation de la lumière, l'imitation des couleurs locales, ont une couleur particulière dans le *style* de chaque peintre, s'il y a un style. (I, 134).

Diderot. — Est-ce que chaque écrivain n'a pas son style ? — D'accord. — Est-ce que ce style n'est pas une imitation ? — J'en conviens ; mais cette imitation, où en est le modèle ? dans l'âme, dans l'esprit, dans l'imagination plus ou moins vive, dans le cœur plus ou moins chaud de l'auteur. Il ne faut donc pas confondre un modèle intérieur avec un modèle extérieur (XII, 128).

Technique.

Stendhal. — Ce tableau est *cotonneux.*
(*Salon de 1824,* éd. Le Divan, XLVII, 14.)

Diderot. — Cela est... peint cotonneux (X, 471).

Raphaël et Titien.

Stendhal. — Si Raphaël eût trouvé plus de plaisir aux beautés des couleurs qu'aux beautés des contours, il n'eût pas remarqué ceux-ci de préférence. En voyant le choix contraire du Titien, il fallait ou que Raphaël fût un froid philosophe, ou qu'il se dît : « C'est un homme d'un extrême talent, mais qui se trompe sur la plus grande vérité de la peinture : l'art de faire plaisir au spectateur. » Car si Raphaël eût cru son opinion fausse, il en eût changé (I, 258-259).

Diderot. — Ah ! si le Titien eût dessiné et composé comme Raphaël ! Ah ! si Raphaël eût colorié comme le Titien !... C'est ainsi qu'on rabaisse deux grands hommes (XII, 106).

Nature.

Stendhal. — Il ne faut pas copier exactement la nature (II, 11).

Diderot. — Il y a des effets de nature qu'il faut ou pallier ou négliger (X, 422).

Rubens.

Stendhal. — [Mérimée rappelle l'opinion que Stendhal possède des peintres flamands dans son Introduction à la *Correspondance inédite de Stendhal* :] « Il méprisait profondément Rubens et son école. Il reprochait aux Flamands... la trivialité des formes et la bassesse de l'expression » (I, 377).

Diderot. — Rubens faisait un cas infini des Anciens, qu'il n'imita jamais. Comment un si grand maître s'en tint-il toujours aux formes grossières de son pays ? (XII, 114).

Effet de la peinture.

Stendhal. — Un tableau sans expression n'est qu'une image pour amuser les yeux un instant (I, 128).
Je demande une âme à la peinture (*Salon de 1824,* Le Div., XLVII, 45).

Diderot. — La peinture est l'art d'aller à l'âme par l'entremise des yeux. Si l'effet s'arrête aux yeux, le peintre n'a fait que la moindre partie du chemin (X, 376).

Il est curieux de relever qu'en dépit de certaines références directes aux *Salons* de Diderot, prouvant que Stendhal avait fait une lecture approfondie de l'œuvre de l'Encyclopédiste, Paul Arbelet, dans son *Histoire de la peinture en Italie et les plagiats de Stendhal,* ne mentionne qu'une fois l'auteur de *Jacques le Fataliste,* et cela dans une note (p. 264). Il souligne surtout les emprunts à Cabanis, Venturi, Vasari, Lanzi, Lavater, Montesquieu, Du Bos, Helvétius, etc.

Dans son *Courrier anglais,* Stendhal avait écrit de l'*Encyclopédie* que c'était « le livre le plus utile qui ait jamais été compilé » [13] (Le Divan, LXVII, 395) et dans ce même écrit, Diderot est proclamé « homme d'un génie et d'un jugement peu ordinaires » (*Ibid.,* p. 318), ce qui sous la plume de Beyle, prudent et discret dans ses allusions aux idées des « philosophes », constitue un bel éloge. [14] A propos d'un M. Signalon, peintre, Stendhal lance cette boutade dans son *Salon de 1824* : « Il aura, dans dix ans, vingt mille livres de rentes peut-être, et dans trente ans l'on parlera de lui comme nous parlons aujourd'hui de MM. Lagrenée, Carle Vanloo, Fragonard, Pierre, et autres héros des *Salons* de Diderot » (Le Divan, XLVII, 66). Le 15 septembre 1832, il inscrit le nom de Diderot entre les « douze premiers, parmi les gens qui donnent du plaisir en français par du noir sur du blanc » (*Du Style,* Le Div., LI, 94), et le 9 mai 1838, il prédit qu'en 1850 Diderot paraîtra « supérieur à la plupart des *emphatiques* actuels ! » (Le Div., XXVI, 130).

Malgré ces affinités d'esprit et ces emprunts, les développements critiques des auteurs des *Fleurs du Mal* et de *La Religieuse,* d'une part, et ceux de l'auteur de *La Chartreuse de Parme,* d'autre part, relèvent d'un point de vue bien distinct à l'égard de la peinture. Celle-ci — comme la musique — demeure pour Beyle une évocatrice sublime d'émotions et de souvenirs essentiellement littéraires et théâtraux, une douce consolatrice des peines d'amour ainsi qu'une source jamais tarie de sensations délicates et ésotériques. Dans son *Histoire de la peinture en Italie,* le romancier énonce que « l'expression est tout l'art » (I, 128), et son goût le porte constamment au dramatique et au « sublime ». Par là, il s'éloigne de la tradition purement plastique laquelle ne vise pas à l'illustration littéraire, ni à l'attendrissement, mais à une reconstruction picturale du réel. Contrairement à Diderot et à Baudelaire, Stendhal tend à se désintéresser du coloris en faveur du dessin aux lignes à la fois sobres, passionnées et noblement élégantes comme son propre style. [15]

---

[13] *L'Encyclopédie* faisait partie de la bibliothèque d'Henri Gagnon, grand-père de Stendhal et libre-penseur dans la tradition du dix-huitième siècle. Le jeune Henri Beyle avait libre accès à cette bibliothèque et aux tomes de l'*Encyclopédie* qu'il lut avidement.

[14] Le 20 déc. 1805, il note dans son *Journal* : « Lire la *Poétique* de Diderot et, en général, ses œuvres » (Le Div., LXXII, 269), et à la date du 16 octobre 1814, se trouve cette appréciation intéressante sur le *Paradoxe sur le Comédien* : « Je trouve froid ce que j'ai écrit dans l'enthousiasme. Je pense que la dissertation de Diderot sur les acteurs, pourrait bien être vraie (qu'on peut jouer, imiter la passion, étant pour le moment très froid, et ayant seulement le souvenir que tel jour qu'on était très agité, on faisait ainsi.) » (Le Div., LXXV, 263).

[15] Dans son article « Stendhal aimait-il la peinture ? » (*L'Œil,* mai 1956, pp. 12-19), Martineau remarque, non sans raison, que « le dessin est son

Il se sent attiré par une composition dans la mesure où elle représente une fiction émouvante et où elle illustre des sentiments raffinés.

Par sa préoccupation constante de la représentation des types et des passions, Stendhal est le continuateur doué et éloquent de la tradition issue de la Renaissance italienne plutôt qu'un novateur d'idées. Certes, Diderot s'était intéressé de son côté au degré de justesse avec laquelle l'artiste campe les personnages et caractérise leur type individuel, mais en acquérant quelque expérience de la plastique, il en était venu à attacher une importance au moins égale aux qualités de l'exécution en général, et du coloris en particulier.

En fait, une analyse des principes directeurs du philosophe, du romancier et du poète révèle qu'à bien des égards, Baudelaire s'éloigne moins de Diderot que de son devancier plus immédiat. Stendhal, en effet, se penche rarement sur les problèmes spécifiques du coloris, du style pictural, de la texture, du parti-pris de la reconstruction originale, de la cohérence interne, alors que ces questions passionnent Diderot et Baudelaire, comme nous le verrons dans un chapitre ultérieur. Le goût de nos deux critiques semble également avoir été plus largement éclectique, de même que leurs jugements se révèlent plus empiriques et expérimentaux. Par ailleurs, les descriptions de Stendhal, par leur fréquente absence d'analyses des tons, se ressentent du fait qu'« il travaillait beaucoup plus d'après les gravures que d'après les originaux ». [16]

Erigeant son éclectisme psychologique en système critique, Stendhal estime qu'il suffit de posséder de la sensibilité et une connaissance approfondie des passions pour être à même d'apprécier les arts plastiques. Cependant que l'Encyclopédiste avait écrit dans son *Essai sur la peinture* : « De l'expérience et de l'étude ; voilà les préliminaires, et de celui qui fait, et de celui qui juge. J'exige ensuite de la sensibilité » (X, 519), le romancier déclare : « Il ne faut que sentir. Un homme passionné qui se soumet à l'effet des beaux-arts trouve tout dans son cœur » (II, 20). [17] Baudelaire, à l'instar de Diderot, tout en ne sous-estimant point l'importance de la sensibilité, n'en considérera pas moins comme primordiale une connaissance aussi complète que possible de la technique et se fera un devoir d'observer les procédés de l'exécution dans les ateliers. Pour ce qui est de Stendhal, demeuré étranger à la pratique, les qualités purement picturales d'une composition le laissent plus indifférent que la qualité du sujet, son effet psychologique sur le

---

principal et constant souci», p. 18. En ceci, Stendhal diffère de Diderot et de Baudelaire lesquels, tout en appréciant la qualité linéaire d'un tableau, sont tout particulièrement sensibles aux qualités du coloris.

[16] Jean Prévost, *La Création chez Stendhal* (Mercure de France, 1951), p. 135.

[17] M. Martineau note justement que « Stendhal avait trop négligé, c'est un fait, ces questions primordiales (qu'il ignorait) du métier de l'artiste, ou, pour user d'un tour plus moderne : de sa technique », et qu' « il s'attarde à l'idée exprimée par un tableau », *op. cit.*, p. 18. L'auteur de *L'Histoire de la peinture en Italie* a d'ailleurs lui-même confessé : « Je prête le flanc aux critiques amères des gens qui *savent* la peinture » (I, 279).

spectateur raffiné, les attitudes et l'expression des personnages représentés. Baudelaire, quant à lui, fera montre d'une sensibilité plastique beaucoup plus développée, d'une plus grande objectivité de jugement, et évitera le sentimentalisme de Stendhal (lequel évoque d'ailleurs, à de certains égards, celui de Diderot), fort enclin, on le sait, à mettre exclusivement en relief les « raisons du cœur ».

Baudelaire a critiqué David pour avoir exercé une autorité dangereuse parce que trop exclusive sur les jeunes peintres, et aussi pour avoir remis en honneur la sèche et stérilisante tradition de l'académisme sous les espèces du style néo-classique. Les disciples de ce maître redoutable ne se croyaient-ils pas obligés, afin de bien peindre, de transformer leurs personnages en statues antiques ? Stendhal, quant à lui, admire David, et s'il émet certaines réserves, c'est pour des raisons bien différentes de celles de l'auteur des *Fleurs du Mal*. En effet, le romancier reproche surtout à David de n'être point arrivé à peindre les passions, à représenter le grand « mouvement de l'âme ». [18] Il fait d'ailleurs la même critique, essentiellement littéraire, à Ingres. Le propre de tout grand artiste, pour l'auteur de la *Chartreuse de Parme*, est son aptitude à savoir « *peindre les âmes* ». [19] Or « l'école de David ne peut *peindre que les corps* ». [20] Stendhal exige impérieusement que son cœur soit touché, ému, et sous ce rapport, certaines de ses remarques évoquent Diderot, bien que chez ce dernier, semblable préoccupation ait moins souvent primé sur l'analyse de la peinture proprement dite.

Fidèle à son idéal de la *sincérité,* Stendhal se forme un jugement indépendant et ses *Salons* constituent des notations directes de ses impressions sur tel ou tel tableau. Il n'aime pas les doctrines transformées en enseignement d'école : « Je tiens leurs maximes mortelles pour les arts. » [21] Mais en proclamant avec insistance que l'art recherche avant tout « *la vérité dans la peinture des sentiments du cœur* », [22] il finit par donner dans l'écueil du sentimentalisme et par rechercher, au cours de ses tournées salonnières, des émotions qui n'ont rien à voir avec le plaisir esthétique. Dans son *Salon de 1824,* il remarque à côté d'une *Exécution militaire* de Vigneron, représentant « un brave soldat qui, au moment où il va être fusillé,... éloigne de la main son chien fidèle pour le soustraire à l'effet des balles », [23] un portrait de belle femme par Horace Vernet. Ce voisinage immédiat d'une noble tête, suggérant une âme faite « pour sentir tout ce que la dernière pensée du brave soldat de M. Vigneron a de touchant dans sa simplicité », [24] a pour effet, prétend-il, de doubler sa jouissance... En dépit de Greuze, Diderot n'a jamais affiché sa « sensibilité » de manière aussi naïve ; et Baudelaire se serait

---

[18] *Salon de 1824* (Le Divan, XLVII), p. 45.
[19] *Ibid.*, p. 44.
[20] *Ibid.*
[21] *Ibid.*, p. 65.
[22] *Ibid.*, p. 54.
[23] *Ibid.*, p. 59.
[24] *Ibid.*, p. 60.

franchement moqué du mauvais goût de Vigneron qu'il n'eût pas manqué de ranger parmi les « singes du sentiment » (p. 661).

D'autre part, l'auteur du *Salon de 1824* loue à diverses reprises Horace Vernet, le peintre de batailles aujourd'hui presque oublié, et férocement malmené dans le *Salon de 1846* de Baudelaire. Enfin, à l'encontre du poète qui, sa vie durant, sera un admirateur passionné de Delacroix, il reste impuissant à comprendre la technique de ce maître : « J'ai beau faire, je ne puis admirer M. Delacroix et son *Massacre de Scio*. ... Il me semble que ce tableau est médiocre par la déraison au lieu d'être médiocre par l'insignifiance, comme tant de tableaux classiques. » [25]

⁂

La compétence plastique de Baudelaire, c'est au contact des praticiens de l'art, c'est surtout, comme il l'a dit lui-même, sous l'influence de Delacroix, [25 bis] ce « peintre-poète », qu'il la devait perfectionner. Il n'y a pas de doute que, sur le terrain purement esthétique, l'apport de Delacroix (avec qui l'auteur des *Fleurs du Mal* avait de nombreuses affinités d'esprit et de tempérament) [26] est beaucoup plus considérable et fécond que celui de Stendhal. Dans le fascinant *Journal* du peintre romantique, abondent les idées les plus profondes sur les arts plastiques, sur des sujets littéraires, philosophiques et autres. La variété et la richesse de ces essais, rédigés en un style d'une sobriété et d'une clarté impeccables révèlent une culture extraordinairement vaste et un esprit éminent. [27] C'est en particulier de Delacroix, si habile à raisonner et à écrire de problèmes picturaux et même littéraires, que le poète apprit que le chef-d'œuvre ne se réalise point par des élans irréfléchis d'une inspiration déchaînée, un romantisme délirant ou des accès de sensibilité sans contrôle, mais par une étude patiente et soutenue de la technique, par la réflexion et la méditation, par un sentiment profond de la per-

---

[25] *Ibid.*, pp. 67-68.

[25 bis] Cf. Lucie Horner, *Baudelaire critique de Delacroix* (Droz, 1956).

[26] L'on connaît le malaise de Delacroix devant les interprétations enthousiastes et évidemment déroutantes de son jeune admirateur génial. Le comportement quelque peu froid et distant du peintre à l'égard du poète donne à penser qu'il ne tenait pas à ce que sa semi-retraite, son isolement volontaire fussent envahis par une amitié admirative et respectueuse, même si elle était accompagnée de beaucoup de tact. Baudelaire, bien qu'un peu blessé, a d'ailleurs parfaitement compris la nature de l'attitude du maître car, avec sa pénétration coutumière, il s'était vite rendu compte que Delacroix, pareil à tous les génies à la volonté forte, était au fond un grand égoïste qui se suffisait à soi même.

[27] Ce *Journal* ne fut publié qu'après la mort de l'artiste, mais comme Delacroix écrivit aussi nombre d'articles, Baudelaire fut à même d'étudier ses théories, tant dans ces articles qu'au cours de causeries, et, au surplus, les tableaux du maître lui fournissaient le meilleur moyen d'approfondir son esthétique. La lecture du *Journal* constitue une expérience des plus enrichissantes et révélatrices, bien qu'il ne suggère point l'héroïsme douloureux, la pathétique naïveté (au sens baudelairien) des lettres de Van Gogh.

fection de la forme, qui poussera l'artiste à se renouveler inlassablement, à améliorer et à retoucher plutôt qu'à « lécher » ou à « fabriquer ».

En outre, c'est grâce à un dévouement total à son labeur souvent ingrat et à une passion exclusive et urgente de l'art et de la beauté, que l'artiste sera à même de résister aux tentations attrayantes de l'argent, de la mode et de la facilité. Telles sont les qualités de Delacroix — qualités manifestées dans sa vie et dans son œuvre — qui impressionnèrent si profondément le jeune critique et inspirèrent quelques-uns de ses essais les plus pénétrants, et plus tard, quelques-uns de ses plus beaux vers.

De plus, c'est à propos de la peinture et de la technique de Delacroix que Baudelaire a développé nombre de ses théories les plus marquantes sur les mérites respectifs de la couleur et du dessin, sur la poésie en peinture, sur les rapports ambigus entre l'artiste et les critiques professionnels, sur les effets de l'ombre et de la lumière, sur les diverses qualités de la touche, sur l'imagination et la nature, et sur la composition.

Mais dans le cas de l'influence de Delacroix comme dans celui de Stendhal, il est aisé de se référer à la critique de Diderot et d'y retrouver la plupart des théories du grand peintre romantique. Il est aisé, en d'autres termes, de faire remonter à des observations de l'Encyclopédiste les « innovations » dont le grand praticien était le plus fier : par exemple la théorie des « reflets » qui se trouvera à la base des procédés impressionnistes.[28] A l'usage de ceux qui n'ont point approfondi la critique d'art de Diderot et que cette assertion laisserait quelque peu sceptiques, voici quelques parallèles intéressants entre l'auteur de *L'Essai sur la peinture* et le maître de *Dante et Virgile,* grand admirateur de Voltaire et du XVIIIe siècle, et dont le livre de chevet semble avoir été l'*Encyclopédie* :[29]

---

[28] C'est très probablement au cours de son étude des natures-mortes et des scènes de genres de Chardin que Diderot fut amené à découvrir que chaque objet reflète sur sa surface (d'autant plus que cette surface est polie) les tons des objets environnants, et que les ombres proprement dites n'existent pas, mais sont également des composés de reflets. Voir *Essai sur la peinture* : « Tout ce que j'ai compris de ma vie du clair-obscur. »

[29] Voir le *Journal* du peintre qui contient de nombreuses références à l'*Encyclopédie* ainsi qu'un projet pour un *Dictionnaire philosophique des Beaux-Arts* : « On trouvera dans ce manuel des articles sur quelques artistes célèbres, mais on n'y traitera ni de leur caractère, ni des événements de leur vie. On y trouvera analysés plus ou moins longuement leur style particulier, la manière dont chacun d'eux a adapté à ce style la partie technique de l'art » (III, 249). Diderot, non plus, n'a pas pratiqué la critique biographique, et n'a rédigé de notice biographique qu'à la mort d'un artiste. Ebauchant les articles pour son *Dictionnaire des Beaux-Arts* sur la *Liaison,* l'*Ebauche,* la *Décoration théâtrale,* l'*Inspiration,* le *Talent,* les *Reflets,* la *Critique,* Delacroix note : « Il faut lire dans *l'Encyclopédie* les articles en rapport avec ceux-ci » (III, 14). Ses références prouvent, par ailleurs, qu'il connaissait les *Salons* de Diderot (voir notamment III, 117) et il s'est vivement intéressé à la personnalité de l'Encyclopédiste puisqu'il copie (sans commentaire) un long passage par Mlle de Lespinasse qui débute par ces mots : « C'est un homme

Diderot.	*Delacroix.*
Esquisses.	
Les esquisses ont communément un feu que le tableau n'a pas. (X, 351) En littérature comme en peinture, ce n'est pas une petite affaire que de savoir conserver son esquisse. (XI, 270)	Le 9 janvier 1854, Delacroix se plaint « de la difficulté de conserver l'impression du croquis primitif ». (III, 219)
Simplification.	
Quand on a le courage de faire le sacrifice de ces épisodes intéressants, on est vraiment un grand maître. (XI, 340)	Sur les accessoires. Ils font énormément pour l'effet et doivent néanmoins être toujours sacrifiés. (III, 198)
Sujet.	
Il y a sans doute des sujets ingrats ; mais c'est pour l'artiste ordinaire qu'ils sont communs. Tout est ingrat pour une tête stérile. (X, 503)	L'esprit vraiment inspiré a des sources vives à lui seul connues, quoique tout le monde passe à côté. Il tire le nouveau de ce qu'il y a de plus rebattu. (III, 353)
Il n'y a guère d'objets ingrats dans la nature, et ... le point est de les rendre. (X, 302)	La peinture n'a pas toujours besoin d'un sujet. (III, 24)
Maîtrise du dessin.	
Le crayon du dessinateur habile ... [a] l'air de courir et de se jouer. La pensée rapide caractérise d'un trait. (X, 352) Le mouvement, l'action, la passion même sont indiqués par quelques traits caractéristiques ; et mon imagination fait le reste. (XI, 254)	Les premiers linéaments par lesquels un maître habile indique sa pensée contiennent le germe de tout ce que l'ouvrage présentera de saillant. ... Pour des yeux intelligents, la vie déjà est partout, et rien dans le développement de ce thème, en apparence si vague, ne s'écartera de cette conception. (III, 34)
Ombres.	
Les ombres ont aussi leurs couleurs. Regardez attentivement les limites et même la masse de l'ombre d'un corps blanc ; et vous y discernerez une infinité de points noirs et blancs interposés. L'ombre d'un corps rouge se teinte de rouge. ... L'ombre d'un corps bleu prend une nuance de bleu et les corps reflètent les uns sur les autres. (X, 479)	Il n'y a pas d'ombres proprement dites. Il n'y a que des reflets. (III, 10)

[le philosophe] fort extraordinaire ; il n'est pas à sa place dans la société : il devrait être chef de secte, un philosophe grec, instruisant, enseignant la jeunesse » (III, 322).

Toutes les citations de Delacroix renvoient à l'édition d'André Joubin, *Journal d'Eugène Delacroix* (3 vols).

Diderot. / *Delacroix.*

Atmosphère.

Le ciel répand une teinte générale sur les objets. La vapeur de l'atmosphère se discerne au loin ; près de nous son effet est moins sensible ; autour de moi les objets gardent toute la force et toute la variété de leurs couleurs ; ils se ressentent moins de la teinte de l'atmosphère et du ciel ; au loin, ils s'effacent, ils s'éteignent. ...

Que celui qui n'a pas étudié et senti les effets de la lumière et de l'ombre dans les campagnes, au fond des forêts, sur les maisons des hameaux, sur les toits des villes, le jour, la nuit, laisse là les pinceaux. (X, 476)

Rien de plus rare que l'unité de lumière dans une composition. (X, 474)

Quand nous jetons les yeux sur les objets qui nous entourent, que ce soit un paysage ou un intérieur, nous remarquons entre les objets qui s'offrent à nos regards une sorte de liaison produite par l'atmosphère qui les enveloppe et par les reflets de toutes sortes qui font en quelque sorte participer chaque objet à une sorte d'harmonie générale. C'est une sorte de charme dont il semble que la peinture ne peut se passer ; cependant il s'en faut que la plupart des peintres, et même des grands maîtres s'en soient préoccupés. (III, 41)

Naïveté.

Outre la simplicité qu'il exprimait, il faut y joindre l'innocence, la vérité et l'originalité d'une enfance heureuse qui n'a point été contrainte ; et alors le naïf sera essentiel à toute production des beaux-arts. (*Pensées détachées sur la peinture,* « Du naïf », XII, 121)

Il y a dans l'aurore du talent quelque chose de naïf et de hardi en même temps qui rappelle les grâces de l'enfance et aussi son heureuse insouciance des conventions qui régissent les hommes. (III, 221)

Accessoires.

Mais les groupes, qui multiplient communément les actions particulières, doivent aussi communément distraire de la scène principale. ... Il s'en présente de si heureux, qu'on ne saurait y renoncer. Qu'arrive-t-il alors ? c'est qu'une idée accessoire donne la loi à l'ensemble, au lieu de la recevoir. (X, 340)

Ce qui fait que les mauvais peintres ne peuvent arriver au beau ... c'est qu'outre le défaut de conception générale de leur ouvrage dans le sens du vrai, leurs accessoires, au lieu de concourir à l'effet général, le détournent au contraire par l'application donnée ... à faire ressortir certains détails qui devraient être subordonnés. (III, 198)

Imagination.

L'imagination ne crée rien, elle imite, elle compose, combine, exagère, agrandit, rapetisse. Elle s'occupe sans cesse de ressemblances. (XI, 131)

Il est bien convenu que ce qu'on appelle *création* dans les grands artistes n'est qu'une manière particulière à chacun de voir, de coordonner et de rendre la nature. ... Ces grands hommes n'ont rien créé dans le sens propre du mot, qui veut dire : de rien

Diderot.	*Delacroix.*
	faire *quelque chose* ... (III, 222)
L'imagination ... d'un homme qui voit, la faculté de se rappeler et de combiner. (*Lettre sur les Aveugles,* I, 293)	L'imagination chez l'artiste ne se représente pas seulement tels ou tels objets, elle les combine ... (III, 45)
Lacunes de la critique. Tant que nous n'aurons pas manié le pinceau, nous ne serons que des conjecturateurs plus ou moins éclairés, plus ou moins heureux. (XIII, 101)	De l'insuffisance de la plupart des critiques. De son peu d'utilité. (III, 14)
Empâtements. Ce sont des couches épaisses de couleur appliquées les unes sur les autres et dont l'effet transpire de dessous en dessus. D'autres fois, on dirait que c'est une vapeur qu'on a soufflée sur la toile ; ailleurs, une écume légère qu'on y a jetée. (A propos de Chardin, X, 195)	Il est ... nécessaire de calculer le contraste de l'empâtement et du glacis ... (III, 46) La faculté d'employer, suivant l'opportunité, tantôt les frottis, tantôt les empâtements, ce qui favorise incomparablement le rendu, soit des parties mates, soit des parties transparentes. (III, 45)
L'intérêt ne réside pas dans la noblesse du thème. Apprenez, si vous pouvez, le secret de sauver par le talent le dégoût de certaines natures. (X, 195)	Ce qui semble ... le moins fait pour intéresser, intéresse et captive sous une main savante et grâce au souffle de l'inspiration. (III, 47)
Beauté. Placez la *beauté* dans la perception des rapports. (*Traité du Beau,* X, 35)	Delacroix cite sans commentaire (ce qui chez lui est une forme d'approbation) Senancour, *Obermann,* I, 156. La perception des rapports ordonnés produit l'idée de la beauté. (III, 83)
Il n'y a peut-être pas deux hommes sur la terre qui aperçoivent exactement les mêmes rapports dans un même objet, et qui le jugent *beau* au même degré. (*Ibid.,* p. 41)	Et ensuite, de quel beau voulez-vous parler ? car il y en a plusieurs : que dis-je, il y en a mille, il y en a pour tous les yeux, pour toutes les âmes, et approprié à leurs inclinations, à leurs constitutions particulières. (III, 346)

Diderot. | *Delacroix.*

Idéal académique.

[Ils] s'assujettissent en esclaves aux proportions de l'antique, à la règle et aux compas, d'où ils ne se tirent plus et sont à jamais faux et froids. (XI, 413)

Nos peintres sont enchantés d'avoir un idéal tout fait et en poche qu'ils peuvent communiquer aux leurs et à leurs amis. Pour donner de l'idéal à une tête d'Egyptien, ils la rapprochent du profil de l'Antinoüs. (III, 345)

Esthétique et éthique.

Le vrai, le bon et le beau se tiennent de bien près. (X, 517)

Au milieu de cet esprit de calcul, le goût de l'aisance se répand et l'enthousiasme se perd. ... Le goût des beaux-arts suppose un certain mépris de la fortune. ... Le sentiment de l'immortalité, le respect de la postérité sont des mots vides de sens qui font sourire de pitié ; on veut jouir ; après soi le déluge. (XI, 450)

Question qui n'est pas aussi ridicule qu'elle le paraîtra : Peut-on avoir le goût pur, quand on a le cœur corrompu ? (XII, 75)

Y aurait-il une connexion nécessaire entre le *bon* et le *beau* ? Une société dégradée peut-elle se plaire aux choses élevées, dans quelque genre que ce soit ?

Il y a donc incontestablement des époques où le beau semble fleurir plus à l'aise. (III, 62)

Le genre humain ... redescend dans les ténèbres d'une barbarie toute nouvelle. Le mercantilisme, l'amour des jouissances, ... sont les mobiles de l'âme humaine les plus énergiques. (III, 158)

Génie et talent.

C'est tout contre, c'est-à-dire à mille lieues et à mille ans. C'est cette petite distance imperceptible, qu'on sent qu'on ne franchit point. Travaillez, étudiez, soignez, effacez, recommencez : peines perdues. La nature a dit : « tu iras là, jusque-là, et pas plus loin que là ». (X, 338)

Balzac dit dans ses *Petits Bourgeois* (Ed. Conard, XX, 60) Dans les arts, il arrive un point de perfection au-dessous duquel vient le talent et auquel atteint seul le génie. Il est si peu de différence entre l'œuvre du génie et l'œuvre du talent ... » (III, 263)

Ecoles et Académies.

Ce n'est pas dans l'école qu'on apprend la conspiration générale des mouvements. (X, 465)

Il faut, dans sa recherche, éviter ce qu'on appelle écoles, académies. (III, 354)

Facilité.

Il est bien de peindre facilement, mais il faut céler la routine qui donne aux productions en tout genre un air de manufacture. (XI, 415)

Dans les arts en particulier, il faut un sentiment bien profond pour maintenir l'originalité de sa pensée en dépit des habitudes auxquelles le talent lui-même est fatalement enclin à s'abandonner. (III, 221)

Diderot.	*Delacroix.*
Artiste et société.	
Et puis, donnez-vous bien de la peine, effacez, peignez, repeignez ; et pour qui ? (X, 322)	Pour qui, veiller et battre en tous sens son intelligence ? (III, 356)
Le génie travaille en enrageant et mourant de faim. (X, 250)	Le génie seul peut tendre l'arc d'Hercule. (III, 366)
Il [le génie] est confondu avec la multitude ; et il meurt avant que nos apôtres clandestins aient opéré la conversion des sots. (X, 322)	Le génie ... forcé de mendier les suffrages de la multitude et de mettre le talent aux gages de la sottise et du caprice. (III, 358)
Hardiesse de l'exécution.	
Leur intrépide pinceau [de Vernet et de Chardin] se plaît à entremêler avec la plus grande hardiesse, ... et l'harmonie la plus soutenue, toutes les couleurs de la nature ... (X, 472) L'harmonie d'une composition sera d'autant plus durable que le peintre ... aura touché plus fièrement, plus librement. (X, 470)	Sans hardiesse et même sans une hardiesse extrème, il n'y a pas de beautés. (III, 40)
Poésie et peinture.	
Un poëte, en quatre lignes, fait succéder plusieurs instants différents ; et croyant n'ordonner qu'un seul tableau, il en accumule plusieurs. (XI, 76)	Le poète se sauve par la succession des images ; le peintre par leur simultanéité. (III, 417) Les livres sont des portions de tableaux en mouvement dont l'un succède à l'autre sans qu'il soit possible de les embrasser à la fois. (III, 26)
Le plus grand tableau de poésie que je connaisse serait très-ingrat pour un peintre, même de plafond ou de galerie. (XI, 78)	La peinture vit surtout des formes de l'extérieur des objets, la ligne, la couleur, l'effet, toutes conditions qui n'ont rien de commun avec l'idée littéraire. (III, 133)
Insuffisances de la langue.	
Il n'y a dans la même pensée rendue par les mêmes expressions ... qu'une identité de phénomène apparente ; et c'est la pauvreté de la langue qui occasionne cette apparence d'identité. (XI, 135)	Ce mot de poésie, qu'il faut bien employer même quand il est question de peinture, révèle une indigence de la langue qui a amené une confusion dans les attributions, dans les privilèges de chacun des beaux-arts. (III, 134)

Diderot.

A propos de Boucher.

Quelles couleurs ! quelle variété ! quelle richesse d'objets et d'idées ! Cet homme a tout excepté la vérité. Personne n'entend comme Boucher l'art de la lumière et des ombres. (X, 112)

Delacroix.

A propos de Boucher et de Van Loo.

Leur école : la manière et l'abandon de toute recherche et de tout naturel. Procédés d'exécution remarquables. (III, 12)

Effets de distance.

Autour de moi les objets gardent toute la force et toute la variété de leurs couleurs ; ils se ressentent moins de la teinte de l'atmosphère et du ciel ; au loin, ils s'effacent, ils s'éteignent ; toutes leurs couleurs se confondent ; et la distance qui produit cette confusion, cette monotonie, les montre tout gris ... (X, 476)

Pour éloigner les objets, on les fait ordinairement plus gris : c'est la touche, etc. Teintes plates aussi. (III, 15)

Effets de lumière.

Lorsqu'au milieu d'une campagne immense quelque nuage épais ... allait ... s'interposer entre l'astre du jour et la terre. Tout a perdu subitement son éclat. Une teinte, un voile triste, obscur et monotone est tombé rapidement sur la scène. ... Le nuage a passé, tout a repris son éclat. (X, 478)

Si le ciel se couvre de nuages et se rembrunit, c'est comme la bouderie charmante d'un objet aimé : on est sûr du retour. (I, 95)

Absence de l'ornementation gratuite chez l'artiste supérieur.

Il [La Tour] me confia que la fureur d'embellir et d'exagérer la nature s'affaiblissait à mesure qu'on acquérait plus d'expérience et d'habileté. (XI, 413)

Je trouve en moi, à mesure que j'avance dans la vie, que la *vérité* est ce qu'il y a de plus beau et de plus rare. (I, 439)

Symbolisme linéaire.

La ligne ondoyante est le symbole du mouvement et de la vie ; la ligne droite est le symbole de l'inertie ou de l'immobilité. C'est le serpent qui vit, ou le serpent glacé. (XII, 99)

Il y a des lignes qui sont des monstres : la droite, la serpentine régulière, surtout deux parallèles. (III, 428)

Accord des effets de lumière.

Assemblez confusément des objets de toute espèce et de toutes couleurs ... et vous verrez que l'air et la lumière, ces deux harmoniques universels, les accorderont tous ... par des reflets imperceptibles. (X, 187)
Le difficile, c'est la dispensation juste de la lumière et des ombres ... ce sont les échos, les reflets de toutes ces lumières les unes sur les autres. Lorsque cet effet est produit. ... Tout est lié, tout tient. (X, 477)

Cet air, ces reflets qui forment un tout des objets les plus disparates de couleur. (III, 14)

Watteau et les Flamands.

J'aime mieux la rusticité que la mignardise ; et je donnerais dix Watteau pour un Teniers. (XII. 75)

Watteau ... Sa fantaisie ne tient pas en opposition aux Flamands. Il n'est que théâtral à côté des Ostade, des Van de Velde, etc. (III, 12)

Intermittences de l'inspiration.

Mais comment, me direz-vous, le poëte, l'orateur, le peintre, le sculpteur, peuvent-ils être si inégaux, si différents d'eux-mêmes ? C'est l'affaire du moment, de l'état du corps, de l'état de l'âme. (XI, 142)

Il [le talent] subit toutes les intermittences de la santé, de la maladie, de la disposition de l'âme, de sa gaieté ou de sa tristesse. (III, 436)

Définition de la peinture.

La peinture est l'art d'aller à l'âme par l'entremise des yeux. (X, 376)

Je me suis dit cent fois que la peinture ... n'était qu'un pont jeté entre l'esprit du peintre et celui du spectateur. (III, 39) [30]

Définition du génie.

Il [le génie] recueille dans son sein des germes qui y entrent imperceptiblement, et qui produisent dans le temps des effets ... surprenants ... il observe rapidement un grand espace, une multitude d'êtres ... il réalise ses fantômes, son enthousiasme augmente au spectacle de ses créations, c'est-à-dire de ses nouvelles combinaisons. (XV, 38-39)

Le principal attribut du génie est de coordonner, de composer, d'assembler les rapports, de les voir plus justes et plus étendus. (III, 437)

---

[30] Dans sa Préface au *Réalisme,* Champfleury déclare également : « L'art sert de trait d'union entre eux et moi. »

Nous arrêtons ici, bien qu'il soit aisé de multiplier ces points de contact intéressants. Nous n'entrerons pas davantage dans une analyse détaillée des passages pré-cités, [31] car une lecture quelque peu attentive de ces exemples suffit à révéler combien se touchent, en maints endroits, un des plus grands peintres du XIXe siècle et un philosophe du XVIIIe. En outre, ces parallèles attestent que Diderot savait juger des choses de la peinture de « l'intérieur », c'est-à-dire du point de vue du praticien en dépit de sa propre modestie quant à son jugement « d'amateur ». Il est temps de remettre en question certaines appréciations aussi traditionnelles qu'injustes du rôle de Diderot critique d'art, même de la part d'écrivains plus appréciateurs qu'un Brunetière ou un Faguet : « Diderot has... little appreciation of the esthetic experience. ... His judgments are... poor, » [32] et « Pour Diderot il n'y a aucune différence d'exécution entre une tragédie, un tableau de Chardin, une statue de Falconet. » [33] L'esprit merveilleusement mobile et pénétrant de l'Encyclopédiste est loin de confondre les disciplines propres aux arts plastiques avec celles de la littérature, et, s'il ne s'est jamais plaint, comme devait le faire Baudelaire, qu' « en France, on *le* trouve trop peintre » (p. 1.303), du moins, peut-il se vanter que « Chardin, La Grenée, Greuze et d'autres *l'*ont assuré (et les artistes ne flattent point les littérateurs) qu'*il* était presque le seul d'entre ceux-ci dont les images pouvaient passer sur la toile » (XI, 74).

Delacroix demeura d'ailleurs un lecteur fervent des écrits critiques de Diderot. Les références au philosophe que l'on trouve dans la correspondance du peintre attestent un intérêt soutenu. Dès 1821, Delacroix écrit à Pierret, « Tu me ferais plaisir d'apporter ton volume de Diderot et d'y joindre s'il est possible *l'Essai sur la peinture.* On me l'a perdu depuis longtemps et je grille de le lire » (*Correspondance,* I, 108). Comme l'édition Paulin en quatre volumes de mémoires, correspondances et ouvrages inédits de Diderot venait de paraître en 1831, Delacroix demande à Ricourt de la lui envoyer, car « il y a là-dedans matière plus qu'il n'en faut à vous brocher quelques articles sur les arts. Le plus tôt serait le mieux... » (I, 291). [33 bis] En 1839, Delacroix s'adresse à nouveau à Pierret, le priant de dire à Villot que celui-ci lui envoie « le plus qu'il pourra de volumes de Diderot » (II, 34). Et le 27 décembre 1843, l'artiste invite son ami Pierret à passer le Nouvel An en sa compagnie : « Viens donc dimanche soir, tu me feras lecture de Diderot et nous passerons le détroit de l'année ensemble » (II, 162).

Il est profondément révélateur de découvrir à quel point la pensée de Diderot et celle de Delacroix coïncident surtout lorsqu'on tient compte

---

[31] Au reste, nous approfondirons ces thèmes dans le contexte des chapitres qui leur seront consacrés.

[32] Lester G. Crocker, *The Embattled Philosopher,* p. 194.

[33] Trahard, *Les Maîtres de la sensibilité française,* « Diderot », II, 215.

[33 bis] Sa peinture ne lui laissa point le loisir de réaliser ce projet. Néanmoins, il lut attentivement cette édition et en copia nombre de passages (I, 291).

du fait que celui-ci a exercé une influence décisive sur la genèse de l'esthétique baudelairienne.[34] Il existe donc une filiation indéniable entre l'auteur du *Neveu de Rameau* et celui des *Fleurs du Mal.* Filiation qui se transmet tantôt directement par la lecture et l'étude de l'œuvre de Diderot (nous avons vu que cette œuvre était familière au poète) tantôt par des intermédiaires : Stendhal, par exemple, et surtout Delacroix. Les rapprochements que nous avons établis sont également révélateurs en ce qu'ils attestent qu'un thème semblable peut subir des transmutations et acquérir des notations divergentes lorsqu'il est repensé par des intelligences diverses et exprimé en des styles différents. Les parallèles entre ces trois figures n'auraient eu qu'une valeur restreinte s'ils eussent uniquement mis en valeur des similitudes de l'expression ; c'est précisément parce qu'ils témoignent d'un fonds commun d'idées et de points de vue, de Diderot à Baudelaire, qu'ils intéressent notre propos.

⁂

Pour rapidement que nous passions en revue les intermédiaires importants, nous ne pouvons négliger la critique artistique de Théophile Gautier qui a également exercé une certaine influence sur le poète des *Fleurs du Mal.* C'est ainsi que l'on peut relever des analogies intéressantes entre les descriptions baudelairiennes de l'art de Goya et l'essai de Gautier sur l'artiste espagnol, antérieur aux *Caricaturistes étrangers.*[35] Dans son article sur Gautier, Baudelaire fait d'ailleurs l'éloge des *Salons* de son ami, « si calmes, si pleins de candeur et de majesté » (p. 1022). En général, la compétence technique de Gautier le rapproche plus de Delacroix que du point de vue essentiellement littéraire d'un Stendhal. Certains aspects de son intelligence et de son tempérament rappellent la manière de Diderot : sa critique des beautés (sa faculté d'enthousiasme rappelle celle du philosophe), sa nature généreuse et « sanguine », sa virtuosité descriptive, son habileté à transposer sur la page blanche les nuances des tons, des lignes et des formes, son absence totale de pédanterie ainsi que son éloquence verbale, laquelle, selon Baudelaire, faisait rêver à « la lucidité antique, à je ne sais quel écho socratique » (p. 1026). L'auteur d'*Emaux et Camées* était d'ailleurs un grand admirateur de la critique d'art de Diderot puisqu'il écrivit : « Reynolds et Diderot doivent figurer au premier rang de toute bibliothèque de peinture. »[36]

Mais alors que la description ne constitue chez Diderot et Baudelaire qu'un moyen d'arriver à une impression d'ensemble, à une meilleure

---

[34] Indéniable en littérature, bien que la critique récente tende à en atténuer l'importance, l'influence d'Edgar Allan Poe sur Baudelaire est, nous l'avons déjà suggéré, à peu près négligeable en matière picturale.

[35] Voir Jean Pommier, « Théophile Gautier », *Dans les Chemins de Baudelaire,* pour une étude détaillée de ces analogies.

[36] Cité par Jean Seznec, « Les *Salons* de Diderot ", *Harvard Library Bulletin,* vol. 5, p. 287.

compréhension du peintre et à l'élucidation des principes qui régissent la création artistique, elle devient chez le poète Parnassien une fin en soi, une occasion pour le peintre devenu littérateur de rivaliser avec la palette, les pinceaux et les crayons, et de faire montre de son « petit talent ». Cette méthode, certes, n'a rien de répréhensible lorsqu'elle est pratiquée avec une certaine modération, lorsque la critique proprement dite la complète et lui prête de la substance. Gautier, toutefois, a la même tendance que les frères Goncourt : celle d'abuser du « style artiste », aux dépens des autres parties de la critique. De là un certain maniérisme artificiel, bien que le poète soit moins dilettante et plus proche du point de vue du peintre que les auteurs de *L'Art du dix-huitième siècle.*

Baudelaire regarde plus hardiment vers l'avenir que « le poète impeccable », et, pour citer un cas intéressant, il entreprendra dès le début de défendre avec enthousiasme Manet contre l'hostilité du public. Lorsque l'artiste est profondément découragé par la réaction hilare et incompréhensive à son *Olympia* (1865), Baudelaire, en dépit de tous ses tracas personnels, trouve le temps, à Bruxelles, de lui écrire une longue lettre pleine d'encouragements amicaux et de conseils fraternels. Dès 1864, il avait adressé une lettre au feuilletoniste Thoré, défendant le peintre contre les accusations de plagiat (surtout des Espagnols) que l'on portait contre lui (*Correspondance,* IV, 277). Gauthier, par contre, en face d'*Olympia,* se contente d'émettre des commentaires pleins de prudence et de réserves. L'ancien « gilet rouge » s'était bien assagi !

⁂

Les incidences de la critique d'art de Diderot sur la pensée esthétique baudelairienne sont souvent difficiles à démêler car Baudelaire n'imite ni ne copie qu'inconsciemment ; ou s'il emprunte sciemment certains traits d'autrui, c'est pour procéder à une savante refonte où les éléments, personnels ou non, sont amalgamés à un tel degré qu'il est malaisé de discerner les thèmes non originaux de ceux qui lui appartiennent en propre. Par ailleurs, il excelle dans l'art de revêtir une idée souvent commune d'une forme si expressive, qu'elle s'en trouve recréée, renouvelée et revivifiée. Par conséquent, lorsqu'il y a influence de Diderot, le poète ne s'est point passivement soumis à cette influence, mais plutôt s'en est approprié et assimilé les aspects susceptibles de rehausser ses propres préoccupations. Ce processus de « digestion » esthétique est le même lorsqu'il s'agit de l'action d'intermédiaires tels que Stendhal, Delacroix ou Gautier : nombre de développements des *Salons* de Baudelaire évoquent nettement un des thèmes caractéristiques ou la manière reconnaissable d'un de ses prédécesseurs, non, toutefois, sans que pareilles « réminiscences » aient subi souvent une complète métamorphose.

Devant les écrits des hommes qu'il admire, Baudelaire critique agit de même que Baudelaire poète devant la nature ou les images ; il s'en sert comme d'un *dictionnaire* dont il ordonne les données à sa guise. C'est ainsi que les traits empruntés deviennent matière première dans l'esprit de l'auteur du *Salon de 1846,* et qu'au lieu d'estomper et de dissoudre les contours de son moi irréductible, ils contribuent à les accuser et à les rendre évidents au lecteur. Souvent, c'est sous l'influence d'autres écrivains, critiques et peintres, que le poète apprend à élucider et à affirmer sa personnalité et ses propres préférences. Ceci est d'ailleurs applicable à la genèse de tout artiste authentique. Il faut toujours commencer par chercher des modèles non seulement dans ses perceptions, mais aussi dans la conscience d'autrui, ne fût-ce que pour renforcer sa propre manière de voir au contact de différentes visions et sous l'impression de divers tempéraments.

Notons qu'au cours de ce processus fécond d'assimilation, Baudelaire ne fait pas preuve d'un souci excessivement scrupuleux de paraphraser ou de citer fidèlement l'auteur dont il s'inspire ; pour mettre davantage sa propre pensée en relief, il lui arrive quelquefois de déformer : au cours de deux développements consacrés aux eaux-fortes de Jongkind et à la valeur expressive du croquis, auquel il porte un vif intérêt — tout comme Diderot qui a écrit des essais significatifs à ce propos, lesquels pourraient fort bien avoir fourni à Baudelaire les germes de ses vues sur l'importance de l'esquisse — il affirme : « *gribouillage* est le terme dont se servait, un peu légèrement, le brave Diderot, pour caractériser les eaux-fortes de Rembrandt » (p. 850). [37] Or, c'est en vain que nous avons cherché dans la critique d'art du « brave Diderot » ce terme péjoratif appliqué au « faire » du grand maître hollandais ; nous n'y avons trouvé que les commentaires les plus élogieux et les plus pénétrants. Dans son *Salon de 1767,* critiquant la manière diffuse et incohérente dont Le Prince a appliqué le procédé du clair-obscur, Diderot lui propose Rembrandt comme modèle à suivre : « Lorsque Rembrandt oppose des clairs au plus grand éclat à des noirs tout à fait noirs, il n'y a pas à s'y tromper, on voit que c'est l'effet nécessaire d'un local particulier et de choix » (XI, 211). [38] Le salonnier constate également qu'en dépit des sujets souvent communs traités par ce peintre — n'oublions pas que les *Salons* de Diderot datent d'une époque où régnait encore en France la classique hiérarchie des genres — ses tableaux relèguent les autres au rang de parents pauvres : « Je l'ai vu ce *Ganymède* de Rembrandt : il est ignoble... il est polisson : l'aigle qui l'enlève par sa

[37] Dans une de ses boutades caractéristiques (il en a lancé dans des moments d'humeur ou de découragement contre ceux qu'il admirait le plus sincèrement : Balzac, Hugo, etc.), il ajoute : « Légèreté digne d'un moraliste qui veut disserter d'une chose tout autre que la morale » (p. 847). Appréciation peu généreuse qui le met d'ailleurs en contradiction avec sa propre affirmation que les producteurs font les meilleures critiques : « Diderot, Goethe, Shakespeare, autant de producteurs, autant d'admirables critiques » (p. 1060). Il s'agit, bien entendu, de ne point prendre une telle boutade au pied de la lettre...

[38] Ailleurs, il analyse également l'art du coloriste qui consiste à voir « les objets du point qu'il a choisi ; au delà de ce point, on ne voit plus rien ; c'est pis encore en deçà.... Il ne faut pourtant pas blâmer ce genre de peinture : c'est celui du fameux Rembrandt. Ce nom seul en fait suffisamment l'éloge » (X, 482). Voir aussi le *Sal. de 1765* : « C'est un peintre unique dans son genre que ce Rembrandt ! ... Il avait une touche ; et quelle touche ! des expressions, des caractères ! Et tout cela, l'aurez-vous ? quand l'aurez-vous ? » (X, 292-3).

jaquette met son derrière à nu ; mais ce petit tableau éteint tout ce qui l'environne » (XII, 106).

Diderot et Baudelaire ne partagent pas seulement un même fonds d'idées et d'attitudes : ils usent aussi d'une méthode similaire pour enrichir leur expérience directe de la pratique des arts plastiques. Ils vont chez les techniciens, chez les peintres et les sculpteurs, visitent les ateliers, s'enquièrent des manières de procéder, des problèmes de composition et de coloration, observent avec attention les artistes au travail. Les nombreux témoignages internes de leurs *Salons* (références, etc.) ainsi qu'externes (notamment le grand nombre de portraits de nos deux critiques exécutés par leurs amis peintres) ne laissent aucun doute sur le fait qu'ils s'entretenaient constamment avec un grand cercle d'amis, artistes et amateurs, de toutes sortes de problèmes esthétiques.

Diderot a connu personnellement Cochin, Vernet, Greuze, les Van Loo, Falconet, Pigalle, Vien, La Tour, Chardin, Fragonard, Vassé, et bien d'autres artistes célèbres de son temps et oubliés aujourd'hui.[39] Il s'intéresse également à Hogarth dont il a lu *l'Analyse de la beauté.*[40] Dans ses *Salons,* il n'hésite pas à transcrire certaines conversations, notamment avec Chardin et La Tour, certains points qu'il a discutés avec eux ou élucidés avec leur aide. Il possède le don de poser des questions significatives, qu'il met d'ailleurs à profit, et il n'ignore point non plus l'art d'écouter et d'apprendre en écoutant. En outre, il a également lu Lomazzo, Roger de Piles, Lairesse, Crousaz, Du Bos, La Font de Saint-Yenne, Hutcheson, Webb, Wolff, Spence, l'abbé Batteux, le père André, Hagedorn, Mengs, Winckelmann, etc.

D'après les commentaires de Diderot, il est évident que les praticiens du XVIIIe siècle ne manquaient ni de dialectique ni d'esprit, et qu'ils savaient parler de leur art avec pertinence et verdeur.[41] « Chardin, avec jugement et sang-froid ; Greuze, avec chaleur et enthousiasme. La Tour, en petit comité, est aussi fort bon à entendre », note-t-il dans son *Salon de 1765* (X, 342). Bien entendu, tous ces propos recueillis dans les ateliers et dans les galeries aideront puissamment le salonnier à s'instruire des techniques de l'exécution, cet auxiliaire inséparable de l'idée.

Baudelaire, depuis sa jeunesse, hante le Louvre et « a l'amour de la peinture jusque dans les nerfs » (p. 833). Cette « passion des images » lui permettra d'ailleurs d'être réceptif aux talents les plus divers et de se placer à des points de vue fondamentalement différents : il inter-

---

[39] Il se garde même de négliger les opinions de peintres peu connus ou franchement médiocres. Son *Salon de 1775* est écrit sous forme de dialogue entre Saint-Quentin, un jeune « refusé » du Salon, rendu amer et bilieux par cette expérience désagréable. Bien que Diderot, irrité des critiques invariablement défavorables et négatives de son interlocuteur, décide de l'éviter et de manquer à un rendez-vous avec lui au Salon, il se ravise parce qu'il pourrait « recueillir quelques bonnes observations » (XII, 8).

[40] Voir X, 303 ; XI, 349.

[41] Ayant demandé à Falconet, à propos d'une *Vénus et Adonis* de Taraval, « pourquoi celui qui a su faire une Vénus aussi belle me fait à côté un aussi plat Adonis, il me répond que c'est parce qu'il a fait le visage de l'homme comme les fesses de la femme. La mollesse du pinceau qui le rendait agréable dans une de ses figures, ne convenait plus à l'autre figure » (X, 412).

roge la grande peinture romantique de Delacroix, le néo-classicisme raphaëlien d'Ingres, les paysages subtils et poétiques de Corot et de Rousseau, la caricature puissamment simplifiée de Daumier, la « modernité » de Guys et de Manet, et même le réalisme « objectif » de Courbet. Habitué des cafés et des cercles artistes ainsi que des milieux bohèmes, il y coudoie des peintres — notamment Delacroix, Manet, Daumier et Courbet — des poètes et des critiques dans un fraternel et chaleureux esprit de camaraderie. Comme Diderot, il discute abondamment de questions picturales.[42] Dans les *Portraits et souvenirs littéraires* de Théophile Gautier, l'on trouve un portrait physique et moral fort intéressant du jeune « dandy égaré dans la bohème »,[43] et dans le célèbre *Atelier de l'artiste* de Courbet, on reconnaît aisément le poète à l'avant-plan de droite, quelque peu isolé des autres personnages qui encombrent la scène, et tenant un livre ouvert à la main.[44]

Munis de cette expérience préalable qu'ils savaient indispensable à une véritable compréhension de la peinture, Diderot et Baudelaire passeront ensuite à l'élaboration des moyens avec lesquels ils se proposent de transposer leurs expériences, de traduire leurs impressions visuelles et d'élucider, en fonction de ces impressions, leurs propres théories esthétiques. Ils feront converger ces avenues, non pas vers une seule méthode d'approche, mais vers tout ce qui peut constituer un apport, et ceci en recensant les procédés des peintres et en se soumettant aux effets plaisants et déplaisants de leur production plastique. Nous verrons que les méthodes dont chacun usera — c'est à dessein que nous évitons le singulier qui impliquerait quelque système dogmatique — participent d'une attitude fort semblable à l'égard du rôle du critique d'art.

Lorsque Brunetière, qui a toujours éprouvé une antipathie féroce pour l'Encyclopédiste, crut condamner irrévocablement sa critique d'art en ces termes : « Il n'y a rien pour nous, ou presque rien, à prendre dans les *Salons* de Diderot : il est même à regretter que notre siècle y ait déjà tant pris, »[45] il lui offrait, en fait, le plus beau tribut en se voyant forcé de reconnaître, à regret, que le XIXe siècle avait abondamment puisé dans les écrits du philosophe. Et, en effet, dès 1858, les Goncourt saluent en Diderot le « premier génie de la France nouvelle »,[46] et en 1866, inscrivent son nom, avec celui de Beaumarchais, comme « le grand legs du XVIIIe siècle au XIXe ».[47]

---

[42] Dans son *Salon de 1859,* il rend hommage à la gracieuseté et à l'amabilité de Chenavard, au « don charmant » de Préault, au « bon sens lumineux » de Daumier, et surtout, à la conversation de Delacroix (p. 764).

[43] *Portraits et souvenirs littéraires,* « Charles Baudelaire » (Charpentier, 1892), p. 141. Voir également A. Ferran, *L'Esthétique de Baudelaire,* « Atmosphères », pour les détails biographiques de la jeunesse de Baudelaire, et A. Tabarant, *La Vie artistique au temps de Baudelaire,* pour une reconstitution du milieu artistique de l'époque.

[44] Il existe une version antérieure à cette composition, un portrait de Baudelaire peint vers 1847, alors que le poète et le chef de l'école réaliste étaient encore fort liés et fréquentaient le même cercle.

[45] F. Brunetière, *Nouvelles Etudes critiques,* p. 321.

[46] *Journal,* II, 234.

[47] *Ibid.,* III, 44.

On peut affirmer, sans risque d'exagération, qu'il n'est pas un théoricien d'art notable de ce siècle qui, dans la mine inépuisable d'idées que constituent les *Salons* de Diderot, n'ait trouvé occasion de clarifier certains problèmes auxquels il se heurtait ; et ceci, en dépit de la tendance à dénigrer la contribution esthétique de l'auteur du *Salon de 1767*. De plus, Delacroix ne fut pas le seul technicien à se pencher avec intérêt sur les idées de Diderot. Manet, par exemple, sut aussi extraire d'utiles enseignements des principes exposés dans *L'Essai sur la peinture* et les *Pensées détachées*. Dans son étude consacrée à ce peintre, Georges Bataille note que tout jeune homme, le futur peintre d'*Olympia* — inspirée, selon Paul Valéry, de « Lola de Valence » de Baudelaire — avait étudié la critique d'art de Diderot.[48] Dans la révolte du jeune Manet contre la copie mécanique de modèles payés pour poser dans des attitudes traditionnelles, dans ses disputes violentes avec son maître, le peintre académique Couture, ne peut-on voir un effet intéressant de la condamnation sévère du modèle académique que l'on lit dans *L'Essai sur la peinture* ?

> Toutes ces positions académiques, contraintes, apprêtées, arrangées ; toutes ces actions froidement et gauchement exprimées par un pauvre diable, et toujours par le même pauvre diable, gagé pour venir trois fois la semaine se déshabiller et se faire mannequiner par un professeur, qu'ont-elles de commun avec les positions et les actions de la nature ? (X, 464).

C'est parce que Diderot ne rédigeait pas ses *Salons* dans l'intention de les publier de son vivant qu'il pouvait exprimer ses idées les plus aventureuses, presque toujours les plus fécondes — surtout à cette époque où l'académisme était de rigueur — et remettre en question les traditions picturales les plus vénérées. A son tour, Baudelaire fera preuve d'une audace d'autant plus louable que lui, il écrira pour le public parisien, et à une époque connue pour son hostilité officielle à tout esprit de recherche et d'aventure.

---

[48] Voir Georges Bataille, *Manet*, p. 69.

CHAPITRE III

LES CONNAISSANCES ARTISTIQUES DE DIDEROT ET DE BAUDELAIRE

Avant de se faire juges en matière d'art, quelles connaissances de l'histoire de la peinture Diderot et Baudelaire avaient-ils ? Dans quelles recherches historiques s'étaient-ils engagés et quels styles, à l'exception de ceux qu'ils avaient l'occasion d'étudier dans les ateliers, avaient-ils approfondis ? Avaient-ils complété leur éducation esthétique par un ou plusieurs voyages d'art ? Au premier abord, les réponses à ces questions paraissent quelque peu décevantes, surtout si l'on songe qu'aujourd'hui, l'amateur d'art vivant dans une grande métropole a à sa disposition, non seulement les œuvres des grands maîtres, périodiquement exposées dans les capitales du monde, mais plus d'ouvrages d'art reproduits en couleurs que nos deux critiques n'eurent jamais l'occasion d'en contempler, soit à Paris, soit au cours de l'unique voyage (et ceci sur le tard) que chacun d'eux effectua hors de France.

Malraux note à juste titre, dans son chapitre « Le Musée imaginaire » des *Voix du Silence,* que « Baudelaire ne vit les œuvres capitales ni du Greco, ni de Michel-Ange, ni de Masaccio, ni de Piero della Francesca, ni de Grünewald, ni de Titien, ni de Hals, — ni de Goya, malgré la Galerie d'Orléans ». [1] L'on peut appliquer la même remarque à Diderot, souvent obligé de s'en remettre aux appréciations d'intermédiaires pour commenter les maîtres de la Renaissance italienne. A propos de la relation entre l'art et la religion, c'est d'après l'abbé Galiani que le Pantophile nous donne une idée de la manière dont Michel-Ange a représenté le Christ et les Saints :

> Notre abbé Galiani ... ajoute que Michel-Ange ... avait réprouvé les cheveux plats, les barbes à la juive, les physionomies pâles, maigres ... qu'il leur avait substitué le caractère antique, et qu'il avait envoyé à des religieux qui lui avaient demandé une statue de Jésus-Christ, l'Hercule Farnèse la croix à la main ; [il s'agit sans doute du *Christ* de Santa-Maria sopra Minerva à Rome] que, dans d'autres morceaux, notre bon sauveur est Jupiter foudroyant ; saint Jean, Ganymède ; les apôtres, Bacchus, Mars, Mercure, Apollon, *et coetera.* [Il s'agit sans doute du *Jugement dernier.*] Je demanderai d'abord : le fait est-il vrai ? quels sont précisément ces morceaux ? où les voit-on ? (XI, 345).

---

[1] *Op. cit.*, p. 13.

Il est intéressant d'observer que c'est précisément cet aspect de l'art de Michel-Ange que Baudelaire choisira pour caractériser son style :

> Michel Ange, lieu vague où l'on voit des Hercules
> Se mêler à des Christs...

Pour ce qui est du style gothique, Diderot, en homme de son siècle n'en a qu'une bien piètre opinion. Aussi ne mentionne-t-il jamais les grands Primitifs italiens ou français. Les quelques références que l'on trouve témoignent de son mépris, égal à celui de Voltaire, pour une période alors considérée comme fruste et barbare :

> Sans avoir vu le saint Louis [de Lépicié], on ne devine pas combien il est plat, ignoble, sot et bête. C'est à peu près comme nos anciens sculpteurs nous le montrent en pierre, aux portails des églises gothiques (XI, 290).

Sous ce rapport, Baudelaire, héritier des romantiques, réagit de manière bien plus positive aux toiles qui lui rappellent « l'ardente naïveté des vieux tableaux » (p. 783). Aux yeux du poète catholique, la gaucherie, la raideur même des peintures religieuses constituent « comme un charme de plus » (p. 783) car elles évoquent la foi sincère, touchante dans sa simplicité, des artistes anonymes du Moyen âge. A vrai dire, à l'époque où le poète rédige ses *Salons,* on envisageait de manière sentimentale ce qui fut un style aussi authentique que celui de la Renaissance, et cette vue simpliste est presque aussi fallacieuse que l'incompréhension du XVIIIe siècle. Du moins, l'attitude de Baudelaire à l'égard des Primitifs est-elle plus juste que celle des romantiques qui étaient surtout attirés par l'élément pittoresque et exotique d'une période lointaine : au lieu que l'auteur du *Salon de 1846* est conscient du fait qu'il ne suffit pas d'avoir la foi pour être un grand artiste, il faut aussi savoir peindre, et le critique souligne que l'histoire de la peinture offre « des artistes impies et athées produisant d'excellentes œuvres religieuses » (p. 781). Celui qui se contentera de peindre avec de bons sentiments ne manquera pas de devenir ce que Baudelaire appelle dédaigneusement un « singe du sentiment » (p. 661) et ne produira jamais des chefs-d'œuvre.

Pour ce qui est d'une connaissance historique des œuvres des Primitifs, l'ignorance du poète est presque aussi totale que celle du philosophe, chose naturelle puisqu'il faudra attendre jusqu'au XXe siècle pour assister à l'étude systématique des écoles qui précédèrent la Renaissance.

Ni au XVIIIe siècle, ni au XIXe, « les collections ne circulaient... d'un pays à l'autre, et il n'existait, en fait de reproductions, que des interprétations en noir obtenues par la gravure sur cuivre, sur acier ou sur pierre ». [2] De ceci résultent d'inévitables lacunes...

Quelles collections étrangères Diderot et Baudelaire eurent-ils l'occasion de visiter ? On sait qu'en 1773, l'Encyclopédiste se rend en Russie

---

[2] Pascal Pia, « Baudelaire, critique d'art », *L'Œil,* N° 15, mars 1956, p. 7.

sur l'invitation de Catherine II. Jusqu'à cette date, il avait mené une vie généralement casanière : « En Hollande... auprès du prince de Galitzine... il parcourt à Leyde, chez M. Hope 'une immense collection de Rembrandt'... Traversant l'Allemagne, il atteint Düsseldorf et visite le 25 ou 26 août 1773 la galerie de l'Electeur palatin. ... Le 14 septembre, il s'attarde plus longuement à la galerie royale de Dresde. ... A Saint-Pétersbourg, l'Ermitage lui offrait quotidiennement ses collections et renouvelait son goût pour Nicolas Poussin. » [3] En 1864, Baudelaire entreprend une tournée de conférences en Belgique qui finira si mal qu'il en gardera à jamais une rancune tenace aux Belges et même à l'art flamand. [4] A Bruxelles, et à Anvers en particulier, il voit les galeries où se trouvent surtout les œuvres de maîtres hollandais et flamands. Somme toute, le poète qui ne voyagea même pas dans son pays natal, aura des musées de l'Europe une connaissance plus pauvre encore que son prédécesseur du XVIIIe siècle.

Nos critiques se rendent d'ailleurs parfaitement compte de leurs lacunes. Diderot rêve de faire le pèlerinage artistique de l'Italie, mais ses obligations pressantes l'empêchent de réaliser ce projet cher à son cœur. Vivant dans un temps où l'Italie semble attirer tout particulièrement les Français, il se résigne mal à ne jamais contempler les trésors artistiques de Rome, de Florence et de Venise. Il exprime ses regrets dans son *Salon de 1767* :

> Supposez-moi de retour d'Italie, et l'imagination pleine de chefs-d'œuvre que la peinture ancienne a produits dans cette contrée. Faites que les ouvrages des écoles flamandes et hollandaises me soient familiers .... et je vous réponds d'un Salon nouveau : les artistes passés mieux connus, je rapporterais la manière et le faire d'un moderne au faire et à la manière de quelque ancien le plus analogue à la sienne ; et vous auriez tout de suite une idée plus précise de la couleur, du style et du clair-obscur. ... Pour ce voyage d'Italie, si souvent projeté, il ne se fera jamais (XI, 3-4).

De même, en conclusion à son *Salon de 1859*, Baudelaire s'excuse des « omissions ou erreurs involontaires » qu'il a pu commettre, et exprime l'espoir que l'art les lui pardonnera, « comme à un homme qui, à défaut de connaissances plus étendues, a l'amour de la Peinture jusque dans les nerfs » (p. 833).

En somme, quels artistes autres que leurs compatriotes et leurs contemporains nos salonniers connurent-ils ? A cet égard, les noms cités dans leur critique d'art fournissent une indication précieuse sur les ouvrages qu'ils ont vus dans l'original, ou connus d'après des gravures, des copies ou des descriptions de seconde main. Une liste de ces noms ne manque pas de déceler presque tous ceux dont une partie de l'œuvre

---

[3] P. Vernière, « Diderot et C. L. De Hagedorn », *Revue de Littérature comparée*, avril-juin 1956, p. 239.
[4] Dans ses *Fragments sur la Belgique*, même ses appréciations sur Rubens se ressentent de son amertume.

leur était familière, directement ou indirectement, car tous deux étaient habitués à confronter les œuvres de contemporains avec les compositions de grands maîtres ayant traité des thèmes similaires. Voici quelques échantillons de ces comparaisons si fréquentes chez nos auteurs :

> Tout ce que l'art, porté à un haut degré de perfection, peut mettre dans un tableau, y est. La différence qu'il y a entre la *Madeleine* du Corrège et celle de Van Loo, c'est ... [que] la première a bien ... une autre grandeur, une autre tête, une autre noblesse, et cela sans que la volupté y perde rien (X, 111),

note Diderot à propos d'une composition de Carle Van Loo, et devant un auto-portrait de Louis-Michel Van Loo, il se demande après avoir constaté que « c'est une très belle chose » (X, 168), « Avec tout cela, ... quelle comparaison avec Van Dyck pour la vérité, avec Rembrandt pour la force ? » (X, 168).

D'autre part, Baudelaire, louant une *Sibylle* de Delacroix, la place dans la même catégorie que les figures du Corrège : « Comme modelé et comme pâte, c'est incomparable ; l'épaule nue vaut un Corrège » (p. 562) ; et reprochant à Horace Vernet sa froideur et son manque d'unité, il s'écrie : « M. Horace Vernet n'a donc jamais vu les Rubens, les Tintoret, les Jouvenet, morbleu !... » (p. 563).

Souvent, lorsque certaines ressemblances étaient trop frappantes, il leur arrivait de soupçonner le peintre d'avoir plagié les artistes célèbres :

> Votre *Descente de Croix* n'est-elle pas une imitation de celle du Carrache, qui est au Palais-Royal, et que vous connaissez bien ? ... Que votre Vierge est froide et contournée en comparaison de celle du Carrache ! Voyez dans son tableau l'action de cette main immobile posée sur la poitrine de son fils, ce visage tiré, cet air de pâmoison, cette bouche entr'ouverte, ces yeux fermés ... Sachez, monsieur Pierre, qu'il ne faut pas copier, ou copier mieux ; et de quelque manière qu'on fasse, il ne faut pas médire de ses modèles (X, 115).

Le coup d'œil du poète est aussi pénétrant et aussi impitoyable que celui de l'Encyclopédiste en cette matière :

> M. Decamps nous a ménagé cette année une surprise qui dépasse toutes celles qu'il a travaillées si longtemps. ... M. Decamps a fait du Raphaël et du Poussin. — Eh ! mon Dieu ! — oui. Hâtons-nous de dire ... que jamais imitation ne fut mieux dissimulée ni plus savante (p. 566).

Et ailleurs, il raille les « singes » qui « voleront un morceau dans un tableau de Rembrandt... sans le digérer et sans trouver la colle pour le coller » (p. 676).

En outre, dans leurs développements plus théoriques, nos salonniers sont souvent amenés à concrétiser leurs intuitions à la lumière de tel chef-d'œuvre qui leur est familier, ou à citer tel grand peintre du passé pour illustrer un point qu'ils désirent rendre plus clair.

Avant de tenter de déterminer en quel sens Diderot et Baudelaire sont des précurseurs et des critiques créateurs et à quel point leurs

Salons sont originaux, il serait donc utile d'indiquer les maîtres que chacun a connus et particulièrement prisés, et pour quels motifs. Ceci nous aidera à établir d'abord, dans quelle mesure leurs préférences reflètent le goût de leurs époques respectives et représentent une soumission presque inconsciente aux canons du temps, et, ensuite, par quels côtés elles résultent d'un choix délibéré ainsi que d'une réaction consciente contre les tendances à la mode. Bien entendu, ils se rattachent à leur siècle ; mais, grâce à la forte originalité de leurs vues, ils s'en distinguent très souvent, et là résident, il va sans dire, la plupart de leurs idées novatrices.

Quelque indépendant et imaginatif que soit un critique, ses critères se ressentiront toujours, jusqu'à un certain point de ses connaissances historiques, et il aimera maintes compositions en fonction de celles du passé, qu'il considère comme des chefs-d'œuvre.

Afin de permettre au lecteur de distinguer les noms qui reviennent souvent, sous la plume de Diderot et de Baudelaire, de ceux qui n'apparaissent qu'une ou deux fois, nous placerons un astérisque après les premiers. Deux astérisques suivront les noms les plus fréquemment cités. Dans les écrits de Diderot, on trouve des références à Rembrandt,** Raphaël,** Rubens,** Poussin,** Le Sueur,** Van Dyck,** Michel-Ange,* Titien,* Corrège,* les Carrache,* le Guide,* Véronèse,* Le Brun,* Claude Lorrain,* Berghem,* Teniers,* Wouwermans,* Van der Meulen,* Watteau,* Léonard de Vinci, le Caravage, Jules Romain, le Baroche, Volterra, Cortone, Solimène, le Tintoret, le Feti, Castiglione, Pannini, Salvator Rosa, le Guerchin, les Bassan, l'Albane, le Dominiquin, Giorgione, le Primatice, le Bourguignon, Callot, Jean de Boulogne, Santerre, Bourdon, Jouvenet, Largillière, Antoine Coypel, Rigaud, Gillot, Paul Potter, Mengs, Hogarth, Snyders, Van Ostade, Van Goyen, Knibbergen, Porcellis, Holbein, Ruysdael, Dow, Elsheimer, Pœlenburgh, Schiavone, Ramsay, Jordaens, Van Huysum, Van der Werff, Terborch, Netscher et Murillo. [4bis]

Cette liste est significative, non seulement en ce qu'elle révèle les artistes plus ou moins connus de Diderot, mais en ce qu'elle décèle les goûts et les antipathies de l'amateur éclairé du XVIIIe siècle. Mais, l'absence même de noms aujourd'hui célèbres n'est pas sans intérêt : tous les peintres d'avant la Renaissance ; les maîtres florentins et vénitiens du « Quattrocento » ainsi que certains artistes de la Renaissance proprement dite ; nombre d'Espagnols ; les maîtres du XVIIe siècle généralement négligés au XVIIIe ; ainsi que l'école italienne du XVIIIe siècle. Voici une liste de noms qui ne figurent point dans la critique de Diderot : Giotto, Roger van der Weyden, Fra Angelico, Memling, Bosch, Bellini, Masaccio, Piero della Francesca, Mantegna, Uccello, Botticelli, Albert Dürer, Grünewald, Quentin Metsys, Tiepolo, Guardi, Van Eyck, Pierre Brueghel, Frans Hals, Vermeer de Delft, le Greco, Ribera, Zurbaran, Velasquez, Georges de la Tour et Louis le Nain ;

[4bis] C'est dans les lettres à Falconet que Murillo est mentionné (XVIII, 306, 308, 313).

pour ne citer que les plus grands. Il est d'ailleurs naturel que Diderot ait ignoré la plupart de ces artistes, puisque nombre d'entre eux ne seront « découverts » qu'au XIXe, et même au XXe siècle.[5] Cependant, plusieurs de ces noms étaient déjà connus de certains amateurs avertis au temps de notre salonnier : quelques maîtres du « Quattrocento », et Dürer en particulier, pour ses écrits théoriques sur le Beau.[6]

Il est également logique que les noms les plus fréquemment cités par Diderot soient ceux d'artistes dont l'œuvre était largement représentée en France, soit dans la collection du Roi, soit dans les « cabinets » particuliers. Malheureusement, l'immense collection royale, qui devait servir de base aux actuelles collections nationales du Louvre, suivait le souverain dans ses déplacements du Louvre aux Tuileries, et enfin à Versailles. Il était par conséquent fort malaisé, pour le simple amateur, de contempler les chefs-d'œuvre français, italiens et flamands. Vers le milieu du XVIIIe siècle, ces amateurs désirent avoir accès aux tableaux dispersés dans les palais ou les magasins de la surintendance.[7] On exige l'achèvement du Louvre, fort négligé à cette époque, et l'on réclame des expositions publiques.[8] Ce qui fait qu'en 1750, une exposition de peintures choisies parmi celles du cabinet du Roi fut inaugurée, elle représentait les écoles les plus importantes. Il est fort probable que Diderot profita de cette occasion, puisque l'exposition dura jusqu'en 1779. On permit aussi aux visiteurs de voir la célèbre Galerie de Médicis au palais du Luxembourg, avec sa magnifique série de compositions gigantesques par Rubens, qui a représenté les événements principaux de la vie de Marie de Médicis. Une référence de Diderot atteste qu'il a visité cette galerie (X, 352). En outre, une note de Grimm implique qu'il a parcouru le palais de Versailles, dont il a admiré les tableaux en compagnie de son ami Denis.[9] Celui-ci a également l'occasion de contempler nombre de galeries et cabinets particuliers : il mentionne notamment les collections de Watelet (XI, 46), de La Live de Jully (X, 49), du duc de Choiseul, du baron de Thiers (XIII, 89). En 1772, c'est l'importante collection de ce dernier qu'il acquerra pour Catherine II (XVIII, 328).

---

[5] Voir par exemple le cas d'un Greco, d'un Vermeer, redécouverts au dixneuvième siècle ; celui des frères Le Nain, exhumés d'un oubli presque total par Champfleury et les réalistes ; ou celui d'un Georges la Tour, ignoré jusqu'au vingtième siècle.

[6] Voir A. Fontaine, *Les Doctrines d'art en France,* « Les amateurs, les hommes de lettres et les théoriciens de 1709 à 1747 ».

[7] Voir *Histoire des collections de peintures au Musée du Louvre* (Paris, Musées nationaux, 1930).

[8] En 1747, La Font de Saint-Yenne, le prédécesseur immédiat de Diderot dans la critique d'art, réclame des expositions publiques dans ses *Réflexions sur l'état de la peinture en France.*

[9] Diderot ayant affirmé que l'art du coloriste frappe bien plus que celui, plus sévère du dessinateur, Grimm estime nécessaire d'ajouter ce correctif dans une note : « Je nie que Denis Diderot et moi nous passions devant un tableau de Raphaël sans y prendre garde. Je nie qu'on m'ait jamais frappé sur l'épaule pour m'arrêter devant la *Sainte Famille* de Versailles » (X. 515).

Voir aussi le *Salon de 1761* et celui de *1767* pour des allusions aux tableaux exposés au Palais-Royal (X, 114 ; XI, 20).

En général, les références du philosophe font assez fidèlement écho aux tendances de son époque. L'attirance de Rubens est très forte à partir de 1680, et de la victoire des rubénistes sur les poussinistes et sur les admirateurs exclusifs des Italiens. On aime la gamme joyeuse des tons de l'artiste flamand, les formes mouvementées de ses personnages, en dépit des proportions plantureuses et un peu vulgaires de ses personnages féminins. Peu de peintres français du XVIIIe siècle échappent à l'influence de ce maître : Watteau, Boucher, Fragonard, Greuze même (dans ses meilleurs ouvrages) portent son empreinte ainsi que celle de Van Dyck, dans les procédés de leur coloris. Van Dyck, de son côté, attire par l'élégance et la finesse psychologique de ses portraits. Les Néerlandais gagnent de l'emprise avec la victoire des coloristes ; et les dimensions moindres des appartements de Louis XV favorisent les petits tableaux. On achète des œuvres de Jordaens, Teniers, Van der Meulen, Berghem, Wouwermans, Paul Potter, Rembrandt, Netscher, Gérard Dow, Snyders. Chardin est considéré comme un continuateur français de cette tradition de scènes intimes et quotidiennes.

Cependant, l'école classique française ainsi que les Italiens de la Haute Renaissance sont toujours mis au pinacle. Les grandes machines à sujets littéraires, historiques ou allégoriques continuent à jouir d'une grande faveur, et Poussin est mentionné par Diderot comme un maître vénéré. Parmi les Italiens, largement représentés en France, se trouvent notamment : Léonard de Vinci (grâce au séjour de cet artiste en France sur l'invitation de François Ier), les frères Carrache, Véronèse, Jules Romain, Titien, le Corrège, le Caravage, Giorgone, le Tintoret, Salvator Rosa, Raphaël, le Guide et le Dominiquin. [10]

Quelles semblent être les préférences de Diderot en ce qui concerne les maîtres italiens ? D'abord, Raphaël dont il cite le nom à tout bout de champ et qu'il porte aux nues (admiration qui nous paraît néanmoins tenir à la convention plutôt qu'à une prédilection personnelle) ; ensuite les Carrache, le Guide, le Dominiquin et Michel-Ange : « Qui est-ce qui a vu Dieu ? C'est Raphaël, c'est le Guide. Qui est-ce qui a vu Moïse ? c'est Michel-Ange, » écrit-il dans ses *Pensées détachées* (XII, 118). Il admire avec enthousiasme le coloris magique de Titien et sa touche moelleuse (XII, 106), la grâce du Baroche et du Corrège, ce « peintre digne d'Athènes » (XIII, 37), le fougueux romantisme avant la lettre de Salvator Rosa : « Transposez Salvator Rosa dans les régions glacées voisines du pôle ; et son génie les embellira » (XII, 83). Mais, chose étrange, de Léonard de Vinci dont il existait pourtant, dans la collection royale, nombre de tableaux, et des plus fameux, il ne souffle mot, à l'exception de quelques brèves mentions insignifiantes. [11] Cependant, en

[10] Pour des détails plus précis : noms des compositions, dates d'acquisition, nombre de toiles en France, voir *Histoire des Collections de peintures au Musée du Louvre.*

[11] On peut trouver une référence indirecte à propos du peintre et théoricien milanais Lomazzo (XII, 117), une autre dans le compte rendu du *Poëme sur la peinture* de Le Mierre (XIII, 88), une troisième à l'article *Charge*

toute logique notre Pantophile eût dû ressentir pour cet esprit universel une sympathie du même ordre que celle de Valéry ! Les seules explications que nous puissions donner pour ce silence presque total sont les suivantes : ou bien l'auteur de la *Cène,* dont les théories sont si prisées de nos jours, était quelque peu éclipsé au XVIIIe siècle et moins goûté que Raphaël et Michel-Ange ; ou bien, et ceci est fort probable, Diderot n'eut jamais occasion de voir *La Joconde, La Vierge aux Rochers,* ou *La Belle Ferronnière,* qui se trouvaient sans doute dans les appartements royaux. Autrement, comment eût-il pu énumérer les noms de Raphaël, du Guide, du Baroche, de Titien à propos du « caractère de noblesse, de grandeur, d'innocence et de simplicité » (X, 493) que les Italiens surent donner à leurs Vierges et à la femme en général — et omettre l'auteur de *La Joconde* ?

A côté des continuateurs de la tradition classique de la « grande peinture », il existe, dès le début du XVIIIe siècle, un courant anti-classique lequel aboutira au rococo et qui mérite d'être mentionné ici, parce qu'il trouve des échos tout au long des *Salons* de Diderot. En effet, la traditionnelle dispute entre les partisans des Anciens et des Modernes continue de faire rage dans les milieux artistiques et se manifeste par nombre de libelles. [12] Mais, trait caractéristique du large éclectisme du philosophe, celui-ci se refuse à tout exclusivisme et préfère être libre de jouir des qualités propres à chaque école. Cette sensibilité aux aspects multiples de l'art est à la base de ce qu'on considère généralement comme des contradictions caractéristiques de l'esprit instable du Langrois. [13] La partie « raisonneuse » de Diderot, formée par de solides humanités, le fait souvent pencher vers les Anciens, les Italiens de la Renaissance et les classiques français ; c'est-à-dire vers le « sublime » des grandes machines. Mais son œil sait aussi se recréer avec joie au spectacle chatoyant des Baroques hollandais et flamands, qu'ils soient portraitistes, paysagistes, peintres d'histoire ou de genre. Diderot sait savourer de riches empâtements, une touche variée, un coloris vigoureux. Son goût pour la peinture est trop sensuel pour priser uniquement les qualités du dessin. Aussi ne sera-t-il jamais gagné à la cause d'un Winckelmann qui, d'après lui, n'est qu'un fanatique (X, 417), et continuera-t-il à rendre hommage aux Hollandais, en dépit des lacunes que comporte

---

[entendez caricature] dans l'*Encyclopédie* : « Depuis Léonard de Vinci jusqu'aujourd'hui, les peintres se sont livrés à cette espèce de peinture satirique et burlesque » (XIV, 98), ainsi qu'un bref récit de la mort de cet artiste, à propos d'une composition de Ménageot, intitulée *Léonard de Vinci* (XII, 52).

[12] Voir A. Fontaine, *op. cit.*

[13] Voici un exemple de jugement superficiel à l'égard de la critique d'art de Diderot de la plume de Manlio D. Busnelli, auteur d'un *Diderot et l'Italie* : « Tantôt il est 'moderniste', tantôt 'antiquisant' ; tantôt il préconise l'imitation de la nature et de la vie, telles qu'elles se présentent à nos yeux, tantôt il pousse à la recherche d'une beauté idéale, 'ultérieure à la nature'. » (p. 200). Tous ces « paradoxes » s'effritent, et toutes ces apparentes contradictions s'expliquent à une lecture attentive et approfondie, comme nous le verrons plus loin.

sa connaissance de ces peintres : notamment, son évidente ignorance des œuvres de Van Eyck, de Vermeer de Delft et de Franz Hals. Il se vante de sa prédilection, d'ailleurs si peu « philosophique », pour l'exécution vigoureuse et le pigment coloré d'un Rubens, pour les portraits aristocratiques d'un Van Dyck, pour le pinceau magique d'un Rembrandt, pour les scènes rustiques d'un Teniers et d'un Wouwermans, pour les études d'animaux d'un Snyders, et pour les natures-mortes de Chardin, ce « Hollandais » de France...

Il existe un autre facteur de l'attirance du philosophe pour les peintres du Nord. C'est que ceux-ci avaient su adopter certaines innovations des Italiens, [14] sans en devenir les esclaves. Etant donné que le salonnier du XVIIIe siècle, tout comme son successeur du Second Empire, condamnait toute imitation servile, il a dû apprécier le fait que les Hollandais et les Flamands avaient maintenu leur personnalité profonde en dépit de l'extraordinaire emprise du noble idéal classique ; et ceci en substituant aux sujets sublimes des thèmes quotidiens, mais rehaussés d'un sens aigu de la dignité de toute activité humaine.

Lorsque Rubens s'abandonne allègrement à une joie sensuelle en représentant ses Vénus comme de grasses Flamandes aux chairs plantureuses, Diderot dit de cet artiste qu'il « faisait un cas infini des Anciens qu'il n'imita jamais » (XII, 114). Quelquefois, chez notre critique, l'admirateur de Poussin et de Le Sueur, prenant le pas sur l'enthousiaste des purs coloristes, le fait se demander : « Comment un si grand maître [Rubens] s'en tint-il toujours aux formes grossières de son pays ? » (XII, 114). Mais il fournit lui-même la réponse à cette question dans son Introduction au *Salon de 1767,* où il fait cette constatation qu'il est impossible d'atteindre au génie antique sans partager également « l'esprit national » (XI, 14) ; que, par conséquent, le peintre moderne, plutôt que de reproduire mécaniquement le style des maîtres consacrés, serait bien inspiré de rester fidèle au caractère de ce qui lui est familier.

D'une part, notre salonnier continue donc à manifester un immense respect pour les qualités intellectuelles des classiques et le grandiose de leurs conceptions ; ce respect se manifeste par de nombreuses références et des conseils réitérés, adressés aux peintres, de consulter le grand art, sans toutefois tomber dans l'imitation. D'autre part, cependant, il fait montre d'une délectation presque honteuse parce que toute visuelle, devant la riche matière picturale des Baroques septentrionaux. Il en résulte une vénération un peu froide à l'égard de Raphaël et un goût marqué — qu'il essaye en vain de tempérer par des réserves théoriques — pour les tableaux de genre, les portraits et les bambochades des Néerlandais. Voici un passage qui indique clairement cette « dualité » :

> Si nous rencontrions dans la rue une seule des figures de femmes de Raphaël, elle nous arrêterait tout à coup ; nous tomberions dans l'admiration la plus profonde ... et il y a sur la toile du peintre, deux,

[14] Pour ne donner qu'un exemple, citons la dette indubitable que Rubens et Rembrandt ont contractée envers le Caravage.

trois, quatre figures semblables ; elles y sont environnées d'une foule d'autres figures d'hommes d'un aussi beau caractère ; toutes concourent de la manière la plus grande, la plus simple, la plus vraie, à une action extraordinaire, intéressante, et rien ne m'appelle, rien ne me parle, rien ne m'arrête ! Il faut qu'on m'avertisse de regarder, qu'on me donne un petit coup sur l'épaule, tandis que savants et ignorants, grands et petits, se précipitent d'eux-mêmes vers les bamboches de Téniers ! (X, 515).

Cette attirance vers les Flamands atteste que Diderot avait beaucoup d'affinités avec l'avant-garde rubéniste qui se composait surtout de praticiens partisans des Modernes. Parlant de ces peintres, Grimm commente en note au compte rendu par son ami du *Voyage en Italie* de Cochin : « S'ils osaient en dire leur sentiment de bonne foi, ils décideraient volontiers qu'il [Raphaël] est froid » (XIII, 15).

C'est surtout à la vue des compositions académiques de peintres dont le tempérament n'est pas assez puissant pour égaler les modèles classiques que Diderot relève impitoyablement tous les défauts de cette tradition d'école. D'un *Retour d'Ulysse et de Télémaque auprès de Pénélope* de La Grenée, il déplore l'insipidité, le manque d'âme et de sentiment de la nature, et affirme qu'il préférerait la manière flamande à « cette froide, impertinente et absurde dignité » (XI, 65). Et le critique de tracer un petit tableau amusant et réussi — sorte de pastiche — du même sujet vu par un Hollandais ou un Flamand : « Ulysse, vieux bonhomme, de retour de la campagne, en chapeau pointu sur la tête, l'épée pendue à sa boutonnière, et l'escopette accrochée sur l'épaule ; Télémaque avec le tablier de garçon brasseur, et Pénélope dans une taverne à bière » (XI, 65).

Mais si, à l'encontre de critiques pro-classiques tels que Du Bos, Batteux, La Font de Saint-Yenne ou Saint-Yves, Diderot ne porte pas une idolâtrie superstitieuse aux Anciens et aux Italiens, son admiration pour les Septentrionaux et les Modernes est également loin d'être sans réserves. Dans la facture de certains contemporains, il perçoit un danger : à savoir que certains d'entre eux ignorent trop complètement l'ordre noble et austère des classiques, et la féconde observation de la nature, pour donner dans le « maniéré », ou bien, selon une formule plus actuelle, dans les excès du rococo théâtral. Ceci explique ses avertissements répétés à Boucher et à Fragonard en particulier :

> Il faut être soutenu par la présence des grands modèles, sans quoi le goût se dégrade. Il y aurait un remède, ce serait l'observation continuelle de la nature ; mais ce moyen est pénible. On le laisse là, et l'on devient maniéré ; je dis maniéré, et ce mot s'étend au dessin, à la couleur et à toutes les parties de la peinture. ... Faux ou maniéré, c'est la même chose (XIII, 15).

On a conclu de remontrances de ce genre que Diderot était « un disciple fidèle de la plus pure tradition académique ».[15] Or, il n'en est rien. Diderot n'en voulait aux Modernes que lorsque, sombrant dans les poncifs d'atelier afin de produire plus abondamment et de gagner plus

---

[15] Voir Busnelli, *op. cit.*, p. 208.

d'argent,[16] ils négligeaient la partie primordiale de l'art : celle qui consiste en une recherche et un renouvellement constants des moyens. Tout comme Baudelaire, Diderot n'est ni sectaire exclusif des Modernes, ni disciple romantique et étroit du culte des Anciens, et la critique polémique ne lui dit évidemment pas grand'chose.

Le classique en Diderot a beau reprocher à Rembrandt, Rubens, Teniers, Snyders et autres leurs « formes grossières », leur absence de « grand goût », le romantique avant la lettre qu'il est se sent de plus en plus fasciné par leur art si purement pictural, si dénué d'académisme cérébral et de froide intellectualité : témoin ses nombreuses références élogieuses, surtout après son voyage en Hollande.[17] Il se rend d'ailleurs parfaitement compte que ce sont les valeurs picturales seules et non les thèmes traités qui font tout le charme des Néerlandais : « Otez aux tableaux flamands et hollandais la magie de l'art, et ce seront des croûtes abominables » (XII, 102). Mais s'il sait apprécier les qualités d'exécution de Rembrandt, ses effets de clair-obscur, pareillement à ses contemporains, il ne semble guère s'apercevoir du chemin parcouru entre de petits maîtres, tels que Teniers ou Wouwermans, et l'un des grands artistes universels.

En général, il est clair que lorsque Diderot rédige ses *Salons,* l'influence des théories antiquisantes de Winckelmann et de Mengs — que notre auteur connaissait d'ailleurs — ne s'était pas fait sentir et n'avait pas encore remis en vogue les Italiens aux dépens des Flamands.[18] En outre, David n'était à cette époque qu'un jeune étudiant dans l'atelier de Vien. A notre sentiment, si l'auteur du *Salon de 1767* eût pu assister à l'épanouissement de l'art davidien, il aurait, comme Baudelaire, été sensible à l'idéal héroïque et austère de cet artiste ; mais, comme Baudelaire aussi, il n'aurait point approuvé l'effet néfaste sur de jeunes artistes et sur l'opinion publique de la réaction néo-classique inspirée largement par Winckelmann et Mengs et réalisée par l'auteur du *Serment des Horaces.* A. Fontaine, dans ses *Doctrines d'art en France,* attribue dans une large mesure à l'influence de Diderot et à la popularité de Greuze le retour à l'antique à la fin du XVIIIe siècle : « On peut admettre en effet que le goût de la sévérité et de l'austérité soi-disant antiques fut encouragé, sinon éveillé, par l'introduction de l'idée morale en peinture, telle que la comprit souvent Greuze, telle que la conseilla sans cesse Diderot. »[19] Or, la manière de Greuze n'a rien en commun avec l'idéal classique, car c'est surtout de la peinture de genre du Nord

---

16 Voir en particulier le cas de Boucher.

17 Dans son compte rendu du *Poëme sur la peinture,* de Le Mierre, Diderot reprend sévèrement l'auteur pour avoir négligé de mentionner Jordaens et Teniers dans son éloge des grands artistes : « Mettez-vous à genoux devant le premier Teniers qu'on vous montrera ; et demandez pardon à toute l'école flamande » (XIII, 89).

18 C'est en 1756 que Winckelmann publie les *Réflexions sur l'imitation des ouvrages grecs dans la sculpture et dans la peinture.* Des extraits en français de cette œuvre allemande sont publiés la même année dans le *Journal étranger.* De son côté, le peintre allemand Mengs fait paraître ses *Pensées* en 1762.

19 Voir A. Fontaine, *op. cit.,* p. 295.

que procèdent ses compositions. En effet, l'effort de Greuze est méritoire en ce qu'il a visé à unir le genre rustique, illustré de manière si éclatante par les Hollandais et les Flamands, à l'élégant rococo français. Ceci explique d'ailleurs les attitudes trop gracieuses et langoureuses de ses bergères et de ses paysans. [20] Son erreur capitale, sur le plan esthétique, fut sans doute sa manie de vouloir rendre ses thèmes plus touchants et piquants en les traitant comme des anecdotes littéraires ; c'est-à-dire par des moyens extérieurs à la peinture. Diderot était d'ailleurs conscient de la dette que l'auteur de *L'Accordée de Village* avait contractée envers les peintres septentrionaux : « Il ne serait pas difficile de lui cogner le nez sur certains tableaux flamands où l'on retrouve des attitudes, des incidents, des expressions, trente accessoires dont il a su profiter » (XI, 180). Et dans son *Salon de 1761,* il reconnaît que Teniers est supérieur à Greuze (X, 154-155).

Pour ce qui est de l'art espagnol, il demeure ignoré en France où n'existent au XVIIIe siècle que quelques Murillo et plusieurs portraits quasi oubliés de Velasquez ; cette école restera lettre morte dans la critique de Diderot.

***

Quant à Baudelaire, voici une liste de noms célèbres qui apparaissent dans ses œuvres : [21] Rembrandt,** Rubens,** Michel-Ange,** Raphaël,** Véronèse,** Goya,** Watteau,** Velasquez,** Léonard de Vinci,* le Corrège,* Titien,* Jules Romain,* Pinelli,* Ribera,* Zurbaran,* Brueghel,* Van der Meulen,* Van Dyck,* Jordaens,* Jacques Callot,* Poussin,* Claude Lorrain,* Le Brun,* Le Sueur,* Jouvenet,* Santerre,* Debucourt,* Dürer,* Holbein,* Kaulbach,* Lawrence,* Cruikshank,* Hogarth,* Bonington,* Rosa, Carrache, Cimabué, Mantegna, Bellini, le Tintoret, Giorgione, Bassan, Bandinelli, Signorelli, Guardi, Pérugin, le Guerchin, Van Eyck, Steen, Teniers, Metsys, Overbeck, Ostade, Champaigne, Jean de Boulogne, le Bourguignon, Rigaud, Lancret, Nattier, Saint-Aubin, Fragonard, Baudouin, Gainsborough, Fuseli, Reynolds, Whistler et Valdès-Léal. De plus, Prarond, l'ami de Baudelaire qui l'accompagnait souvent dans ses tournées des galeries et en particulier du Louvre, [22] écrit que le poète « avait des toquades », et « était très attiré par un Théotocopuli [le Greco] ». [23] Il témoigne, en effet, d'une réelle prédilection pour le caractère passionné et dramatique des Espagnols ; il aimait également les maîtres d'Outre-Manche pour leur élégance aristocratique et leur

---

[20] A propos d'un *Berger* de cet artiste, Diderot constate : « A l'élégance du vêtement, à l'éclat des couleurs, on le prendrait presque pour un morceau de Boucher » (X, 143).

[21] Nous employons ici le même système d'astérisques que pour Diderot : un astérisque pour les noms cités plus de deux fois, deux pour ceux qui apparaissent le plus fréquement.

[22] Devenu un musée public lors de la Révolution de 1789.

[23] Cité par Tabarant, *La Vie artistique au temps de Baudelaire,* p. 65. Notons aussi que dans sa *Correspondance,* Baudelaire fait mention des frères Le Nain (Voir *Correspondance,* I, 132). Il possédait d'ailleurs une belle collection de tableaux, dessins et gravures de Rubens, Greuze, Goya, Manet, Whistler, etc.

coloris léger. Il avait coutume de flâner au long des salles du musée espagnol et du musée Standish, [24] avant que tous deux ne fussent perdus pour le Louvre, lors de la restitution aux possesseurs, c'est-à-dire à la famille d'Orléans (1850). Dans une lettre non datée (probablement écrite en 1846 ou 1847), il avait exprimé l'intention d'écrire un roman intitulé *L'Homme aux Ruysdaëls.* [25] Au Musée Royal de Bruxelles, il vit des œuvres d'artistes importants et certains noms apparaissent pour la première fois dans les fragments du livre projeté sur la Belgique, notamment : l'Albane, Canaletto, Guardi, Van Eyck, Van der Weyden, Metsu et Teniers. [26] Quant aux néo-classiques — David, Guérin, Girodet — aux pré-romantiques — Gros, Géricault — et à Prud'hon, « cet étonnant mélange » (p. 601), il va de soi que Baudelaire les connaît à fond.

Au milieu du XIXe siècle, les collections du Louvre présentent un aspect hétéroclite, et la confusion règne entre les époques, les écoles et les genres. De plus, se trouvent là quantités de Guérin et de Girodet, représentants favoris de l'art officiel. Jusqu'en 1848, le XVIIIe siècle continue à ne guère être représenté au Louvre, et en 1844, Théophile Thoré se plaint de cette lacune : « Le Musée du Louvre n'a pas de Boucher, pas de Chardin, pas de Nattier, pas de Fragonard, pas de François Lemoine. Il ne possède qu'une magnifique esquisse de Watteau et deux petits Carle Van Loo, rien des autres Van Loo, rien de l'école de Watteau, ni Lancret, ni Pater. » [27] Ceci explique le silence de Baudelaire sur la plupart des artistes français du XVIIIe siècle, à l'exception de Watteau. Asselineau note, dans sa biographie de Baudelaire, que celui-ci avait le goût du XVIIIe siècle ; [28] mais il n'eut sans doute jamais l'occasion de contempler les chefs-d'œuvre de Chardin, de Fragonard, ni même de Watteau, ailleurs du moins que dans des collections privées ou des reproductions en gravure.

A l'époque où le poète rédige ses *Salons,* les Espagnols finissent par être connus du public français, grâce à la collection acquise par Louis-Philippe. La Galerie espagnole du Louvre comprend plusieurs Murillo, quatre Zurbaran, une trentaine de Goya. C'est seulement en 1869 que la donation La Caze enrichira le Louvre des chefs-d'œuvre de Velasquez. [29]

En ce qui concerne les Néerlandais, ceux-ci avaient perdu leur prestige avec le retour du néo-classicisme sous la férule de David. Mais à

---

[24] Louis-Philippe avait chargé le baron Taylor d'acquérir une collection espagnole, d'où la Galerie espagnole du Louvre inaugurée en 1837 ; et, c'est à partir de cette date que l'influence espagnole se fait sentir chez les peintres français. D'autre part, en 1841, le Louvre s'accrut de nombre de toiles d'artistes anglais, léguées au roi par Franck Hall Standish, sujet britannique ; d'où la Galerie Standish.

[25] Voir *Correspondance* (I, 86).

[26] Voir *Œuvres complètes,* éd. J. Crépet, *Reliquae* (III, 184-186).

[27] Cité dans *L'Histoire des collections de peintures au Musée du Louvre,* p. 32.

[28] Voir Asselineau, *op. cit.,* p. 74. En outre, Baudelaire nous dit avoir été, dès son enfance, plongé dans une « société dix-huitième siècle » (p. 1238).

[29] Pour plus de détails à ce sujet, voir *op. cit.,* note 27.

partir de 1830, on recommence à goûter Rubens et Rembrandt, grâce à l'admiration enthousiaste portée (surtout à Rubens) par les peintres romantiques. Delacroix, grand amateur des compositions de ce peintre, effectuera même un pèlerinage artistique à Anvers et à Bruxelles. Le caractère introspectif et le clair-obscur dramatique de Rembrandt enflamment également l'imagination des membres de l'avant-garde.[30] Mais Vermeer de Delft ne sera arraché à l'oubli, par Thoré et les Goncourt, qu'après la mort de Baudelaire, et Frans Hals, apprécié à sa juste valeur que par Manet et les impressionnistes.

Des années 1820 à 1850 la peinture est à nouveau divisée entre les partisans de la ligne et ceux du coloris ; les jeunes romantiques, à l'instar de Delacroix, proclament leur délectation devant Rembrandt et Rubens, alors qu'Ingres conseille à ses disciples d'étudier les Raphaël et d'éviter même de regarder les Rubens au cours de leurs tournées du Louvre ! Dans son *Exposition Universelle de 1855,* Baudelaire observe, à propos de cette dispute : « MM. Eugène Delacroix et Ingres se partagent la faveur et la haine publiques. Depuis longtemps l'opinion a fait cercle autour d'eux comme autour de deux lutteurs » (p. 703). Mais, en dépit de sa préférence personnelle pour Delacroix, le critique ne veut se laisser aller à un esprit de parti-pris, préférant procéder à un examen objectif des qualités respectives de ces deux maîtres. De même, il peut goûter « la douce majesté et l'ordre eurythmique » (p. 856) de Raphaël, « la couleur paradisiaque et comme d'après-midi » de Véronèse (p. 856), « le caractère insaisissable et tremblant » (p. 561) des tons de Rubens, l'art « prodigieux comme le rêve » de Michel-Ange (p. 823), « la sévérité austère et tendue » (p. 856) de David, et « la faconde dramatique et quasi littéraire » (p. 856) de Le Brun.

Fait intéressant à relever, tout comme Diderot, Baudelaire sera amené à confronter Raphaël, le grand modèle des classiques (et d'Ingres), avec l'art des Hollandais, et il est clair où va la préférence du poète : « Raphaël, quelque pur qu'il soit, n'est qu'un esprit matériel sans cesse à la recherche du solide ; mais cette canaille de Rembrandt est un puissant idéaliste qui fait rêver et deviner au delà. L'un compose des créatures à l'état neuf et virginal, — Adam et Eve — ; mais l'autre secoue des haillons devant nos yeux et nous raconte les souffrances humaines » (p. 611).[31] Comme le salonnier du XVIIIe siècle, Baudelaire donne des coups de patte à la traditionnelle hiérarchie des genres, con-

---

[30] Dans son essai consacré à Rembrandt, Gautier écrit : « Rembrandt, quoiqu'il ait vécu dans la brumeuse Hollande, est aussi un dieu de la peinture, et il peut tenir son rang parmi les plus illustres. C'est un génie romantique dans toute la force du mot, un alchimiste de la couleur, un magicien de la lumière. » *Critique artistique et littéraire* (Bibliothèque Larousse, 1929), p. 30. On peut lire dans le *Journal* de Delacroix, à la date du 25 janvier 1857 : « La profonde expression et la fougue de Rubens, le vague, la magie, le dessin expressif de Rembrandt, tout cela est de nous, et les anciens ne s'en sont jamais doutés » (III, 60).

[31] " Les Flamands et les Hollandais ont, dès le principe, fait de très-belles choses, d'un caractère vraiment spécial et indigène » (p. 757), remarque-t-il encore à propos de Brueghel.

fesse le plaisir qu'il prend à contempler « une foule de tableaux très intéressants quoique de *second ordre* » (p. 881), et raille ceux qui croient que toute la peinture est dans les Titien et les Raphaël. « Il existe aussi des gens qui, ayant lu jadis Bossuet et Racine, croient posséder l'histoire de la littérature » (p. 881), ajoute-t-il, se servant de cette comparaison pour tenter de faire accepter non seulement les « irréguliers » du passé, mais aussi les excellents artistes modernes. Ecrivant à un moment où presque tous les bons peintres tels que Delacroix, Courbet, Manet, Daumier, sont l'objet de la haine, des moqueries ou de l'indifférence publiques, le poète en arrive à plaider plus passionnément que le philosophe la cause des Modernes contre les Anciens. D'où vient que ses références aux grands maîtres, surtout aux classiques et à leurs modèles, servent plutôt à mettre en valeur les qualités propres aux artistes contemporains qu'à exprimer une admiration pleine de vénération pour le Passé :

> Lorsque j'entends porter jusqu'aux étoiles des hommes comme Raphaël et Véronèse, avec une intention visible de diminuer le mérite qui s'est produit après eux, tout en accordant mon enthousiasme à ces grandes ombres qui n'en ont pas besoin, je me demande si un mérite, qui est *au moins* l'égal du leur (admettons un instant, par pure complaisance, qu'il lui soit inférieur), n'est pas infiniment plus *méritant*, puisqu'il s'est victorieusement développé dans une atmosphère et un terroir hostiles ? (p. 786).

Ce qui a empêché que la critique d'art de Diderot et de Baudelaire ne soit dévalorisée par l'effet souvent inéluctable du Temps, c'est que ni l'un ni l'autre — rédigeant pourtant leurs *Salons* dans un temps où l'on disputait à qui mieux mieux des mérites respectifs de diverses écoles — n'ont souscrit à un esprit étroitement sectaire. Gardant leur indépendance de jugement, ils préféraient se consacrer à la tâche plus constructive d'encourager de jeunes talents. Si les éloges de Baudelaire à l'égard de Raphaël, de Titien, des Carrache, de Poussin, de Le Sueur sont moins nombreux et chaleureux que ceux de Diderot, s'il hésite davantage à porter aux nues ces artistes, ce n'est point que le poète fût insensible à leur art, mais parce que les peintres contemporains qui faisaient preuve d'originalité étaient plus en butte que ceux du XVIIIe siècle à de criantes injustices de la part du public soi-disant éclairé ; et ils l'étaient précisément au nom de cette tradition classique.

En général, les artistes étrangers et anciens auxquels nos deux critiques se réfèrent sont les mêmes. Les deux noms les plus abondamment cités, tant dans les *Salons* de Diderot que dans ceux de Baudelaire, sont ceux de Raphaël et de Rubens ; l'un pour la noblesse et la beauté idéale de ses formes ainsi que la perfection de sa ligne, et l'autre pour ses qualités de coloriste, sa verve fougueuse, et la robuste manière flamande avec laquelle il a traité ses thèmes. Quant aux divergences entre leurs références, elles sont dues à deux facteurs : d'une part, leurs connaissances de l'histoire de l'art et l'accès qu'ils avaient aux grands peintres ; de l'autre, leurs préférences personnelles. Les lacunes de leur critique correspondent souvent à celles de leurs époques respectives.

Cependant, dans l'ensemble, on est frappé de voir à quel point leurs connaissances et leurs jugements dépassent ceux de leurs contemporains.

Nous avons donné une liste d'artistes célèbres aujourd'hui, non mentionnés dans les *Salons* de Diderot.[31 bis] Les allusions de Baudelaire prouvent qu'au XIXᵉ siècle, grâce aux romantiques et aux réalistes, l'on commençait à étudier les peintres d'avant la Haute Renaissance, les « réalistes » et intimistes du XVIIᵉ siècle, ainsi que les Espagnols et les Anglais. Par ailleurs, il est clair, d'après les commentaires du poète et deux quatrains de ses *Phares,* que le génie universel de Léonard de Vinci et la puissance presque surhumaine de l'art de Michel-Ange étaient mieux connus sous le Second Empire que sous l'Ancien Régime :

> Léonard de Vinci, miroir profond et sombre,
> Où des anges charmants, avec un doux souris
> Tout chargé de mystère, apparaissent à l'ombre
> Des glaciers et des pins qui ferment leur pays.

Il est évident que les images de ces vers tirent largement leur substance de plusieurs tableaux du Louvre : *La Vierge aux rochers* (pour l'ange et le caractère des tons), *La Joconde* (pour le fond et le sourire) et sans doute aussi *L'Annonciation* (pour l'ange et pour le fond).

> Michel-Ange, lieu vague où l'on voit des Hercules
> Se mêler à des Christs, et se lever tout droits
> Des fantômes puissants qui dans les crépuscules
> Déchirent leur suaire en étirant leurs doigts.

Afin de traduire la sombre énergie des formes de cet artiste, Baudelaire a évoqué le caractère herculéen de ses Christs (en particulier celui du *Jugement dernier*) et souligné l'aspect « prodigieux comme le rêve » (p. 823) de ses titans. Rappelons que dans *L'Idéal,* le poète proclame fièrement que la géante en marbre de Michel-Ange, la *Grande Nuit,* satisfait mieux son cœur que les petites « beautés de vignettes », qu'il laisse à Gavarni, « poëte des chloroses ».

Quant à Rembrandt, il n'est plus simplement, au XIXᵉ siècle, un Hollandais un peu plus doué que ses compatriotes ; le message profondément humain de ses humbles personnages, transfigurés par de riches effets de clair-obscur, commence à être apprécié à sa juste valeur. Diderot avait surtout été frappé par la technique extraordinaire de ce peintre. Baudelaire est plus particulièrement sensible à son christianisme douloureux, poignant, tout comme il voit chez Michel-Ange un christianisme héroïque, triomphant. L'eau-forte, *Jésus guérissant les malades,* lui suggère une synthèse de l'art du maître hollandais, tout empreint d'une pitié rayonnante pour l'humanité misérable :

> Rembrandt, triste hôpital tout rempli de murmures,
> Et d'un grand crucifix décoré seulement,[32]
> Où la prière en pleurs s'exhale des ordures,
> Et d'un rayon d'hiver traversé brusquement.

[31 bis] Voir *Supra,* p. 47.

[32] Sur l'eau-forte, *Jésus-Christ guérissant les malades,* à laquelle le poète a certainement songé lorsqu'il a composé ce quatrain, c'est le Christ lui-même qui étend les bras au milieu des malades.

Pour ce qui est de Watteau, bien que Diderot n'ait jamais nié l'excellence de sa facture, tous ces costumes et ces décors théâtraux lui étaient sans doute trop familiers pour qu'il saisît la subtile poésie avec laquelle le peintre les avait auréolés sur la toile : « Otez à Watteau ses sites, sa couleur, la grâce de ses figures, de ses vêtements ; ne voyez que la scène, et jugez » (X, 499). Or, au sentiment du philosophe, tout ce que l'on peut contempler dans une composition d'un peintre qui s'inspire étroitement de la scène contemporaine, en dehors de la magie de l'art, c'est « la platitude de nos révérences, celle de nos vêtements : nos manches retroussées, nos culottes en fourreau, nos basques carrées et plissées, nos jarretières sous le genou, nos boucles en lacs d'amour, nos souliers pointus » (X, 499). On a durement reproché à l'ami de Grimm d'avoir préféré à la « mignardise » de Watteau la « rusticité » des Flamands, en particulier celle de Teniers, et d'avoir écrit « Je donnerais dix Watteau pour un Teniers » (XII, 75). Fantaisie d'un moraliste qui se pique de faire de la critique d'art ? Pas tout à fait. Teniers était communément considéré au XVIIIe siècle comme le plus grand peintre de genre. [33] Watteau, lui-même d'origine flamande, a voulu combiner le coloris sensuel d'un Rubens avec l'élégance parisienne et, ce faisant, a puissamment aidé à détourner l'école française de l'académisme d'un Le Brun et à établir le style rococo. Ce n'est certes pas au nom de la tradition académique que Diderot exprime certaines réticences à l'égard de ce peintre, [34] mais plutôt par goût personnel pour les Flamands dont il retrouve certaines qualités — surtout de coloris — chez le maître des « Fêtes galantes » sans y retrouver la saine exubérance, la franche gaîté des kermesses paysannes. D'ailleurs, le grand Delacroix lui-même, n'a-t-il pas écrit dans son *Journal,* à propos de Watteau : « Sa fantaisie ne tient pas en opposition aux Flamands. Il n'est plus que théâtral à côté des Ostade, des Van de Velde, etc. » (III, 12) ? Par contre, il est des qualités picturales chez Watteau que Rubens, son maître vénéré ne possédait point. Mais pour que ces qualités fussent pleinement reconnues, il fallait attendre les romantiques. « Très méprisé sous David et remis en honneur » (III, 12), constate également Delacroix à son sujet. Oui, remis en honneur, du moins par les partisans du coloris, avec Pater, Lancret, Boucher, Fragonard et Chardin, après une longue période de quasi-oubli, comme nous l'avons noté plus haut. Sans doute, grâce au recul du temps et à une certaine affinité d'esprit, le poète est-il mieux à même que le philosophe d'apprécier le climat de plaisir mélancolique, l'atmosphère irréelle et cependant brillamment somptueuse dans lesquels baignent *L'Embarquement pour Cythère* et les autres compositions de cet artiste :

---

[33] Voir *Encyclopedia of Painting,* éd. par Bernard S. Myers (Crown, 1955) : « He had great influence and was especially popular in the eighteenth century, when he was considered the greatest of genre painters. » p. 468.

[34] Au moins ne lui reproche-t-il pas, comme l'antiquaire Caylus, de n'avoir peint « rien d'héroïque ou d'allégorique ». Cité par A. Fontaine, *op. cit.,* p. 221.

Watteau, ce carnaval où bien des cœurs illustres,
Comme des papillons, errent en flamboyant,
Décors frais et légers éclairés par des lustres
Qui versent la folie à ce bal tournoyant. [35]

En général, le petit résumé que nous venons de faire atteste que nos salonniers étaient remarquablement bien informés, surtout si l'on réfléchit qu'ils ne firent pas le voyage d'Italie, qu'ils n'avaient que des gravures souvent fort imparfaites pour remplacer les chefs-d'œuvre auxquels ils ne pouvaient avoir accès, et que chacun vécut à une époque où abondaient les préjugés et les antipathies à l'égard de certains styles et de certains artistes. Par ailleurs, nombre de leurs amis peintres ou amateurs avaient fait le pèlerinage de Rome ou y avaient étudié, et, à défaut d'un contact direct avec les ouvrages qui se trouvent dans la patrie de Michel-Ange, les deux critiques ne se faisaient pas faute de s'instruire auprès de ceux qui avaient eu la bonne fortune d'y séjourner.

Il importe de ne point s'exagérer l'importance des « trous » que présentent les connaissances historiques de Diderot et de Baudelaire. Ils étaient, en effet, à même de suppléer à certaines ignorances et capables presque toujours de surmonter les opinions préconçues en vogue à leur époque : par l'originalité de leur sens critique, l'acuité de leur intelligence toujours en éveil, les riches ressources de leur imagination. Certes, ils auraient pu, s'ils l'avaient désiré, combler certaines lacunes par des études et des lectures systématiques. Mais là n'était pas leur but. Ce qu'ils recherchaient, heureusement, ce n'est pas l'érudition extérieure de source livresque, la minutieuse documentation pédantesque, mais le témoignage interne et direct de l'œuvre. Bien entendu, l'ignorance n'est de mise dans aucune méthode de critique ; mais nous avons vu que Diderot et Baudelaire étaient fort loin d'être ignorants, tout en ne se piquant point d'être des spécialistes, ce qui, à leurs yeux, eût constitué une autre forme d'aveuglement et de barbarie. D'ailleurs, cette critique basée sur la « naïveté » et l'intensité des perceptions exige un effort plus soutenu de l'intelligence et de la sensibilité que l'accumulation plus ou moins passive de références historiques et biographiques.

La largeur et la variété des aperçus de Diderot ; la sûreté et la profondeur de ceux de Baudelaire révèlent qu'avant d'écrire, ils s'étaient si bien assimilé le caractère du tableau à analyser que celui-ci leur était devenu consubstantiel. C'est sans doute cette habitude acquise de « radiographier » la peinture qui leur a permis d'émettre des réflexions valables, réflexions qui nous frappent encore aujourd'hui par leur justesse, et ceci en dépit du fait qu'une importante partie de l'œuvre des grands maîtres leur demeura inaccessible.

---

[35] Au risque de faire montre de mesquinerie, il nous faut cependant relever quelque chose qui sonne faux dans ce quatrain sur Watteau : l'application de « bals éclairés par des lustres » aux *Fêtes galantes* de ce maître, lesquelles ont lieu dans des parcs, et à ciel ouvert. Cette « erreur » confirme d'ailleurs ce que nous établissions plus haut : à savoir, que Baudelaire n'avait guère l'occasion de contempler les œuvres de Watteau (voir *supra,* p. 55).

CHAPITRE IV

UN PHILOSOPHE ET UN POÈTE DEVANT DES TABLEAUX : MÉTHODES DE CRITIQUE

> En bien des circonstances, rien ne fatigue tant en pure perte que la méthode [entendez, l'esprit de système].
>
> (DIDEROT, VI, 375).

> Un système est une espèce de damnation qui nous pousse à une abjuration perpétuelle.
>
> (BAUDELAIRE, p. 690).

Il ne serait pas trop malaisé de diviser les amateurs d'art en trois catégories distinctes : la majorité des spectateurs qui se contentent d'une appréciation affective et silencieusement admirative ; ceux qui pratiquent une critique essentiellement psychologique (est-il nécessaire de souligner que la plupart des littérateurs appartiennent à cette dernière catégorie ?); et, finalement, lles « amateurs », soucieux de transformer leur volupté en connaissance, [1] et d'examiner les moyens techniques à l'aide desquels le peintre a réussi à opérer cette subtile «magie» [2] qui crée un monde nouveau.

C'est seulement au bout d'une longue et patiente analyse que l'amateur arrivera à saisir les intentions secrètes de l'artiste, à retracer la route poursuivie au cours de l'exécution, à comprendre la signification profonde de l'emploi d'un certain ton, d'une certaine forme, de certaines arabesques ; bref, par une sorte de mimétisme sympathique, il finira par recréer pour son propre compte le labeur difficile du peintre. Bien que littérateurs, et souvent enclins à émettre des aperçus qui n'ont qu'un intérêt plastique secondaire, Diderot et Baudelaire se sont rarement abandonnés aux purs exercices de style des frères Goncourt [3] et, par la variété, par la précision, par la profondeur de leurs idées, ils ont ins-

---

[1] On se souvient de la célèbre formule baudelairienne « transformer ma volupté en connaissance » (p. 1053) que l'on peut également appliquer à la critique de Diderot.

[2] Un terme que l'Encyclopédiste a rendu populaire dans ses *Salons,* et dont Baudelaire, dans sa critique d'art, s'est également servi à maintes reprises.

[3] Dans leur *Art du dix-huitième siècle,* les Goncourt, par un abus brillant du « style artiste », ont créé un nouveau maniérisme : celui de la critique d'art. La critique de Théophile Gautier, bien que de loin supérieure à celle des chroniqueurs professionnels, tend également à donner dans la virtuosité stylistique « rococo », comme nous l'avons déjà indiqué plus haut.

tauré la critique d'art telle qu'on la pratique de nos jours : c'est-à-dire une critique à la fois expérimentale et théorique. Pour l'un comme pour l'autre, le domaine plastique, loin d'être un délassement ou un prétexte à développement littéraires, constitue un moyen de remettre en question leur propre esthétique, une occasion de libérer et d'enrichir leurs ressources au contact des recherches et des expériences des peintres. Au surplus, ils n'ont pas jugé du dehors les œuvres qu'ils analysaient ; mais ils ont observé de près les artistes en train de créer, d'assez près pour cerner de traits précis et pour éclairer d'un jour franc les problèmes purement picturaux négligés d'habitude par les littérateurs amateurs d'art. Leur coup d'œil pénétrant saisissait immédiatement la configuration des formes et leur excellente mémoire gardait fidèlement, non seulement le caractère général des nombreuses et diverses compositions dont ils rendaient compte, mais aussi la disposition respective des personnages et des objets, les rapports entre eux, la qualité des tons et des lignes ainsi que les éléments qui rehaussent l'ensemble.

Dans ses *Eléments de Physiologie* (écrits entre 1774 et 1780), Diderot, au cours d'une analyse de la mémoire, se vante de la sienne : « Tous les tableaux d'un salon ouvert il y a vingt ans, je les ais revus tels précisément que je les voyais en me promenant dans la galerie » (IX, 367) ; et, dans son *Salon de 1761* : « J'ai les tableaux de Raphaël plus présents que les vers de Corneille, que les beaux morceaux de Racine. Il y a des figures qui ne me quittent point. Je les vois ; elles me suivent, elles m'obsèdent » (X, 141).

Quant à Baudelaire, il finira par se fier presque entièrement à sa mémoire visuelle au cours de la rédaction du *Salon de 1859,* allant même jusqu'à écrire à son ami Nadar qu'une seule visite au Salon suffit pour le mettre au courant des nouvelles tendances, et que « pour tous les vieux noms, ou les noms simplement connus, *il se* confie à *sa* vieille mémoire, excitée par le livret » (*Correspondance,* II, 317).

Il est hors de doute que le bon critique doit être doué d'une excellente mémoire visuelle, surtout à l'époque où nos salonniers écrivaient puisque n'existaient alors que des gravures noir sur blanc et qu'avec Baudelaire, la photographie venait seulement de naître. Grâce à leur expérience des arts plastiques, Diderot et Baudelaire ont non seulement enrichi leur mémoire et leur imagination d'un vaste potentiel d'images et de métaphores, mais ils ont aussi appris à contempler la réalité comme une combinaison dynamique de formes, comme des rapports de tons toujours changeants. Bref, ils ont appris à envisager le monde extérieur, non pas avec la vue fatiguée de la plupart des adultes, mais avec ce que Baudelaire appelle « une perception aiguë, magique à force d'ingénuité » (p. 891). Diderot établira même une sorte d'esthétique visuelle aux termes de laquelle il dira qu' « il faut avoir vu, soit qu'on peigne, soit qu'on écrive » (XI, 182). Et, à coup sûr, il existe un rapport étroit entre le processus de la pensée et la vision, entre le style d'un écrivain et la manière dont il voit le monde.

Il est certain, par exemple, que l'imagerie de nos salonniers eût été plus sèche, plus abstraite, moins riche en touches vigoureusement impressionnistes et en associations visuelles, si la peinture leur était demeurée un domaine indifférent. Mais pour que cette imagerie soit constamment renouvelée, il faut posséder un inépuisable magasin de formes et de tons ; et, comme nous le dit Diderot, pouvoir être « obsédé » par quelque figure frappante. En somme, être à même de mettre à profit, non seulement les ressources de la mémoire consciente, mais aussi les réserves le plus souvent laissées en friche de la mémoire inconsciente.

Bien avant Proust, Diderot s'est vivement intéressé au mécanisme de la mémoire involontaire dont le déclenchement est étroitement lié à la sensation de certains objets qui perpétuent, pour ainsi dire, des lambeaux de notre passé : « Un son de voix, la présence d'un objet, un certain lieu... et voilà un objet, que dis-je, un long intervalle de ma vie rappelé. Me voilà plongé dans le plaisir, le regret ou l'affliction » (IX, 356). Et, relevant le rôle du rêve dans cette reviviscence du passé, il ajoute : « Je les revois [les forêts de la Westphalie, de la Prusse... et de la Pologne] en rêve aussi fortement coloriées qu'elles le seraient dans un tableau de Vernet. »

Il est significatif qu'à propos du « moyen mnémonique » dont Poe fait usage pour se créer des visions fantastiques, Baudelaire décrive en termes très semblables à ceux de Diderot cette activité perpétuelle de l'inconscient que l'artiste met au service de sa gestation créatrice. Il parle de ces

> impressions fugitives et frappantes, d'autant plus frappantes dans leurs retours qu'elles sont plus fugitives, qui suivent quelquefois un symptôme extérieur ... comme un son de cloche, une note musicale, ou un parfum oublié, et qui sont elles-mêmes suivies d'un événement semblable à un événement déjà connu et qui occupait la même place dans une chaîne antérieurement révélée — semblables à ces singuliers rêves périodiques qui fréquentent nos sommeils.[4]

Chez l'un comme chez l'autre écrivain, il y a énumération des sensations aptes à provoquer ce rappel aussi impératif qu'involontaire, il y a mise en lumière du même caractère puissamment évocateur de certains rêves qui n'ont aucun rapport avec l'intelligence discursive et rationnelle. Attirons cependant l'attention sur le fait que, dans le passage de Baudelaire, les sensations olfactives sont venues se joindre aux sensations visuelles et auditives ; ce qui ne peut nous surprendre de l'auteur du sonnet des *Correspondances*.

Les œuvres littéraires postérieures aux *Salons*[5] des deux auteurs portent la marque de cet apport indirect, mais important, et attestent

[4] *Edgar Poe, sa Vie et ses Œuvres* (Louis Conard, 1932), p. XXVII.

[5] Diderot écrivit ses œuvres de fiction les plus marquantes durant et après la rédaction de ses *Salons* (*La Religieuse* en 1760, *Le Neveu de Rameau* en 1763, *Jacques le Fataliste* en 1773) et personne n'ignore que les *Salons* de Baudelaire constituent ses premiers écrits originaux. Jean Prévost, dans son *Baudelaire,* a tenté, et souvent avec succès, de tracer les sources picturales de certains poèmes des *Fleurs du Mal* : « Parfois... un texte du critique d'art...

par maints indices que l'art pictural leur a ouvert les yeux sur le monde des choses et des couleurs. Filtré et transfiguré dans les œuvres d'art, ce monde des apparences est étroitement lié à leur vie spirituelle. Leur contact constant avec les productions de l'homme les conduisit très souvent à contempler la nature comme une œuvre d'art plus ou moins réussie. On connaît la célèbre affirmation du poète selon laquelle « la première affaire d'un artiste est de substituer l'homme à la nature et de protester contre elle » (p. 659) ; mais le philosophe aussi, en dépit de son « naturalisme », aime à voir certains phénomènes de la nature comme des tableaux. C'est ainsi que, dans un passage poétique, il compare le moment où s'effectue le passage de l'ombre à la lumière comme une « toile magique », et évoquant par sa subtilité « le résultat de l'art » (X, 475).

Nombre de réflexions de nos deux critiques nous apprennent que s'ils avaient possédé les « ficelles » du métier, ils auraient pratiqué la peinture avec joie. Baudelaire était fort bon dessinateur et son ami Daumier a fait remarquer que s'il « avait appliqué à la peinture les facultés qu'il a consacrées à la poésie, il eût été aussi grand peintre qu'il a été poète distingué et original ». [6] Et Diderot s'écrie dans un bel élan d'enthousiasme : « S'il ne fallait pour être artiste que sentir vivement les beautés de la nature et de l'art, porter dans son sein un cœur tendre, avoir reçu une âme mobile au souffle le plus léger... je m'écrierais en vous embrassant... 'Mes amis, *son pittor anch'io*'» (X, 199). D'ailleurs, le traité consacré aux procédés de la peinture en cire (1755) prouve que les détails les plus techniques de l'art sont loin de le laisser indifférent.

Les œuvres de fiction de Diderot sont toujours rehaussées de petites touches qui saisissent la réalité sur le vif ; elles abondent en tableaux vivants et en groupes de personnages aux attitudes magistralement synchronisées. Il est à noter que Sainte-Beuve, pour caractériser le style de Diderot, se voit obligé de faire appel à la plastique :

> Et l'art chez Diderot ! non pas seulement l'art théorique, l'art esthétique et raisonneur, mais l'art qui produit et qui excelle en créant ; l'art qui se complaît aux détails, qui réalise en idéalisant, qui cisèle et qui peint. ... Il y a des portraits à la manière de Greuze, des paysages civilisés et galants dans le ton de Watteau, d'autres paysages frais, verdoyants, touffus et sincères qu'on croirait du Poussin. [7]

L'auteur des *Causeries du lundi* relève également l'enrichissement du style de Diderot dû à l'apport pictural : « Diderot a innové dans la

---

plus proche du modèle, précède et annonce le poème », p. 107. Dans son *Baudelaire the Critic,* Margaret Gilman constate également : « 'Sur le Tasse en prison', 'Bohémiens en voyage', 'Une martyre', 'Le Masque', to mention only a few, are translations and interpretations of a painting, a print, a drawing, a statue », p. 4.

[6] Cité par A. Ferran, *L'Esthétique de Baudelaire,* p. 624.

[7] Sainte-Beuve, *Premiers lundis,* I, 361.

langue, et y a fait entrer des couleurs de la palette et de l'arc-en-ciel ; il voit déjà la nature à travers l'atelier et par la lunette du peintre. »[8] Les Goncourt, à leur tour, seront sensibles à certaines similarités entre la technique de Diderot et celle des peintres : « Parfois je m'imagine Fragonard sorti du même moule que Diderot. Chez tous deux pareil bouillonnement, pareille verve. Une peinture de Fragonard, ça ne ressemble-t-il pas à une page de Diderot ? »[9]

D'autre part, nombre de métaphores et d'images des *Fleurs du Mal* frappent le lecteur par leur extraordinaire plasticité. Et sans son expérience des beaux-arts, le poète n'eût pas été à même de susciter de manière aussi réussie les visions à la fois fantasmagoriques et vraisemblables, les paysages surréels et terrifiants du *Mangeur d'opium.* C'est un fait que, tout en possédant une valeur littéraire intrinsèque, les *Salons* de Baudelaire constituent une riche source de thèmes où il puisera abondamment plus tard.[10] Pour le lecteur attentif, dans le tour de certaines phrases, le ton de certains développements, apparaît le contour déjà reconnaissable (pour estompé qu'il soit), de nombreux vers des *Fleurs du Mal.* De même que Delacroix, au dire de Baudelaire, considérait la nature comme un dictionnaire où le peintre puise ses symboles et les réordonne en fonction de son génie, de même le poète envisage le monde pictural comme un merveilleux magasin d'images à transposer en vers. Certaines silhouettes de Constantin Guys et de Manet, certains effets de Delacroix et de Goya, certaines caricatures de Daumier se retrouvent, parmi bien d'autres souvenirs de source plastique, assimilés au style propre des *Fleurs du Mal.* Et où peut-on trouver un plus parfait exemple de critique à la fois poétique, synthétique et interprétative que dans les majestueux quatrains des *Phares ?* Dans ses *Arts de littérature,* Jean Hytier remarque justement que la critique, parmi ses tâches multiples, se doit d'étudier « dans une œuvre des aptitudes, qui ne se fussent pas trouvées dépaysées dans un autre genre »,[11] et l'un des aphorismes dans les *Pensées détachées sur la peinture* de Diderot est qu' « on retrouve les poètes dans les peintres, et les peintres dans les poètes. La vue des tableaux des grands maîtres est aussi utile à un auteur, que la lecture des grands ouvrages à un artiste » (XII, 75).

⁂

Baudelaire a certainement gardé présente à l'esprit la méthode critique de son prédécesseur et il n'est pas difficile de relever les signes extérieurs d'une influence directe, telle que l'étroite ressemblance de la

[8] *Causeries du lundi,* III, 311.

[9] *Journal,* II, 292 (13 novembre 1859).

[10] Dans son *Baudelaire,* Marcel A. Ruff écrit, et avec raison qu' « il serait difficile d'exagérer l'importance des arts plastiques dans la pensée de Baudelaire », p. 52.

[11] *Les Arts de littérature,* p. 72.

présentation du *Salon de 1845* avec celle des *Salons* de Diderot.[12] Il existe aussi des traces plus subtiles et plus internes, pour ainsi dire, car, nous l'avons déjà indiqué, Baudelaire, à l'instar de Stendhal, avait le génie de la transposition.

De tout ceci, il résulte qu'une confrontation des textes révèle une grande similarité, non seulement entre les thèmes traités, mais aussi entre les idées et même les exemples. Ces parallèles abondent surtout dans les développements plus théoriques, où plutôt que de passer en revue les ouvrages des artistes contemporains, nos critiques généralisent leurs connaissances et exposent leurs vues sur la couleur, le dessin, le portrait, la création artistique, la nature du génie, etc. Les essais baudelairiens intitulés *De l'Idéal et du Modèle, De la Couleur, Le Portrait,* évoquent en particulier, presque à chaque phrase, un tour d'esprit identique ou analogue à celui qui se fait jour dans *L'Essai sur la peinture* ou les *Pensées détachées* du philosophe.[13] Nous pourrions dresser une liste fort longue de ces analogies qui suggèrent des emprunts, des parallèles, des transpositions, des réminiscences involontaires, mais nous préférons les analyser au fur et à mesure que nous aborderons les thèmes sur lesquels ils portent.

C'est dans *L'Exposition universelle de 1855* que l'on trouve, exprimé de la manière la plus spirituelle et la plus explicite, le credo esthétique de Baudelaire :

> J'ai essayé plus d'une fois, comme tous mes amis, de m'enfermer dans un système pour y prêcher à mon aise. Mais un système est une espèce

---

[12] Margaret Gilman estime que « the influence of Diderot... is at its height in the 'Salon de 1845' », et que « in the 'Salon de 1846' his influence is, except in one chapter, secondary ». *Op. cit.*, p. 42. Pour notre part, nous sommes convaincu que si l'influence de Diderot est moins directement perceptible dans les *Salons* postérieurs à celui de 1845, ceci est dû au fait que la forme de la présentation, le style et le vocabulaire critiques ainsi que les préférences du poète se sont affermis entre-temps ; mais cela ne veut pas dire que les idées et l'exemple du philosophe se soient complètement estompés dans son esprit. En dépit de la forte personnalité de Baudelaire, sa critique se ressent partout de l'influence de Diderot, laquelle n'est secondaire qu'à celle de Delacroix dont tant de pensées s'accordent, comme il a été démontré plus haut, avec celles de l'auteur du *Salon de 1767*. Par ailleurs on tend généralement à considérer le *Salon de 1845* comme l'œuvre critique la moins intéressante du poète. Dans son « Avant-propos » aux *Variétés critiques* de Baudelaire, Elie Faure va jusqu'à affirmer qu'en 1845, le jeune critique est « encore peu au courant des choses de la peinture », et que sa critique à cette époque est « négative, pittoresque, et de circonstance ». (Crès & Cie, 1924), p. v. Or, au dire de tous ses amis, et l'intérêt ainsi que la justesse de ses aperçus le prouvent également, en 1845, Baudelaire faisait preuve d'une grande maturité d'esprit et s'y connaissait en art de manière approfondie (n'oublions point que sa « passion des images » remonte à son enfance). Quant à la critique « négative et de circonstance », dont nous parle Elie Faure, Baudelaire, tout comme Diderot, ne l'a jamais pratiquée car elle est fondamentalement en désaccord avec son tempérament et ses idées sur le rôle du critique d'art.

[13] Jean Pommier et Margaret Gilman ont déjà été frappés par les similitudes entre ces œuvres et ont relevé des parallèles révélateurs dans leurs études respectives que nous avons citées.

> de damnation qui nous pousse à une abjuration perpétuelle ; il en faut toujours inventer un autre, et cette fatigue est un cruel châtiment. Et toujours mon système était beau, vaste, spacieux, commode, propre et lisse surtout ; du moins il me paraissait tel. Et toujours un produit spontané, inattendu, de la vitalité universelle venait donner un démenti à ma science enfantine et vieillote, fille déplorable de l'utopie. J'avais beau déplacer ou étendre le critérium, il était toujours en retard sur l'homme universel, et courait sans cesse après le beau multiforme et versicolore, qui se meut dans les spirales infinies de la vie. ... Pour échapper à l'horreur de ces apostasies philosophiques, je me suis orgueilleusement résigné à la modestie : je me suis contenté de sentir. (p. 691)

Shaftesbury, le philosophe et esthéticien qui a exercé une influence indéniable sur la pensée du jeune Diderot, avait déjà constaté que « the most ingenious way of becoming foolish is by a system. » [14] Or, dans son Introduction au *Salon de 1761,* Diderot à son tour résume en termes peu prétentieux son programme critique : « Voici, mon ami, les idées qui m'ont passé par la tête à la vue des tableaux qu'on a exposés cette année au Salon » (X, 107). Jamais il n'indique la nécessité de quelque système préconçu. Il insiste, au contraire, sur l'importance de posséder, outre « une variété de style qui *réponde* à la variété des pinceaux » (X, 160), « toutes les sortes de goût, un cœur sensible à tous les charmes, une âme susceptible d'une infinité d'enthousiasmes différents ». Et dans son préambule au *Salon de 1767,* il expose à nouveau son point de vue : « Voici mes critiques et mes éloges. Je loue, je blâme, d'après ma sensation particulière, qui ne fait pas loi » (XI, 18).

C'est sans doute cet esprit toujours ouvert aux nouvelles tendances et cette absence de dogmatisme pompeux qui ont valu à Diderot d'être considéré comme le fondateur de « l'impressionnisme » en critique. Notons que cette appellation lui a rarement été donnée à titre de compliment, mais plutôt comme prétexte à répéter sommairement les griefs coutumiers : qu'il possède une sensibilité à fleur de peau, une indiscipline foncière, une fâcheuse aptitude à se contredire et à réagir différemment selon ses « humeurs » et ses « sensations ». [15] Mais c'est oublier que les théories esthétiques à base de sensations de Diderot sont en parfaite harmonie avec sa philosophie expérimentale et vitaliste, et que s'il se refuse de systématiser, c'est à bon escient. Comme Baudelaire, c'est à dessein et afin d'éviter la stérilité des généralisations qu'il a préféré garder un esprit accessible à tous les points de vue.

Fondateur de la tradition académique en France, Le Brun avait commis l'erreur capitale de juger possible et souhaitable une série de préceptes qui, disait-il, ne pouvaient manquer de produire des chefs-d'œuvre s'ils étaient suivis à la lettre. A l'encontre de cette tradition néo-classique et officielle qui persistera jusqu'à la fin du XIXe siècle,

---

[14] Cité par Ernst Cassirer dans *The Philosophy of the Enlightenment* (Beacon Press, 1955), p. 332.

[15] Lester G. Crocker, dans ses *Two Diderot Studies : Ethics and Esthetics* (The Johns Hopkins Press, 1952), pour ne citer qu'un exemple, insiste sur le caractère « irremediably disunified » de la pensée esthétique de Diderot, p. 52.

Diderot et Baudelaire, tout en estimant nécessaire la coexistence de l'esprit critique et de l'esprit créateur, n'en maintiennent pas moins avec véhémence que la théorie de l'art doit découler de l'expérience esthétique ; elle ne peut pas la déterminer. Aussi se sont-ils bien gardés de transformer leurs observations empiriques en un enseignement d'école ou en une rhétorique rigide ; car toute œuvre qui se plie facilement à des règles, qui ne les dépasse point, n'est tout au plus qu'un agencement habile de poncifs, non un acte intellectuel et émotif engageant l'être entier et traduisant d'une manière unique sa vision de l'univers. « J'en demande pardon à Aristote », écrit Diderot dans ses *Pensées détachées,* « mais c'est une critique vicieuse que de déduire des règles exclusives des ouvrages les plus parfaits, comme si les moyens de plaire n'étaient pas infinis. Il n'y a presque aucune de ces règles que le génie ne puisse enfreindre avec succès » (XII, 76). Et un peu plus loin, il lance cette boutade : « Je voudrais bien savoir où est l'école où l'on apprend à sentir » (XII, 78).

En effet, tout « apriorisme » dévalorise l'apport précieux et irremplaçable de l'expérience sensorielle et lui substitue une table de valeurs abstraites qui deviennent forcément arbitraires dès l'instant qu'elles privent des riches nourritures de l'art. Rejetant la tradition de la critique biographique si chère à Sainte-Beuve et aux Goncourt, nos salonniers se préoccupent surtout de la *peinture* bien avant de s'occuper des *peintres*. Si Diderot se sert volontiers de la digression et de l'anecdote, nous verrons dans le chapitre suivant qu'il pratique ce genre de procédé dans le dessein de rehausser ses idées et de varier sa présentation autant qu'il lui est possible. Ses notices biographiques — d'ailleurs fort brèves — n'apparaissent qu'à l'annonce de la mort d'un artiste marquant. De même, Baudelaire ne relatera la vie de son peintre favori, Delacroix, que sous forme d'article nécrologique, et seulement parce qu'il voit une liaison entre « les qualités les plus intimes de sa grande âme » (p. 854) et la supériorité de son talent. Leur forme de critique, à vrai dire, suppose, bien plutôt que l'érudition gratuite ou passive, l'appréhension faite « du dedans », des multiples facteurs qui entrent en jeu dans les modalités de l'exécution artistique. En d'autres termes encore, Diderot et Baudelaire placent au premier plan l'œuvre d'art conçue non comme une entité absolue, mais comme une expérience vécue, et acquérant son véritable sens à travers son idéation. Afin de faire sentir au lecteur que l'art est une expérience concrète et dynamique, ils adoptent tour à tour, et quelquefois simultanément, le point de vue du spectateur et celui du théoricien éclairé.

De leur contact direct et prolongé avec les arts plastiques, Diderot et Baudelaire ont donc tiré des conclusions ennemies de toutes les généralisations pour autant qu'elles ne reposent pas fermement sur l'expérience. Leur critique a, par conséquent, un très important caractère commun qui est une grande indépendance d'allure.

Evitant de faire dériver leurs principes de théories (ils n'évitent cependant point les principes, loin de là), ils en sont arrivés très tôt, dans leur carrière de critiques, à la conclusion qu'il est dangereux de tenter de réduire les complexes modalités esthétiques à quelques « lois » établies d'avance. Pratiquant un système empirique, ils se sont toujours référés, en matière de jugements, à leur expérience concrète de l'art. Même s'il advient que leurs idées ne soient pas originales et procèdent directement de certains contemporains ou prédécesseurs, ils les enrichissent de notations, de résonances associatives et d'un tour qui n'appartiennent qu'à eux. La grande variété de talents qu'il leur est donné d'examiner, et aussi, il faut le dire, quelque confiance en leurs éminents mérites respectifs, leur démontre la vanité de limiter l'expérience esthétique à des définitions et catégories, quelque compréhensives qu'elles soient. Pour toute critique dynamique et créatrice, et cela est vrai de Diderot comme de Baudelaire, « the point of departure is always an experience, something [the critic] has felt, and what he does in his criticism is first to translate this experience. » [16] L'un et l'autre, ignorant l'esprit de parti, ont pratiqué ce que Baudelaire appelle le « cosmopolitisme » (p. 689), c'est-à-dire un éclectisme de bon aloi qui leur permettait de mettre à profit le témoignage de leurs impressions. De là, la densité touffue de leurs aperçus et même ces « contradictions » que l'on pourrait aligner, d'une année à l'autre, entre tel ou tel de leurs *Salons*. L'art étant, comme la vie, variété, diversité, versatilité, l'amateur a pour devoir de respecter cette richesse et cet infini chatoiement. Mais à l'encontre de la vie, l'art n'est jamais incohérent ou absurde, car il procède à une réorganisation significative du réel. De même, si la mobilité de vues de nos salonniers révèle les multiples facettes de leur intelligence, elle atteste néanmoins certaines constantes et ne donne jamais dans le désordre ou l'indiscipline. De telles variations sont inévitables chez tout critique qui rejette le carcan de doctrines préconçues, et pour qui l'expérience de la plastique est occasion d'évoluer et d'acquérir une plus grande maturité spirituelle.

De par la nature de son tempérament, le poète, à l'instar du philosophe, devait naturellement être attiré vers une forme de critique divorcée d'avec toute rhétorique formelle et d'avec un corps de théories dogmatiques. Il est simplement logique qu'il ait préféré une critique flexible, propre à assurer le jeu de ses riches ressources personnelles. Et de fait, même lorsque le ton de nos écrivains se fait sévère ou autoritaire, il ne devient jamais doctrinal ou pédant.

Le critique d'art, selon Diderot, se doit de reconnaître que ses appréciations en apparence les plus objectives dépendent souvent de contingences physiologiques ou psychologiques. Il faut que l'amateur se mette dans un état de réceptivité pour se laisser suggestionner par la magie du peintre. Cette réceptivité lui fera défaut s'il est de mauvaise humeur, s'il souffre d'un vulgaire mal de tête, ou si, voyant un certain style pour la première fois, il est décontenancé et ne peut en distinguer immédiatement les qualités. [17] Baudelaire, il est vrai, ne s'est pas vanté aussi

---

[16] Margaret Gilman, *op. cit.*, p. 6.

[17] Voir, par exemple le *Salon de 1761*, où Diderot fait preuve de quelque incompréhension de la technique « impressionniste » avant la lettre de Char-

ouvertement de la variabilité de ses humeurs et de leur incidence sur ses jugements artistiques ; mais il n'en demeure pas moins évident, sur la foi de certaines boutades et appréciations contradictoires (notamment à l'égard de Hugo et de Balzac) que, peut-être plus encore que son prédécesseur, il était la proie de sautes d'humeurs, de périodes de « spleen » et d'apathie mélancolique suivies de moments d'exaltation et d'enthousiasme.

Parce que Diderot, toujours humble devant l'artiste, a insisté sur son « manque de compétence » dans un domaine où il n'était pas un participant actif [18] et a émis plusieurs remarques sur la quasi-impossibilité où se trouve le critique de rendre également justice à tous les talents ; [19] parce que, s'appuyant sur ses connaissances en matière de biologie, il a souligné l'influence de la physiologie sur le jugement, [20] l'on en a conclu qu'on ne pouvait se fier à ses observations. [21]

Tout en basant son esthétique sur la conscience perceptive de l'expérience, Diderot était parfaitement conscient — étant lui-même « producteur » — que cette expérience est valable dans la seule mesure où l'artiste est capable de la transformer en un symbolisme nouveau (cela en dépit des insuffisances souvent pitoyables des matériaux à sa disposition), et de réaliser une compréhension aussi parfaite que possible entre le technique, les motifs traités et « le modèle intérieur ». Le sensualisme de Diderot est donc moins simpliste qu'on ne l'a affirmé et moins mécanique que celui des matérialistes contemporains — d'Holbach et Helvétius notamment — avec lesquels on l'a souvent confondu. Car, si Diderot, dans sa critique d'art, désire établir une continuité harmonieuse entre le corps et l'esprit, l'expérience et la conscience, s'il considère comme esthétiquement féconde la dépendance à l'égard du modèle exté-

---

din, peintre qu'il admirera avec tant d'enthousiasme par la suite. Dans son *Salon de 1767*, il constate : « O mon ami ! l'empire de la tête sur les intestins est violent, sans doute ; mais celui des intestins sur la tête l'est-il moins ? » (XI, 144). Remarque naturelle de la part de l'auteur des *Eléments de Physiologie*.

[18] « Tant que nous n'aurons pas manié le pinceau, nous ne serons que des conjecturateurs plus ou moins éclairés, plus ou moins heureux ; et, croyez-moi, parlons bas dans les ateliers, de peur de faire rire le broyeur de couleur » (XIII, 101 ; voir aussi X, 162).

[19] « Je ne garantis ni mes descriptions ni mon jugement sur rien... mes descriptions, parce qu'il n'y a aucune mémoire sous le ciel qui puisse rapporter fidèlement autant de compositions diverses ; mon jugement parce que je ne suis ni artiste ni même amateur » (XI, 288).

[20] « S'il m'arrive d'un moment à l'autre de me contredire, c'est que d'un moment à l'autre j'ai été diversement affecté » (XI, 288).

[21] Voir en particulier le chapitre consacré à Diderot par Folkierski dans *Entre le Classicisme et le Romantisme* et celui intitulé « Diderot critique d'art », dans *Diderot* par Daniel Mornet, pour des critiques sévères de « l'esprit brouillon » du célèbre Langrois. Par ailleurs, Yvon Belaval, dans son étude *L'Esthétique sans paradoxe de Diderot,* a excellemment démontré l'unité et la cohésion interne des principes dramatiques de l'Encyclopédiste. Cependant, cette interprétation de Diderot critique d'art ne nous paraît point justifiée : « La connaissance du moral où excelle le philosophe permet à l'humaniste de devenir juge du peintre », Belaval, « Nouvelles recherches sur Diderot », *Critique,* juin 1956, N° 109, p. 539.

rieur, il n'en recommande pas moins une reconstruction originale, une interprétation large et personnelle des données de la nature. Voici en quels termes il condamne une *Vue de la Vigne-Madame à Rome* du peintre de ruines Hubert Robert, celui-là même qui peignit les décors pour le théâtre de Voltaire à Ferney : « Mauvais, selon moi... — Mais cela est en nature. — Cela n'est point en nature. Les arbres, les eaux, les rochers sont en nature ; les ruines y sont plus que les bâtiments, mais n'y sont pas tout à fait ; et quand elles y seraient, faut-il rendre servilement la nature ? » (XI, 235). [22]

Bien que Baudelaire se méfie de tout ce qui participe du physique ; bien que, dans sa poésie et dans sa critique, il fasse montre d'un douloureux dualisme chrétien en opposant l'âme au corps, l'esprit à la matière, la nature à la conscience de l'artiste ; bien qu'il souligne, plus que Diderot et Delacroix, ce disciple du XVIIIe siècle en matière philosophique, le rôle de l'imagination en tant que faculté de création (non de simple combinaison), certains passages se rapprochent du monisme vitaliste de Diderot et, quelquefois, semblent même cadrer malaisément avec l'idéalisme transcendental habituel au poète. Au surplus, il est significatif que ces passages se trouvent dans les chapitres qui portent le plus clairement la marque de l'influence du philosophe : *De l'Idéal et du Modèle* et *De la Couleur,* inspirés en grande partie de *L'Essai sur la peinture*. Les assertions suivantes, sous la plume de Baudelaire, eussent pu tout aussi bien se trouver dans les écrits de Diderot : « Le principe universel [est] un » [23] (p. 643), « Les affinités chimiques sont la raison pour laquelle la nature ne peut pas commettre de fautes dans l'arrangement de ses tons » (p. 614) « telle main veut tel pied ; chaque épiderme engendre son poil » [24] (p. 643), « chaque individu est une harmonie » (p. 643), « Le dessin est une lutte entre la nature et l'artiste, où l'artiste triomphera d'autant plus facilement qu'il comprendra mieux les intentions de la nature. Il ne s'agit pas pour lui de copier, mais d'interpréter dans une langue plus simple et plus lumineuse » (p. 644), et, à propos des qualités respectives de Delacroix, d'Ingres et de Daumier, « ces trois *dessins* différents ont ceci de commun, qu'ils rendent parfaitement et complètement le côté de la nature qu'ils veulent rendre » (p. 561).

En général, Diderot accepte de manière cohérente et suivie l'étroite corrélation entre l'univers extérieur, les sens et l'esprit, tandis que l'auteur des *Curiosités esthétiques* semble hésiter entre le point de vue dua-

---

[22] En 1746, l'abbé Batteux soutient encore dans ses *Beaux-Arts réduits à un même principe* que l'objet de la peinture est de « tromper les yeux par la ressemblance, à nous faire croire que l'objet est réel, tandis que ce n'est qu'une image ». Cité par A. Fontaine, *op. cit.*, p. 204. Diderot, quant à lui, n'a jamais confondu le but de l'art avec celui du trompe-l'œil.

[23] « Tout s'enchaîne dans la nature », lit-on dans *L'Essai sur la peinture* (X, 516).

[24] « Toute forme, belle ou laide, a sa cause ; et, de tous les êtres qui existent, il n'y en a pas un qui ne soit comme il doit être », avait déjà constaté Diderot (X, 462).

liste, illustré par certains poèmes d'inspiration chrétienne des *Fleurs du Mal,* et le monisme sensualiste suggéré par le célèbre sonnet des *Correspondances,* les passages pré-cités et sa riche et précise imagerie fondée sur un sentiment très développé des possibilités esthétiques du monde physique.

Comme Verlaine, mais d'une manière plus complexe, Baudelaire possède une faculté sensitive exacerbée et est simultanément capable des élans les plus spiritualistes et des impulsions les plus sensuelles. Il en résulte une coïncidence rare entre une appréciation des formes les plus matérielles et une aspiration souvent douloureuse vers l'Infini surnaturel. D'ailleurs, Baudelaire lui-même était conscient de son esthétique à la fois spiritualiste et matérialiste, et dans le personnage de Samuel Cramer, héros de *La Fanfarlo,* il trace un auto-portrait révélateur : « Il aimait un corps humain comme une harmonie matérielle, comme une belle architecture, plus le mouvement ; et ce matérialisme absolu n'était pas loin de l'idéalisme le plus pur. » (p. 401).[25] C'est qu'aux yeux du poète, la beauté matérielle, quelque imparfaite qu'elle soit, peut servir de clef à la beauté spirituelle, d'origine divine ; et il appartient au critique, comme au créateur, de déchiffrer le sens profond de ces formes matérielles, de révéler leur unité fondamentale grâce aux « correspondances », et d'en extraire « l'extase de la vie ». Bien entendu, seul un esprit supérieur possèdera la faculté « de saisir les parcelles du beau égarées sur la terre, de suivre le beau à la piste partout où il aura pu se glisser à travers les trivialités de la nature déchue » (p. 802). Il est évident qu'une telle esthétique de l'Absolu à travers le transitoire s'apparente à l'idéalisme transcendant de la doctrine dualiste de Platon.

Pour ce qui est de Diderot, si les théories du philosophe grec lui étaient familières, s'il aimait jouer intellectuellement avec l'idéalisme platonicien,[26] il n'en a jamais accepté les prémisses.

En se plaçant au-dessus de tout académisme commode et de tout esprit de système établi à *priori,* Diderot et Baudelaire ont échappé à le critique stérile qui s'accommode d'un corps de doctrines et condamne aveuglément les vrais artistes, lesquels violent toujours les enseignements d'école. Par ailleurs, rares sont les passages de leurs *Salons* qui décèlent une critique naïvement admirative, c'est-à-dire dénuée de tout esprit d'analyse.

Non contents d'éviter l'esprit de rhétorique, nos critiques n'ajoutent foi à leurs préceptes que pour autant qu'ils peuvent venir en aide à l'artiste, tout en laissant une très large part à son initiative personnelle. Quelque convaincus qu'ils aient été de la justesse de leurs idées, ils ne

---

[25] Ce passage évoque le Montaigne de la dernière phase, celui qui fut cher aux libertins du dix-septième siècle et qui écrivait : « C'est toujours à l'homme que nous avons affaire, duquel la condition est merveilleusement corporelle » (Livre III, chap. VIII, p. 1041, éd. de la Pléiade, 1950), et « La vie est un mouvement matériel et corporel » (Livre III, chap. IX, p. 1108).

[26] Voir par exemple l'Introduction au *Salon de 1767* que nous analyserons lorsque nous aborderons la conception de nos critiques de ce qui constitue le Beau.

les ont pas présentées sous forme de dogmes infaillibles, et n'ont analysé les causes de leur délectation qu'après s'être soumis à l'effet d'un tableau. S'ils ont trouvé cet effet profond et durable, ils ont loué ; même lorsqu'il résultait de procédés non conformes aux canons officiels ou à leurs propres préférences, sachant que c'est le signe distinctif de toute œuvre vraiment originale que de dépasser les principes établis, de briser les cadres de la tradition, et très souvent, de déconcerter, de dérouter l'amateur le plus éclairé. Nos salonniers ont appris, dès leurs débuts dans la critique, à regarder selon autant de perspectives qu'il existe de talents véritables, et à accepter autant de formes différentes de beauté qu'il y a de styles authentiques. [27] A l'instar de Shaftesbury, mais en élargissant et en approfondissant les théories de son prédécesseur, Diderot avait substitué au classicisme général et abstrait, une méthode empirique, sensualiste et psychologique ; et il est très vraisemblable que Baudelaire, avide lecteur et grand admirateur de l'Encyclopédiste, a tenu compte des conseils répétés et de l'exemple de ce dernier.

Certes, ceci ne veut dire qu'il soit malaisé de relever tout au long de leurs *Salons* certains partis-pris, certaines préférences personnelles à l'égard de quelques peintres. Nos auteurs n'ont pas toujours été infaillibles dans leurs appréciations, mais possédant un sens profond de la lourde responsabilité qu'assume le critique lorsqu'il approuve ou condamne, du moins ont-ils fait un effort pour concilier l'inévitable point de vue individuel avec une intelligence large et souple. D'ailleurs, l'objectivité totale équivaudrait à de l'indifférence ; et le philosophe, comme le poète, avait des prédilections en rapport avec son tempérament et ses idées, des penchants qu'il n'a jamais tenté de dissimuler : « J'ai senti », écrit-il en conclusion à son *Salon de 1763,* « et j'ai dit comme je sentais. La seule partialité dont je ne me sois pas garanti, c'est celle qu'on a tout naturellement pour certains sujets ou pour certains faires » (X, 226). Baudelaire souscrira entièrement à cette philosophie esthétique à base de sensations et la justifiera en termes plus catégoriques et tranchants : « Pour être juste, c'est-à-dire pour avoir sa raison d'être, la critique doit être partiale, passionnée, politique, c'est-à-dire à un point de vue exclusif, mais au point de vue qui ouvre le plus d'horizons » (p. 608). Pour semblable que soit le contenu, la différence du ton est caractéristique. Là où l'Encyclopédiste quinquagénaire, mûri et adouci par l'expérience, s'explique, s'excuse et écrit à Grimm : « Corrigez, réformez, allongez, raccourcissez, j'approuve tout ce que vous ferez » (X, 226), le jeune dandy, sûr de la supériorité de son sens esthétique, affirme et proclame avec hauteur.

---

[27] Dans son Introduction au *Mirror of Art,* une traduction anglaise d'études critiques de Baudelaire, Jonathan Mayne constate que « Baudelaire was perhaps the first to detect the dangerous fallacy of a 'party-line' in art » (Doubleday, 1956), p. xix. Ceci n'est que partiellement exact puisque Diderot avait déjà été fort conscient de cette vérité et s'était abondamment expliqué sur ce sujet.

C'est grâce à son éclectisme tout moderne, à sa largeur de vues, que Diderot a pu réunir dans son admiration Poussin et Rembrandt, Teniers et Le Sueur, Rubens et Chardin, Le Brun et Wouwermans, Raphaël et Titien ; qu'il a compris tout ce qu'il y a de stérile et d'étroit dans ce genre d'exclamation qu'il s'amuse à parodier : « Ah ; si le Titien eût dessiné et composé comme Raphaël ! Ah ! si Raphaël eût colorié comme le Titien !... C'est ainsi qu'on rabaisse deux grands hommes » (XII, 106). Dans son *Essai sur la peinture,* il fait également observer que « l'un vous dira que le Poussin est sec ; l'autre, que Rubens est outré ; et moi, je suis le Lilliputien qui leur frappe doucement sur l'épaule, et qui les avertit qu'ils ont dit une sottise » (X, 471). Quant à Baudelaire, il se moque spirituellement du « fanatisme grec, italien ou parisien », de « l'insensé doctrinaire du Beau » complètement enfermé « dans l'aveuglante forteresse de son système » (p. 690).

En ce qui concerne le tort qu'une critique négative et d'une dureté indue peut faire à l'artiste, nos deux écrivains, Baudelaire en particulier, ont ample motif de prêcher la largeur d'esprit, la critique des beautés, surtout à l'égard du jeune peintre qui a de l'idéal, mais dont l'exécution encore gauche est au-dessous de ses intentions : « Je ne demande pas mieux qu'à louer » (X, 262), déclare Diderot, et, confesse-t-il également, « Je jouis plus d'une belle ligne, que je ne suis dégoûté par deux mauvaises pages » (XI, 207).[28] Baudelaire, pour sa part, avouera dans son *Salon de 1859* : « Rien n'est plus doux d'admirer, rien n'est plus désagréable que de critiquer » (p. 823).

Si tout semble indiquer que Diderot préférait personnellement Chardin à Fragonard, Greuze à Boucher, la rusticité de Teniers à l'élégance de Watteau ; et Baudelaire, les empâtements vigoureux de Delacroix à la perfection linéaire d'Ingres, l'urbanité de Guys et de Manet aux paysages argentins et « naïfs » de Corot et de Rousseau, les visions fantastiques de Goya au néo-classicisme de David, « cet astre froid » (p. 696), et au réalisme un peu lourd de Courbet, les deux critiques n'en faisaient pas moins un effort louable d'objectivité à l'égard de ceux qu'ils étaient le moins aptes à apprécier. Tout en possédant des prédilections en rapport avec leur tempérament et leurs principes, nombre d'essais consacrés à des peintres avec lesquels ils n'avaient que très peu d'affinités prouvent néanmoins qu'ils pouvaient, sinon entièrement, du moins dans une large mesure, suppléer par une intelligence souple et compréhensive aux secrètes et puissantes « raisons de cœur ».

En dépit de sa sévérité usuelle pour les peintres mondains et élégants, Diderot caractérise souvent à merveille l'art d'un Boucher, d'un

[28] Ce fut surtout Chardin qui enseigna l'indulgence au philosophe : « Rappelez-vous ce que Chardin nous disait au Salon », note-t-il dans son *Salon de 1765,* « Messieurs, messieurs, de la douceur. Entre tous les tableaux qui sont ici, cherchez le plus mauvais, et sachez que deux mille malheureux ont brisé entre leurs dents le pinceau, de désespoir de faire jamais aussi mal... Chardin semblait douter qu'il y eût une éducation plus longue et plus pénible que celle du peintre, sans en excepter celle du médecin, du jurisconsulte, ou du docteur de Sorbonne » (X, 234).

Fragonard, et sait pénétrer leur « magie » même lorsque celle-ci participe d'un ordre qu'il n'approuve guère pour des raisons d'éthique ou de goût personnel. Contrairement à ce que l'on croit d'ordinaire, il est tout aussi sensible qu'un autre à la brillante et facile facture de Boucher : « Quelles couleurs ! quelle variété ! quelle richesse d'objets et d'idées », s'exclame-t-il devant les pastorales rococo de cet artiste (X, 112) ; « cet homme a tout, excepté la noble vérité », s'empresse-t-il d'ajouter comme correctif à son enthousiasme premier. Il n'ignorait pas non plus à quel point une rare virtuosité, une maîtrise parfaite des moyens plastiques, une abondance de l'imagination et un jaillissement soutenu de l'inspiration entraient dans la composition des tableaux du décorateur favori de Mme de Pompadour :

> Quand on a longtemps regardé un paysage tel que celui que nous venons d'ébaucher, on croit avoir tout vu. On se trompe ; on y retrouve une infinité de choses d'un prix ! ... Personne n'entend comme Boucher l'art de la lumière et des ombres. Il est fait pour tourner la tête à deux sortes de personnes, les gens du monde et les artistes (X, 113).

Une autre raison, sans doute plus importante que le choix de sujets mondains et érotiques, est à la base de la sévérité de Diderot pour Boucher. Esprit chercheur, précurseur à bien des égards, Diderot voit en Boucher, en dépit ou plutôt à cause de son brio, un praticien habile, satisfait de refléter la gaîté insouciante de son époque, et ne faisant aucun effort pour en extraire le sens profond ou la devancer, pour exprimer quelque chose de plus universel dans ses formes et ses couleurs. Au lieu de tenter de se renouveler constamment, comme doit le faire tout artiste qui se respecte, Boucher a recours aux poncifs et aux « ficelles » du métier, allant jusqu'à renoncer complètement à l'étude de la nature, cette matière première sans laquelle l'artiste le plus imaginatif finira par donner sur l'écueil de la répétition. Et c'est surtout cette absence d'esprit de recherche que le salonnier reproche chez l'éblouissant décorateur : « Passé cinquante ans, mon ami, il n'y a presque pas un peintre qui appelle le modèle, ils ne font plus que de pratique ; et Boucher en est là : ce sont ses anciennes figures tournées et retournées. Est-ce qu'il ne nous a pas déjà montré cent fois et cette Calisto, et ce Jupiter, et cette peau de tigre dont il est couvert ? » (X, 259). Par contre, cet esprit de recherche caractérise le moindre tableautin de Chardin et lui confère une auréole poétique ainsi qu'une signification universelle. Boucher travaillait avec une vitesse et une facilité incroyables ; Chardin avançait lentement et péniblement : « Ses ouvrages lui coûtent beaucoup » (XI, 409), remarque Diderot, à propos des natures-mortes de ce dernier. Et c'est bien, à nos yeux, ce parti-pris de la reconstruction consciente et délibérée de la réalité qui classe ce peintre dans la catégorie d'un Corot, d'un Cézanne, parmi les plus profonds novateurs.

Devant les pastorales souvent surchargées de Boucher, Diderot semble s'être fait un jeu de ridiculiser « la confusion d'objets entassés les uns sur les autres » (X, 256), dont il s'amuse à parodier les « extravagances » par des effets parallèles de style. Il constate cependant :

« Ce maître a toujours le même feu, la même facilité, la même fécondité, la même magie et les mêmes défauts qui gâtent un talent rare » (X, 171) et invente ce petit dialogue — ou le transcrit, car l'on ne sait jamais avec l'auteur de la géniale mystification de *La Religieuse* et de dialogues « vrais » tels que *Le Neveu de Rameau* : « Mais, monsieur Boucher, où avez-vous pris ces tons de couleur ?... ' Dans ma tête. — Mais ils sont faux. — Cela se peut, et je ne me suis pas soucié d'être vrai. Je peins un événement fabuleux avec un pinceau romanesque ' » [29] (X, 172).

Quant à Baudelaire, transcendant la critique doctrinaire pourtant si prisée à son époque, il a été à même de dénoncer avec une rare perspicacité toute l'absurdité de la célèbre querelle Delacroix-Ingres qui battait alors son plein, et de voir juste et loin précisément parce qu'il s'est refusé à suivre quelque système préconçu : « Exalter la ligne au détriment de la couleur, ou la couleur aux dépens de la ligne... ce n'est ni très-large ni très-juste... Vous ignorez à quelle dose la nature a mêlé dans chaque esprit le goût de la ligne et le goût de la couleur, et par quels mystérieux procédés elle opère cette fusion, dont le résultat est un tableau » (p. 609).

Voici comment il range au premier rang Daumier, l'humble et besogneux illustrateur des « actualités », Delacroix, le maître romantique vilipendié, et Ingres, le fier et fort goûté néo-classique :

> Nous ne connaissons à Paris, que deux hommes qui dessinent aussi bien que M. Delacroix, l'un d'une manière analogue, l'autre dans une méthode contraire. —L'un est M. Daumier, le caricaturiste ; l'autre M. Ingres, le grand peintre, l'admirateur rusé de Raphaël. — Voilà certes qui doit stupéfier les amis et les ennemis, les séides et les antagonistes ; mais avec une attention lente et studieuse, chacun verra que ces trois *dessins* différents ont ceci de commun, ... qu'ils disent juste ce qu'ils veulent dire ... aimons-les tous les trois (p. 561).

S'en fût-il remis à des théories d'école, au lieu de recourir à son intelligence des choses picturales et à sa sensibilité de poète, Baudelaire aurait-il fait preuve de cette magnifique compréhension des qualités respectives de génies si inégalement appréciés de leur temps ? Il est intéressant de confronter cette lucide modération avec les jugements souvent ineptes et pleins de partis-pris de critiques professionnels contemporains pour estimer à sa juste valeur la belle objectivité du poète, son aptitude à ignorer les succès du moment et à se placer du

---

[29] Il est totalement exagéré d'affirmer, comme l'ont fait les frères Goncourt, que le point de vue de Diderot l'ait amené « à reprocher sérieusement aux amours du peintre Boucher d'être inutiles, de n'être propres ni à lire, ni à écrire, ni à tiller du chanvre ! » (*Op. cit.*, I, 238). C'est moins pour critiquer que pour caractériser l'art de cet artiste, et sans doute le contraster avec un Chardin ou un Greuze, que Diderot écrit : « Quand il fait des enfants, il les groupe bien ; mais qu'ils restent à folâtrer sur des nuages. Dans toute cette innombrable famille, vous n'en trouverez pas un à employer aux actions réelles de la vie, à étudier sa leçon, à lire, à écrire, à tiller du chanvre. Ce sont des natures romanesques, idéales » (X, 257).

point de vue de la postérité.[30] « Le père Ingres m'a donné un mal de chien » (I, 333), se plaint-il dans une lettre du 9 juin 1855 à Armand Dutacq ; mais le fait qu'il se sentait mal à l'aise devant le néo-classicisme de ce maître ne l'empêchait pas de tenter de pénétrer le caractère de son art avec la même curiosité et la même application, sinon la même sympathie chaleureuse que lorsqu'il avait à analyser les toiles de Delacroix.[31]

***

Aucune insuffisance, quelque minime qu'elle fût, n'échappait à l'œil pénétrant de l'Encyclopédiste qui ne se faisait pas faute de relever ces imperfections, même lorsque l'ensemble lui plaisait évidemment. C'est que ses études scientifiques avaient fait de lui un observateur aigu des faits physiques, des lois de la perspective, des effets et des reflets de la lumière et de l'ombre, de la justesse des proportions du corps. Mais il n'ignore pas que l'artiste (et surtout le coloriste) est quelquefois amené à opérer certaines déformations esthétiques ; et, en ce cas, il loue la hardiesse et le génie du peintre qui, osant interpréter largement et de manière originale les données de la nature, parvient à les reconstruire en harmonie avec ses intentions. Malgré son penchant scientifique, il comprend qu'une étude trop poussée de la structure humaine peut nuire au lieu d'aider l'artiste qui veut être aussi un imaginatif. « L'étude profonde de l'anatomie a plus gâté d'artistes qu'elle n'en a perfectionnés », note-t-il dans ses *Pensées détachées* (XII, 115), visant certainement cette partie intégrante des préceptes académiques.

Si aucun pied escamoté par négligence, aucune jambe indûment raccourcie ou allongée derrière des drapés somptueux, si aucun bras gauchement exécuté n'échappent à sa vérification scrupuleuse, Diderot évite néanmoins d'appliquer ses connaissances de l'anatomie humaine de manière dogmatique. Bien entendu, une certaine connaissance de la physiologie est nécessaire aux peintres de compositions, mais c'est surtout pour qu'ils puissent exagérer les proportions et violer les lois physiques, non par ignorance, mais en toute connaissance de cause. Michel-Ange, cet étudiant passionné de l'anatomie humaine, déformait en vue d'augmenter la plasticité et l'expressivité des formes, et Diderot, aussi bien que Baudelaire, approuve l'artiste qui ne moule pas ses figures directement sur la nature extérieure, mais sur un patron intérieur et irré-

---

[30] Nous référons le lecteur au *Salon de 1845,* édition critique avec introduction, notes et éclaircissements par André Ferran pour une étude des critiques contemporains de Baudelaire. Voir également *Baudelaire critique de Delacroix,* « Delacroix jugé par les contemporains de 1822 à 1845 », par Lucie Horner.

[31] Par contre, les frères Goncourt n'ont vu en Ingres qu'un habile dessinateur « asservi au terre-à-terre des figurations d'ici-bas ». *Etudes d'Art,* p. 190. Au moins, le poète a-t-il compris qu'Ingres s'est asservi aux formes pour mieux obéir à son idéal personnel d'ordre et de clarté, lequel s'apparente à l'art serein de Raphaël.

ductible. « Eclairez vos objets selon votre soleil, qui n'est pas celui de la nature ; soyez le disciple de l'arc-en-ciel, mais n'en soyez pas l'esclave » (XII, 87), est le conseil que donne le philosophe au peintre.

Moins attentif aux faits physiques, Baudelaire, ce partisan quelquefois exclusif de l'imagination, se préoccupe généralement encore moins que son prédécesseur de la manière dont l'artiste a transposé la nature sur la toile. Mais il existe une exception révélatrice à sa tendance. Contrairement à son habitude, devant les compositions d'Ingres, l'œil de Baudelaire se fait extrêmement observateur, chicaneur même, et jauge les proportions avec une minutie qui révèle mieux que toutes les professions de foi une partialité pour Delacroix :

> Voici une armée de doigts uniformément allongés en fuseaux et dont les extrémités étroites oppriment les ongles. ... Voici des figures délicates et des épaules simplement élégantes associées à des bras trop robustes, trop pleins d'une succulence raphaélique. ... Ici nous trouvons un nombril qui s'égare vers les côtés, là un sein qui pointe trop vers l'aisselle ; ici, nous sommes tout à fait déconcertés par une jambe sans nom, toute maigre, sans muscles, sans formes et sans pli au jarret ... (p. 700).

Un tel souci de fidélité à la nature étonne de la part du promoteur de la « Reine des facultés » et témoigne de son malaise devant le style néo-raphaélien d'Ingres.

La raison pour laquelle on retrouve plus fréquemment le terme de nature sous la plume de Diderot que sous celle de Baudelaire n'est pas, comme on l'a tant de fois affirmé, parce qu'il préconisait un retour à la nature, c'est-à-dire à quelque réalisme objectif. Celui-ci, il s'en rendait parfaitement compte, est un terme vide de sens en art. Toutefois, s'il rappelle si souvent l'artiste à l'harmonie de la nature, c'est surtout, d'une part, par réaction contre le principe de l'imitation servile des grands modèles antiques, italiens et académiques, et d'autre part, par réaction contre la tendance à la « manufacture » facile des décorateurs de l'école rococo. Diderot s'aperçoit qu'en ignorant entièrement l'harmonie de la nature, l'artiste, quelque doué qu'il soit, finit par perdre tout *naturel* et toute *vraisemblance* ; qualités qu'il estime indispensables : car, à ses yeux, un bon ouvrage est une *surréalité* composée d'un « tissu de faussetés qui se couvrent les unes les autres » (X, 187), et dont l'effet global est plus *vrai,* plus convaincant que la réalité physique. La surréalité artistique doit donc résulter d'une sélection et d'intentions soigneusement calculées, et non de la copie mécanique, d'une facilité manuelle, ou de quelque hasard heureux. Afin d'atteindre à ce but, l'étude préalable de la nature s'impose dès l'instant que « le vrai de la nature est la base du vraisemblable de l'art » (XII, 107).

C'est également à la lumière de cette esthétique du « vraisemblable » que Diderot tend à désapprouver le mélange, dans une composition, d'êtres réels et allégoriques, même lorsqu'il s'agit d'un artiste aussi génial que Rubens qui peut, grâce à la magie de sa facture, surmonter toutes les difficultés (X, 500 ; XI, 49 ; XII, 84).

Si le critique de 1767 devient plus facilement lyrique que celui de 1846 au sujet de « l'harmonie de la nature », c'est parce qu'il rejette les règles érigées en dogmes infaillibles par l'Académie royale de peinture, ainsi que l'instauration de principes « rationnels » et « cartésiens » dans les Beaux-Arts. C'est aussi parce qu'il perçoit le danger que présentent les exagérations « maniérées » des peintres « romanesques » : « Les uns s'assujettissent en esclaves aux proportions de l'antique, à la règle et aux compas, d'où ils ne se tirent plus et sont à jamais faux et froids ; et... les autres s'abandonnent à un libertinage d'imagination qui les jette dans le faux et le maniéré, d'où ils ne se tirent pas davantage » (XI, 412). De là, la nuance péjorative des termes « académique » et « maniéré » dans les *Salons* de Diderot, bien que le substantif « manière » n'en comporte point lorsqu'il signifie un style original ou, pour se servir du langage du philosophe, un « faire » authentique.

Un autre facteur complique l'analyse de la conception que Diderot se forme de la nature par rapport à l'art : à savoir, son emploi d'une formule fort répandue chez tous les amateurs du XVIIIe siècle. On appelle un bon peintre un excellent « imitateur de nature », et Diderot se sert à maintes reprises de ce cliché qui semble avoir perdu beaucoup de sa signification originelle. C'est ainsi que l'on peut lire, entre d'autres appréciations plus révélatrices, que Chardin est un « vigoureux imitateur de nature » (XI, 410). Il importe que le lecteur du XXe siècle évite de prendre cette expression au pied de la lettre. Chaque fois qu'elle est employée, l'on doit rechercher, à l'aide du contexte, la signification réelle que l'écrivain lui a prêtée. L'on s'aperçoit alors que, par « imitateur de nature », Diderot ne signifie pas uniformément la même chose. Par exemple, après avoir affirmé que Chardin est un « vigoureux imitateur de nature », il ajoute que ce peintre est un « juge... sévère de lui-même » et vise à atteindre à « l'harmonie dont il avait l'idée » (XI, 410). Il est clair, dès lors, que l'harmonie que Chardin veut réaliser n'est pas celle de la nature, mais celle qui correspond à ses intentions esthétiques, à ce que Diderot appelle le « modèle intérieur ». Or, le modèle intérieur pour Chardin est « le plus parfait accord » (XI, 410) des tons et des formes architectoniques afin que « l'œil recréé reste satisfait » (XI, 409).

D'autres passages dans les écrits de Diderot témoignent que la formule-cliché de « l'imitation de la belle nature », alors si populaire, est loin de le satisfaire. L'abbé Batteux ayant tenté, dans ses *Beaux-Arts réduits à un même principe* (1746), de donner comme principe commun à tous les arts celui de l'imitation de la « belle nature », Diderot voudrait une définition plus explicite de ce qu'on entend par cette expression. « M. l'abbé Batteux rappelle tous les principes des beaux-arts à l'imitation de la belle nature ; mais il ne nous apprend point ce que c'est que la belle nature », écrit-il dans son article *Beau* (X, 17) ; et il reproche encore à l'auteur d'avoir omis un chapitre sur la « belle nature » dans son ouvrage. [32]

---

[32] Il est intéressant de noter qu'à propos de Batteux, Fontaine affirme : « En réalité, cet homme dans lequel on a parfois voulu voir 'le rénovateur de la critique', fut un attardé... il lui manqua... l'expérience des œuvres. » *Op. cit.*, p. 202.

Lorsque le philosophe constate : « Nous sommes dans la nature ; nous y sommes tantôt bien, tantôt mal ; et croyez que ceux qui louent la nature d'avoir au printemps tapissé la terre de vert, couleur amie de nos yeux, sont des impertinents » (XI, 109), lorsqu'il s'écrie : « Mais qui vous a prescrit d'être l'imitateur rigoureux de la nature ? » (XII, 108) son point de vue n'est pas très éloigné de celui de Baudelaire.

Si par naturalisme l'on entend la recommandation de l'étude des couleurs et des formes telles qu'elles se présentent dans la réalité et non telles que l'impose un corps de doctrines académiques, en ce cas Diderot est un partisan enthousiaste du naturalisme, mais si par naturalisme l'on entend la reproduction docile des éléments de la nature, sans aucun changement volontaire, Diderot est alors loin d'être un naturaliste ou même un réaliste.

De ceci, il résulte que les préceptes donnés par Diderot sur l'importance de l'étude de l'harmonie de la nature ne pouvaient qu'être salutaires, puisqu'ils cherchaient à libérer le peintre de l'étreinte stérilisante des néo-classiques et du laisser-aller des décorateurs en vogue, tout en lui proposant de nouvelles sources d'inspiration dans les effets et les reflets de la lumière en plein air.

On tend aussi à attribuer les critiques que Diderot fait de l'idéal noble, général et abstrait du néo-classicisme au fait que c'est un représentant de la bourgeoisie qui parle. A notre avis, cependant, il y a, dans les aperçus du critique, beaucoup plus qu'une préfiguration du sentimentalisme romantique et du réalisme bourgeois. Dans l'observation de la nature préconisée par Diderot, on perçoit les inquiétudes justifiées d'un esthéticien averti des dangers d'appauvrissement que présentent les poncifs néo-classiques et théâtraux de la plupart des artistes contemporains, poncifs qui conduisent les jeunes peintres à se détourner entièrement des précieuses « matières premières » que constitue le « dictionnaire » de la nature. La pitoyable incompréhension des critiques officiels du XIXe siècle, lesquels continuaient aveuglément à condamner tout artiste original, de Delacroix à Van Gogh, au nom de l'idéal classique, confirme amplement la justesse fondamentale du point de vue de Diderot. En fait, il fallut attendre jusqu'à l'épanouissement de l'impressionnisme pour voir se réaliser magnifiquement les conseils judicieux que le philosophe adressait au jeune artiste dans son magistral *Essai sur la peinture*. L'abandon du modèle de l'atelier avec ses poses contraintes et artificielles en faveur d'un modèle réel qui accomplit sa tâche avec naturel et dignité, et qui porte sur toute sa personne les marques significatives de sa profession, l'étude d'un même motif à différentes heures de la journée, la peinture du paysage à ciel ouvert, l'analyse « scientifique » des couleurs et de leurs gradations et dégradations sous la lumière du matin, du jour et de la nuit, sous le soleil de midi et dans l'ombre douce du soir (X, 476) ; tous ces principes feront leur chemin durant la deuxième moitié du XIXe siècle. Certes Diderot eût mieux apprécié que le public et nombre de critiques des alentours de 1900 le sens des paysages d'un Pissarro, des marines d'un Monet, des scènes de Borinage d'un Van Gogh, et même de la reconstruction architectonique « en cubes et en cônes » d'un Cézanne. [33]

En général, Baudelaire, comme Diderot, voit deux composants principaux dans l'œuvre d'art : l'observation de la nature, et la réorganisation originale — grâce à l'imagination — de ces données extérieures en fonction des exigences de la composition. Mais dans ce dosage, Baudelaire assignera, de manière peut-être plus consistante, la primauté au rôle de l'imagination. Selon le poète, à mesure que l'artiste s'élève dans la hiérarchie artistique, son imagination le fait s'éloigner d'une représentation fidèle de la nature. C'est ainsi qu'en 1846, il reproche à la sculpture d'être « ennuyeuse » parce qu'elle « se rapproche bien plus [que la peinture] de la nature » (p. 671). [34] En 1859, rabattant de son âpreté et se rendant probablement compte qu'il y a tant soit peu d'injustice dans ce genre de généralisation, Baudelaire reconnaîtra que la statuaire permet aussi le jeu de l'imagination ; mais plus difficilement que la peinture, car elle exige un talent particulièrement vigoureux « une exécution très-parfaite, une spiritualité très-élevée » (p. 822) pour transcender ses conditions plus matérielles... [35]

A l'époque où Baudelaire rédige ses *Salons,* le réalisme était, sinon accepté de tout le monde (les esprits délicats se bouchaient le nez), du moins mis en vedette par l'avant-garde des écrivains, des poètes et des artistes. Dans certaines boutades du critique contre le naturel, il faut distinguer deux aspects importants : d'un côté sa méfiance de catholique et de *dandy* à l'égard de ce qui n'a pas été métamorphosé par la pensée consciente ; de l'autre, sa réaction contre l'objectivité réaliste et naturaliste qui se manifestait aussi bien dans les romans de Champfleury que dans les compositions plutôt pesantes et « matérielles » de Courbet, ce disciple enthousiaste de « la nature extérieure, positive, immédiate » (p. 699). Le poète distinguait chez cet artiste au tempérament sain et

---

[33] C'est simplifier les riches perceptions de l'Encyclopédiste et ne pas leur rendre entière justice que de les résumer à la lumière du fait que « the eighteenth century *bourgeois* upsurge, to which Diderot belonged, departed even further from objectivism and sought a sentimentalized moralizing and a preromantic, sniveling emotionalism » (Lester G. Crocker, *Ethics and Esthetics,* p. 68).

[34] Baudelaire a probablement trouvé dans le *Salon de 1767* ses formules « un art de Caraïbes » (p. 671) et « *sculptier* » (p. 593 ; p. 672) qu'il applique à la sculpture. Diderot avait écrit que « Tout ce qui n'est pas de la sculpture est de la sculpterie » (XI, 355) et, par ailleurs, avait affirmé que la sculpture primitive, telle qu'on en trouve « sur la côte du Malabar, ou sous la feuillée du Caraïbe » était plus apte à provoquer la vénération du peuple qu' « un chef-d'œuvre de Pigalle ou de Falconet » (XI, 40). Et dans le *Salon de 1846,* on peut lire : « J'ai entendu dire au sculpteur Préault : « Je me connais en Michel-Ange, en Jean Goujon, en Germain Pilon ; mais en sculpture je ne m'y connais pas. » — Il est évident qu'il voulait parler de la sculpture des *sculptiers,* autrement dite des Caraïbes » (p. 672). Gautier, par contre, chante la « réalité » et « l'aspect multiple » de la sculpture dans sa préface *à Mademoiselle Maupin* (1834).

[35] Diderot a également commenté sur la difficulté d'atteindre au « sublime » en sculpture : « Si la sculpture ne souffre point une idée commune, elle ne souffre pas davantage une exécution médiocre. » (X, 420).

vigoureux et dans son dogme « ne peindre que ce qu'on voit » (p. 1301), [36] un « amour désintéressé, absolu, de la peinture », mais aussi une « pauvreté d'idées » (p. 844), une soumission dangereuse à la réalité ; et partant une « guerre à l'imagination » (p. 699). On sait l'importance que l'auteur des *Fleurs du Mal* attachait au rôle dynamique de l'imagination dans le processus créateur : de là, ses réserves à l'égard d'un artiste qui avait pourtant été son ami, et pour l'intégrité et le talent de qui il avait de l'estime. Entre 1847 et 1848, Baudelaire semble s'être intéressé au réalisme pictural ; [37] mais en 1863, dans l'article nécrologique consacré à Delacroix, il parle avec dédain de « quelques *maçons*... cette classe d'esprits grossiers et matériels... qui n'apprécient les objets que par le contour [il se réfère sans doute à Ingres] ou, pis encore, par leurs trois dimensions : largeur, longueur et profondeur [sans doute un coup de patte contre son ancien ami Courbet] » (p. 863). Et certes, il devait y avoir quelque chose d'irritant dans la personnalité d'un artiste « qui veut empêcher les élèves de l'Ecole de peindre Jésus-Christ, sous le prétexte qu'ils ne l'ont jamais vu, et qui proscrit la représentation des anges pour le même motif ». [38]

Néanmoins, dans sa réaction contre le réalisme matérialiste d'un Courbet et dans son ardeur à condamner « ce culte niais de la nature, non épurée, non expliquée par l'imagination » (p. 812), Baudelaire sera porté à créer une dichotomie selon laquelle il opposera l'art à la nature brute. Cette dualité lui fera d'ailleurs commettre certaines contradictions : car tantôt il recommandera à l'artiste l'observation des données de la nature et tantôt il lancera la boutade : « La nature est laide, et je préfère les monstres de ma fantaisie à la trivialité positive » (p.772). Margaret Gilman a judicieusement remarqué que le principe directeur baudelairien se trouve dans la célèbre formule de Delacroix : « la nature est un dictionnaire ». « A dictionary — therefore not a work of art, not a perfect thing, not sacred in itself, not to be imitated slavishly . . . the true artist . . . chooses and arranges the aspects of nature, of which he has deciphered the inner meaning. » [39] Ce qui nous ramène au point de vue de Diderot, déjà énoncé dans un petit dialogue socratique de ses *Pensées détachées sur la peinture :*

> Est-ce que chaque écrivain n'a pas son style ? — D'accord. — Est-ce que ce style n'est pas une imitation ? — J'en conviens ; mais cette imitation, où en est le modèle ? dans l'âme, dans l'esprit, dans l'imagination plus ou moins vive, dans le cœur plus ou moins chaud de l'auteur. Il ne faut donc pas confondre un modèle intérieur avec un modèle extérieur (XII, 128).

Il faut tenir compte d'un autre facteur dans l'analyse des motifs

---

[36] On se souvient de la manière moqueuse dont Diderot reprenait les peintres qui pensent « qu'il faut imiter scrupuleusement la nature » (XI, 257).
[37] Nous avons déjà noté qu'à cette époque Courbet fit du poète le portrait *L'Homme à la pipe,* refusé au *Salon de 1847,* et incorporé plus tard à la grande composition, l'*Atelier de l'artiste.*
[38] Cité par A. Fontaine, *Essai sur le principe et les lois de la critique d'art* (Albert Fontemoing, 1903), p. 67.
[39] *Op. cit.,* p. 165.

complexes qui poussèrent Diderot à se référer souvent à l'harmonie inhérente de la nature, et Baudelaire à souligner le rôle de l'imagination : à savoir, les artistes auprès desquels ils s'instruisirent et ceux auxquels ils portèrent leur plus profonde admiration. Si Diderot conseille au jeune peintre l'étude de la réalité immédiate qui l'entoure, pour humble ou quotidien que soit l'ordre de cette réalité, c'est qu'il garde à l'esprit cette leçon esthétique qu'il doit à Chardin. « O Chardin ! ce n'est pas du blanc, du rouge, du noir que tu broies sur ta palette », s'exclame-t-il devant la *justesse* du coloris de cet artiste, « c'est la substance même des objets, c'est l'air et la lumière que tu prends à la pointe de ton pinceau et que tu attaches sur la toile » (X, 195). D'autre part, Baudelaire place en vedette le rôle de l'imagination et déprécie quelque peu des artistes naturalistes tels que Courbet parce qu'il s'identifie par-dessus tous les autres avec le tempérament noble, imaginatif et essentiellement littéraire d'un Delacroix : « Sa peinture a parcouru, toujours avec succès, le champ des hautes littératures, non-seulement elle a fréquenté Arioste, Byron, Dante, Walter Scott, Shakespeare, mais elle sait révéler les idées d'un ordre plus élevé, plus fines, plus profondes que la plupart des peintures modernes » (p. 708).

A la différence de Chardin qui travaillait patiemment sur le motif, reconstruisait ses éléments picturaux à partir des données immédiates de la nature qu'il traduisait en des architectures de formes supérieurement homogènes, [40] Delacroix procédait par synthèse, et ne recourait qu'indirectement, par le truchement de la mémoire et de l'imagination, au « dictionnaire de la nature ».

Par son choix délibéré de sujets modestes et familiers ainsi que par sa technique de la couleur, [41] Chardin préfigure les impressionnistes et Cézanne. Par ses préférences pour les thèmes élevés et littéraires, Delacroix est le dernier d'une longue lignée d'artistes pratiquant la « grande peinture », mais par les envolées de son imagination et son refus de peindre directement d'après la nature, il est le précurseur des expressionnistes qui, se détournant résolument du travail sur le motif, s'efforceront surtout de traduire leur vision intérieure...

L'un et l'autre peintre étaient d'ailleurs d'excellents causeurs, capables de présenter leurs vues avec éloquence et esprit. [42] Mais, chose intéressante, alors que Baudelaire s'est soumis à l'influence de Delacroix avec une ferveur quasi religieuse, les *Salons* de Diderot dégagent l'im-

---

[40] Diderot note que Chardin est un observateur si scrupuleux de la nature qu'il renonce à achever un tableau représentant du gibier « parce que de petits lapins d'après lesquels il travaillait étant venus à se pourrir, il désespéra d'atteindre avec d'autres à l'harmonie... Tous ceux qu'on lui apporta étaient ou trop bruns ou trop clairs » (XI, 410).

[41] Pour une analyse de la manière dont Diderot a envisagé l'art de Chardin, voir Gita May, « Chardin vu par Diderot et par Proust », *Publications of the Modern Language Association of America,* Vol. LXXII, June 1957, pp. 403-418.

[42] Chardin « parle à merveille de son art », constate Diderot (X, 195), et la conversation de Delacroix, selon Baudelaire, est « un mélange admirable de solidité philosophique, de légèreté spirituelle et d'enthousiasme brûlant » (p. 764).

pression que l'influence de Chardin sur le critique fut plus profonde que celui-ci ne s'en est rendu compte.

*
**

La critique d'art de Baudelaire fait preuve d'une maturité d'esprit inusitée chez un jeune homme de vingt-cinq ans, qui s'exprime de manière directe, sobre et en des formules portant déjà la marque d'une forte individualité. Tout comme le philosophe quinquagénaire, le jeune poète est sûr de ses idées, conscient de ses préférences et maître de sa structure. Mais en dépit d'une indéniable filiation de pensée, la forme de leurs *Salons* indique une personnalité, un tempérament bien différents. Baudelaire s'exprime en sentences sérieuses et volontairement dépouillées ; Diderot se laisse volontiers aller à un enjouement bon enfant. Nombre de pages de l'Encyclopédiste sont empreintes d'un humour, d'une verve joyeuse qu'il serait malaisé de retrouver dans la critique du *dandy* dont les traits d'esprit sont plus acerbes. Le ton de l'homme mûr se relâche souvent, est généralement sans cérémonie, alors que celui du jeune homme est toujours tendu et assez distant. Auguste Vitu, dans *La Silhouette* du 20 juillet 1845, écrivait de Baudelaire critique d'art qu'il « possède les allures franches, naïves, la bonhomie cruelle de Diderot dont il a certainement étudié l'œuvre critique ». Certes, Baudelaire, comme son devancier, ne se fait pas faute d'exercer son ironie aux dépens des médiocres, mais cette ironie est plus exacerbée chez le poète, et, à notre avis, dénuée de la bonhomie et de la rondeur de Diderot. Le poète affecte volontiers une attitude plus mordante et caustique que l'auteur du *Salon de 1765*. Comparons par exemple la conclusion du *Salon de 1759* à celle du *Salon de 1845*. Le contenu est identique, mais la présentation différente : « Nous avons beaucoup d'artistes, peu de bons, pas un excellent, ils choisissent de beaux sujets, mais la force leur manque. Ils n'ont ni esprit, ni élévation, ni chaleur, ni imagination » (X, 103). Et voici la formule plus elliptique, d'une brièveté plus intransigeante et catégorique de Baudelaire : « Constatons que tout le monde peint de mieux en mieux, ce qui nous paraît désolant ; — mais d'invention, d'idées, de tempérament, pas davantage qu'avant » (p. 596).

Le ton baudelairien, sa forme personnelle nous semblent être un composé de deux éléments généralement contradictoires, mais constituant chez le poète-critique une fusion harmonieuse et unique : d'une part, une ferveur passionnée et urgente, une profonde sensibilité, et de l'autre, une objectivité détachée et lucide qui complète et corrige les élans d'enthousiasme ou les accès de colère.

Baudelaire ne suit pas l'exemple de son devancier lorsque celui-ci fait montre de sa sensibilité et dépeint avec complaisance l'effet que produit sur son âme telle scène émouvante ou tel « faire » sublime. En effet, Diderot ne nous épargne ni ses cris d'admiration ni ses cris de douleur et, en homme du XVIIIe siècle, n'éprouve aucune honte à faire étalage de ses émotions. A la vue d'une incorrection de dessin dans une composition de La Grenée, il écrit : « Je poussai un cri de douleur comme si j'avais été heurté d'un coup violent » (XI, 61), et un paysage de Vernet lui arrache « un cri d'admiration » et le laisse « immobile et stupéfait » (XI, 128). Au reste, sa facilité à s'attendrir devant les scènes de Greuze est trop connue pour qu'il soit nécessaire d'y revenir. C'est qu'aux yeux du philosophe, une sensibilité qui peut être mise en jeu par l'art « est une si belle qualité ! » (XI, 25). Baudelaire eût sans doute souscrit à cette assertion, mais il préférait plus de retenue.

Si Diderot insiste plus souvent que son successeur sur la puissance d'émotion de la peinture, c'est qu'il appartient à la génération préromantique qui trouve dans l'aptitude à s'émouvoir une source nouvelle de poésie et même de morale. C'est cette propension qui le porte à admirer dans les *Bergers d'Arcadie* de Poussin, outre l'ordonnance noblement harmonieuse du paysage, une scène qui conduit à une douce et mélancolique méditation : « Voyez comme le Poussin est sublime et touchant, lorsqu'à côté d'une scène champêtre, riante, il attache mes yeux sur un tombeau où je lis : *Et in Arcadia ego !* » (XI, 161).

Même dans sa poésie, les épanchements émotifs sans inhibition répugnent au dandysme intérieur de Baudelaire, et lui inspirent la peur d'être dupe de son « romantisme », ce qui ne veut pas dire que l'émotion n'existe point dans ses *Salons,* loin de là. Mais elle est rigoureusement contenue et souvent dissimulée sous un ton ironique. Dans les *Fleurs du Mal,* maints poèmes vibrent du même attendrissement refoulé, de la même émotion austèrement réprimée que certains passages des *Salons.* « Toutes les fois que je sens quelque chose vivement, la peur d'en exagérer l'expression me force à dire cette chose le plus froidement que je peux » (*Correspondance,* I, 352), confesse le poète à sa mère dans une lettre du 20 décembre 1855.

De fait, bien qu'il fasse montre d'une plus grande pudeur que Diderot, Baudelaire n'en estime pas moins que l'art doit comporter une puissance d'émotion, de choc même, ainsi qu'un élément profondément humain. C'est surtout sous cet angle qu'il admire « le drame naturel et vivant » (p. 629) des tableaux de Rembrandt et les monstres de Goya, ces « physionomies étrangement animalisées » (p. 753). Si l'émotivité de Baudelaire est moins tapageuse que celle de Diderot, elle est cependant tout aussi perceptible dans le moindre de ses commentaires critiques.

On a beaucoup parlé du mimétisme de Diderot et de la surprenante facilité avec laquelle il s'identifiait avec les spectacles, les personnages et les problèmes qui l'intéressaient. L'admiration et l'enthousiasme se manifestent chez lui de manière si violente qu'il en sent les effets sur toute sa personne : « Vous, mon ami, qui connaissez si bien l'enthousiasme et son ivresse, dites-moi quelle est la main qui s'était placée sur mon cœur, qui le serrait, qui le rendait alternativement à son ressort, et suscitait dans tout mon corps ce frémissement qui se fait sentir particulièrement à la racine des cheveux, qui semblent alors s'animer et se mouvoir ! » (XI, 129). Or, Baudelaire, quoi qu'il en ait, fait une description semblable de sa réaction devant les vers ciselés de Gautier : « Quand je goûtai pour la première fois aux œuvres de notre poète, la sensation de la touche posée juste, du coup porté droit, me faisait tressaillir, et... l'admiration engendrait en moi une sorte de convulsion nerveuse » (p. 1035). Tous deux, Diderot et Baudelaire, possèdent une sensibilité qui vibre à l'unisson de celle d'autrui, qualité d'ailleurs inhérente au talent du comédien. Rappelons que Diderot, qui continuera à s'intéresser vivement au théâtre et jouera un rôle si important dans le renouvellement des théories du drame, avait rêvé d'une vocation sur les planches. [43] De même, Baudelaire enfant avait voulu se faire comédien. [44]

Cette aptitude à se placer à divers points de vue, non par la froide raison, mais par un processus plus intuitif, fournit au critique un appoint précieux, car elle lui permet de pénétrer le sens profond des styles les plus divergents et les plus éloignés de ses propres préférences. De là, ces analyses pénétrant si justement le caractère de la composition, nous la faisant envisager *du dedans* et non sous un angle purement rationnel et intellectuel. De là, cette sympathie généreuse et toujours renouvelée, ce don mimétique, d'où émergent également des jugements qui, ne procédant pas de quelque logique discursive, donnent rarement dans l'erreur. Les œuvres romancées de Diderot — en particulier *Le Neveu de Rameau* et *La Religieuse* — attestent à quel point il savait s'identifier avec les personnages qu'il choisissait, même lorsqu'ils différaient radicalement de son caractère propre. Quant à Baudelaire, ses émouvants *Tableaux parisiens* montrent qu'il pouvait, lui aussi, se calquer sur autrui. Il est sans doute révélateur qu'à propos des *Petites Vieilles,* Proust, cet autre « mime », note : « Il est dans leurs corps, il frémit avec leurs nerfs, il frissonne avec leur faiblesse... il a tout ressenti, tout compris,... il est la plus frémissante sensibilité, la plus profonde intelligence. » [45]

Cette souple sensibilité et ce don mimétique vont puissamment servir Diderot et Baudelaire dans leur critique d'art. En face d'œuvres d'art, ils réagissent avec au moins le même élan que devant les spectacles de la vie réelle. Plus que quiconque, ils savent se laisser absorber corps et âme dans la contemplation d'un tableau, suivre les contours des formes et permettre aux couleurs de les suggestionner. Mais pareils en ceci au bon comédien qui ne se perd pas entièrement dans son rôle ni ne façonne passivement son esprit selon celui du personnage qu'il joue, nos auteurs permettent rarement à leur enthousiasme de prendre le pas

---

[43] Pour une excellente analyse de cet aspect de Diderot, voir Belaval, *L'Esthétique sans paradoxe de Diderot,* « La Vocation théâtrale ».

[44] « Etant enfant, je voulais être tantôt pape, mais pape militaire, tantôt comédien », peut-on lire dans *Mon Cœur mis à nu* (p. 1228). Il avait également voulu écrire des pièces de théâtre, et ses projets attestent cet intérêt.

[45] Marcel Proust, *Contre Sainte-Beuve,* « Sainte-Beuve et Baudelaire », p. 179. Baudelaire lui-même a expliqué son programme de la manière suivante : « L'auteur des *Fleurs du Mal* a dû, en parfait comédien, façonner son esprit à tous les sophismes comme à toutes les corruptions. » Et Jean Prévost, à propos du « mimétisme » de Baudelaire, commente : « Il commence bien plus qu'eux [Hugo, Lamartine, Vigny, Musset ou Mallarmé] par s'identifier avec son sujet. » *Baudelaire,* p. 109. Pour le « mimétisme » de Diderot, cf. *Quatre Visages de Denis Diderot* par Georges May.

sur leur esprit critique : bien que l'on eût peut-être désiré l'admiration baudelairienne pour Delacroix un peu moins exclusive et la réaction de Diderot vis-à-vis de Greuze un peu plus objective.

Ce vaste registre d'idées et de sentiments, cette capacité d'envisager simultanément les diverses facettes d'une vérité, d'*être* plusieurs personnages à la fois ont valu à Diderot d'être souvent accusé de donner dans la contradiction et le paradoxe. Et c'est le même don d'exprimer les pensées et les impressions les plus dissemblables qui est la cause de l'extraordinaire variété de thèmes et de ton des *Fleurs du Mal.* Si Diderot put goûter à la fois Chardin et Greuze, le noble et austère art classique ainsi que certaines polissonneries typiques du XVIIIe siècle ; si Baudelaire sut défendre avec éloquence le grand art de Delacroix et « la galerie satirique » (p. 737) de Daumier, les silhouettes élégantes de Guys et le charme bucolique d'un Corot, c'est bien parce que nos deux critiques possédaient une rare « mobilité des fibres » et du « diaphragme » (pour parler comme le philosophe) sans laquelle on ne peut être ni bon artiste, ni bon juge.

***

En dépit d'une solide formation mathématique, la pensée de Diderot, surtout en matière esthétique, se trouve fort éloignée du rationalisme abstrait des néo-cartésiens,[46] car c'est par un processus associatif, par des intuitions qui n'ont rien de commun avec « l'esprit de géométrie », ainsi que par des observations directement tirées de l'expérience plastique, que Diderot arrive à quelques-unes de ses théories les plus marquantes. La critique de Baudelaire offre les mêmes caractéristiques : elle procède également par plongées audacieuses dans les sources inconscientes. Mais alors que les connaissances scientifiques de l'Encyclopédiste le portent assez souvent à se référer aux domaines de la physiologie, de l'anatomie et de la physique, à jeter des ponts entre la vérité de l'expérimentation et l'univers plus subjectif de l'imagination poétique, Baudelaire recourt à la psychologie, aux lettres et aux arts lors de la vérification de ses intuitions. Muni d'une formation technique solide, Diderot a acquis l'habitude, durant ses années de travail pour l'*Encyclopédie,* d'envisager les choses sous un angle concret et expérimental. De là cette attention soutenue portée aux problèmes spécifiques de la mise en œuvre artistique, des « ficelles » du métier ; préoccupation qui apporte maintes fois un correctif heureux au moraliste et au philosophe qu'il porte toujours en lui.

Diderot aime à tourner lentement l'objet de son étude afin d'en exposer toutes les facettes sous autant d'angles que possible. Cependant que

---

[46] L'Encyclopédiste a maintes fois opposé la pensée logique et rationnelle du philosophe aux éclairs intuitifs de l'artiste : « L'esprit philosophique veut des comparaisons plus resserrées, plus strictes, plus rigoureuses ; sa marche circonspecte est ennemie du mouvement des figures... Il s'introduit par la raison une exactitude, une précision, une méthode,... une pédanterie qui tue tout » (XI, 131). Baudelaire condamne pour les mêmes raisons la poésie qui se veut philosophique : « A quoi bon la poésie philosophique, puisqu'elle ne vaut ni un article de l'*Encyclopédie,* ni une chanson de Désaugiers » (p. 940).

le poète jette une lumière claire, nette et unie sur les idées qu'il expose, le philosophe varie les éclairages, fait dégrader les contours, varier les formes et les aspects. De là vient que les *Salons* de Diderot semblent, surtout à première vue, moins cohérents, plus prolixes et diffus que ceux de Baudelaire. Par contre, la critique de l'Encyclopédiste possède une gamme d'idées, une abondance et une intensité de vie, une totale absence de hauteur qu'il serait difficile de retrouver ailleurs. Il semble que Baudelaire, précisément à cause de sa jeunesse et de sa nature essentiellement aristocratique, n'ait point voulu se « laisser aller » : et son ton plus impersonnel, plus tranchant, avec, souvent, une légère pointe d'impertinence, porte la marque de sa précocité et de son dandysme.

En général, c'est sur le tard que l'écrivain ou le peintre abandonne certaine rigueur de discipline qu'il s'était imposée ; qu'il permet à sa verve de jaillir sans entrave, ainsi qu'à sa fantaisie de s'exercer librement aux confins de son art. L'on pourrait aisément comparer l'allure des *Salons* de Diderot aux compositions pleines de traits de hardiesse que les grands peintres exécutent lorsqu'ils atteignent la maturité et la plénitude de leur génie, et que, sûrs dorénavant de se connaître euxmêmes, ils se laissent volontiers aller à jouer avec leurs moyens. Plus tendu, plus inquiet de prouver la justesse de ses vues par des démonstrations rigoureuses, Baudelaire, dans sa critique, se révèle un écrivain plus austère que le collaborateur de Grimm.

Certes, l'un et l'autre recherchent la clarté, la simplicité, et évitent l'emphase prétentieuse et affectée parce qu'elle est inintelligente et de mauvais goût. Mais par *simplicité,* chacun entend quelque chose de différent. La simplicité de Diderot réside surtout dans le manque d'apprêt, dans la familiarité du ton ; celle de Baudelaire, dans l'ordre serré de ses développements, dans son art tout classique de la litote. Le philosophe, dont les riches talents lyriques avaient été réprimés pendant ses travaux souvent ingrats pour l'*Encyclopédie,* peut ici donner libre cours à sa sensibilité d'artiste, et, par moments, révèle une véritable nature de poète. Maintes pages, à vrai dire, sont rehaussées de passages qui n'ont qu'un lien bien lâche avec le sujet traité, et où le critique semble avoir suivi le gré de son inspiration plutôt que les exigences du thème traité. Voici, par exemple, une envolée lyrique inspirée par un paysage nocturne de Vernet :

> La nuit dérobe les formes, donne de l'horreur aux bruits ; ne fût-ce que celui d'une feuille, au fond d'une forêt, il met l'imagination en jeu ; ... Prêtres placez vos autels, élevez vos édifices au fond des forêts. Que les plaintes de vos victimes percent les ténèbres. Que vos scènes mystérieuses, théurgiques, sanglantes, ne soient éclairées que de la lueur funeste des torches. La clarté est bonne pour convaincre ; elle ne vaut rien pour émouvoir. ... Poëtes, parlez sans cesse d'éternité, d'infini, d'immensité, du temps, de l'espace, de la divinité, des tombeaux, des mânes, des enfers, d'un ciel obscur, des mers profondes, des forêts obscures, du tonnerre, des éclairs qui déchirent la nue. Soyez ténébreux. Les grands bruits ouïs au loin, la chute des eaux qu'on entend sans les voir, le silence, la solitude, le désert, les ruines, les cavernes, le bruit des tambours voilés, les coups de baguette séparés par des intervalles, les coups

> d'une cloche interrompus et qui se font attendre, le cri des oiseaux nocturnes, celui des bêtes féroces en hiver, pendant la nuit, surtout s'il se mêle au murmure des vents, la plainte d'une femme qui accouche, toute plainte qui cesse et qui reprend, qui reprend avec éclat, et qui finit en s'éteignant ; il y a, dans toutes ces choses, je ne sais quoi de terrible, de grand et d'obscur. (XI, 147).

Lisons ces lignes pour y percevoir la puissante et suggestive cadence des mots, les effets rythmiques et phoniques, le recours à l'incantation et à l'évocation qui en font une sorte de poème en prose avant la lettre. Tout lecteur de Baudelaire, tant soit peu sensible aux formes individuelles et aux structures reconnaissables du poète, aura sans doute remarqué d'après ce passage qu'il y avait chez notre philosophe l'étoffe d'un grand poète.

Bien que l'on puisse retrouver de nombreux prolongements des *Salons* de Baudelaire dans les *Fleurs du Mal,* il n'a jamais considéré sa critique comme un prétexte à faire de la poésie. Il y cherche avant tout à s'expliquer de manière satisfaisante les lois qui régissent la création artistique, les divergences de style qu'il remarque parmi les artistes contemporains. Pour ce qui est de la poésie, il réserve cet exercice à ses poèmes. Il est remarquable à quel point, dans sa critique et sa prose en général, Baudelaire montre un souci constant de mesure et d'objectivité, usant d'une forme serrée, et n'orchestrant ses images et ses rythmes qu'en sourdine. Si certains élans lyriques ou certaines métaphores d'une grande richesse associative rehaussent ses développements compacts, il semble que ce soit presque par une intention subconsciente qu'ils aient échappé à sa plume.

Chose intéressante, alors que l'Encyclopédiste réserve à sa critique d'art ses dons réels de poète refoulés à l'arrière-plan dans ses ouvrages plus techniques, Baudelaire, dans ses *Salons,* développe une aptitude d'analyste presque scientifique dans son objectivité ; non pas une impartialité froide, mais chaleureuse et compréhensive. Asselineau a d'ailleurs relevé ce trait dans le caractère du poète, puisque, dans son *Baudelaire,* il écrit : « en lui l'artiste se doublait d'un philosophe, et... le philosophe dominait. » [47] Au surplus, il existe une réelle divergence de ton entre Baudelaire poète et Baudelaire critique, ou, si l'on préfère, philosophe. Pour illustrer cette différence, confrontons le Delacroix des *Phares* à celui des *Salons.* Le premier est complètement métamorphosé, Baudelaire poète donnant libre essor à son imagination et s'appropriant uniquement les éléments susceptibles de mettre en valeur l'expressivité de sa description. Il déforme même certains aspects en vue de les adapter au caractère du poème. De la somptueuse palette du peintre, il ne conserve que le rouge et le vert, une combinaison qui a le don de produire sur sa sensibilité « une douleur délicieuse » (p. 615). [48]

---

[47] Asselineau, *op. cit.,* p. 75.

[48] Dans son essai *De la Couleur.* il évoque « devant *sa* fenêtre un cabaret mi-parti de vert et de rouges crus, qui étaient pour *ses* yeux une douleur délicieuse » (p. 615).

Delacroix, lac de sang hanté des mauvais anges,
Ombragé par un bois de sapins toujours vert,
Où, sous un ciel chagrin, des fanfares étranges,
Passent, comme un soupir étouffé de Weber.

Baudelaire lui-même n'ignorait point que ces vers constituaient une transposition poétique très subjective, puisque, dans son *Exposition universelle de 1855,* ne pouvant résister à la tentation de citer cette belle strophe (rarement il mentionne le fait qu'il est poète dans sa critique), il s'excuse en ces termes : « Un poète a essayé d'exprimer ces sensations subtiles dans des vers dont la sincérité peut faire passer la bizarrerie » (p. 708). Notons l'emploi de l'article indéfini devant le mot « poète » prévenant la confusion entre deux activités bien distinctes.

Le critique de 1846 s'astreint à une fidélité scrupuleuse au caractère propre des compositions dont il rend compte et ne confond point son univers avec celui des peintres ; dans son œuvre poétique, ce souci rigoureux de la vérité plastique disparaît en faveur d'une refonte très personnelle et essentiellement littéraire. S'il a écrit que « le meilleur compte rendu d'un tableau pourra être un sonnet ou une élégie » (p. 608), gardons-nous d'interpréter cette pensée littéralement. Certes, la critique poétique est un exercice créateur au sens le plus réel du terme, mais elle ne fait état ni de l'analyse des procédés techniques, ni de la recherche objective des principes fondamentaux de la plastique. L'auteur des *Phares* lui-même a tenu à séparer ces deux genres de critique puisqu'il a conseillé aux poètes de destiner leurs sonnets ou élégies critiques aux « recueils de poésie » (p. 608).

La rédaction des *Salons* a donc fourni à Diderot et à Baudelaire l'occasion de développer des dons qui, sans eux, fussent sans doute demeurés en friche. Effet imprévu de l'expérience plastique sur un philosophe et un poète... Cependant que celui-ci, devant l'éloquence des images, apprend à « philosopher » sur l'esthétique, celui-là, en se soumettant à l'effet de la peinture, devient par moments le poète qu'il eût pu être si son génie ne se fût épanoui à un des moments les plus « engagés » de l'histoire.

Il est révélateur que nos deux critiques tiennent cette partie de leur œuvre en haute estime. Diderot en donne cette appréciation à Sophie Volland : « C'est certainement la meilleure chose que j'ai faite », [49] et Baudelaire confie à Julien Lemer son espoir que « ces articles, inconnus pour la plupart », sauraient « montrer ce qu'*il a* su faire, en matière de critique » (Lettre du 3 février 1865, *Correspondance,* IV, 19). [50]

---

[49] *Lettres à Sophie Volland,* lettre du 10 novembre 1765, II, 81.

[50] Tout au long de sa carrière littéraire, Baudelaire continuera à réviser et à corriger ses essais critiques. Diderot avait tenu à ce que sa critique fût aussi parfaite que possible puisqu'il écrivait à Grimm : « Ne brûlez pas l'original [des *Salons*] parce qu'il me servira pour collationner, vos scribes étant sujets à passer des mots, et quelquefois des lignes. » (Cité par J. Seznec, « Les *Salons* de Diderot », *Harvard Library Bulletin,* p. 272.)

CHAPITRE V

PEINTURE ET LANGAGE : MÉTHODES DE DESCRIPTION

> Dans un artiste le critique est toujours égal au poète.
>
> Victor HUGO.
>
> Il est mieux qu'il y ait dans le critique un poète.
>
> SAINTE-BEUVE.

La nature étant fondamentalement harmonieuse et une pour Diderot, et pour Baudelaire un réceptacle de correspondances qu'il appartient au poète de déchiffrer, il s'ensuit que la transposition d'impressions visuelles en langage écrit devait présenter un grand attrait pour nos critiques, une occasion d'opérer une confrontation entre certains problèmes plastiques, littéraires et musicaux. De plus, au cours de leurs descriptions de tableaux, [1] ces virtuoses du style pouvaient expérimenter les possibilités expressives de la langue et y incorporer avec goût et modération les termes techniques appris dans les ateliers. En fusionnant les divers éléments qui constituent leurs impressions, en opérant un choix judicieux, en faisant un usage brillant et créateur de la parole écrite, chacun a élaboré une langue critique qui se moule étroitement sur l'expression picturale.

Conscient du décalage qui sépare l'expérience déterminante des signes symboliques au moyen desquels le créateur reconstitue cette expérience, Diderot a constamment tenté de diminuer ce décalage et de faire de son style l'équivalent lumineux, non quelque pâle reflet, de

---

[1] Nos salonniers sont considérablement plus brefs dans leurs examens de la sculpture. Ceci s'explique sans doute du fait que le dix-huitième siècle ainsi que le dix-neuvième comptent peu de statuaires réellement marquants : « Aujourd'hui, il y a un très-grand nombre d'excellents tableaux », note Diderot, « et l'on a bientôt compté toutes les excellentes statues » (XIII, 40). Cette observation peut également s'appliquer à la Monarchie de Juillet et au Second Empire... En outre, l'absence, dans la partie des *Salons* que nos écrivains ont consacrée à la sculpture, de ces transpositions poétiques qui caractérisent leur critique picturale, atteste qu'ils étaient moins à l'aise sur le terrain sculptural.

l'expérience plastique. En évitant l'emploi gratuit de termes abstraits,[2] de métaphores réduites en clichés par un usage abusif, en dotant son langage d'éléments spécifiques, techniques et même argotiques, en conférant à ses développements un ton tour à tour lyrique, familier, rond, taquin, sérieux ou élevé, il a assoupli et enrichi les moyens d'expression de la langue écrite et créé un style critique.[3] C'est sans doute parce qu'il n'a pas hésité à se servir de termes et de tours qui étaient considérés comme l'apanage exclusif de la conversation qu'on lui a si facilement appliqué l'injuste et trop fameux « il écrit comme il parle ».[4] Il faut reconnaître d'ailleurs que cette appréciation n'était pas entièrement sans fondement puisque les brillantes improvisations verbales amenaient naturellement ses contemporains à considérer ses écrits comme des espèces de conversations notées au courant de la plume. C'est seulement à l'aide d'inédits récemment mis au jour qu'il a été irréfutablement prouvé que l'auteur de *La Religieuse,* hanté par le souci de la forme, ne cessait de corriger ses manuscrits.[5] Cette langue dont il avait généreusement enrichi le clavier en usant du registre tant familier que poétique, Diderot devait l'appliquer avec succès à ses descriptions critiques, et celles-ci attestent à quel point il tenait compte de la consonance d'un mot, de l'enchaînement d'une métaphore, de la cadence d'une phrase.

C'est par l'élaboration consciente d'un style, et non par l'effet d'une transcription quasi sténographique de la conversation courante, que Diderot est parvenu à donner à ses pensées les plus complexes, les plus techniques, les intonations mêmes d'une plaisante causerie entre amis au coin du feu. Lorsqu'il s'exprime sur un ton familier et intime, ce n'est pas seulement parce qu'il envisage un style relâché et digressif comme le plus propre à traduire ses idées et la variété de ses sensa-

---

[2] Voir *Diderot Studies II* par Norman L. Torrey et Otis E. Fellows (Syracuse University Press, 1952) : « The general avoidance of abstract terms... is perhaps the most distinguishing character of his literary style », p. 12. A ceci on pourrait sans doute ajouter la recherche constante d'équivalences qui fait de Diderot le précurseur de la théorie des correspondances de Baudelaire et de la reviviscence intégrale du passé de Marcel Proust.

[3] Il n'entre point dans notre propos d'analyser les théories du langage de Diderot qui n'ont point une incidence directe sur sa critique d'art. Pour des études du style de Diderot, nous renvoyons le lecteur aux monographies suivantes : « The Composition and Publication of *Les Deux Amis de Bourbonne* » par Edward J. Geary dans *Diderot Studies I* (Syracuse University Press, 1949) ; « The Préface-Annexe of *La Religieuse* », par H. Dieckmann dans *Diderot Studies II* ; « Diderot et la notion de style », par Boutet de Monvel, RHL, LI (1951) ; *Diderot's Imagery,* par Eric Steel ; *Diderot and Sterne,* « Fictional Theories and Practices », par Alice G. Fredman ; *Linguistics and Literary History,* « The Style of Diderot », par Leo Spitzer, etc.

[4] Même dans la plus récente édition de la *Correspondance* de Diderot, établie par Georges Roth (Les Editions de Minuit, 1955), l'on peut lire : « Diderot écrit comme il parlait », p. 15.

[5] A ce propos, l'essai intitulé « Sur ma manière de travailler », dans les *Conseils et Confidences d'un Philosophe à une Impératrice,* nous donne des renseignements précieux. Voir aussi « The Préface-Annexe of *La Religieuse* », par H. Dieckmann dans *Diderot Studies II.*

tions ; c'est aussi parce qu'il espère réaliser un idiome original qui supplée aux insuffisances du langage écrit par les accents à la fois communs et uniques de la langue parlée.

A la différence de Baudelaire, dont le style est presque toujours « écrit », Diderot cajole, réprimande, surprend et se moque tour à tour de son lecteur, lui donnant l'impression qu'il est de connivence avec lui dans une aventure toute personnelle. La prose baudelairienne, quant à elle, trahit une plus grande tension, une énergie moins exubérante, un tempérament plus solitaire que celle de l'affable et grégaire Encyclopédiste.[6]

Le poète s'inspirera, surtout à ses débuts, des procédés de Diderot, mais en dépit de cette influence, visible surtout dans son premier *Salon,* il élaborera bientôt sa propre forme qui se sépare par d'intéressantes divergences de celle du maître conteur.

Baudelaire n'est pas, comme Diderot, Gautier ou les Goncourt,[7] particulièrement à son aise dans la narration. L'art de conter une anecdote apparemment digressive, de relater un épisode à la fois discursif et révélateur, de rehausser le ton d'un développement par quelque histoire haute en couleurs, ne fait pas partie de son instrument de poète. Il peut évoquer, suggérer, provoquer le rêve ou la réflexion, analyser, synthétiser. Il peut, s'il le juge nécessaire, relever son développement par une historiette révélatrice, mais il la cernera d'un trait exact et ferme, se limitant à l'exposition des faits absolument essentiels à l'entendement de son propos. Il ne semble guère obsédé par le désir de varier constamment sa présentation afin d'amuser le lecteur et de lui fournir des intermèdes — un des soucis primordiaux de Diderot, comme nous le verrons plus loin — et les transcriptions fidèlement objectives de tableaux ne l'attirent guère. Le style de Baudelaire se rapproche davantage de la phrase nette, incisive de Delacroix, cet admirateur de Voltaire ;[8] celui de Diderot évoque plutôt le manque délibéré d'apprêt et de cérémonie, le tour familier et terre-à-terre du Montaigne des derniers *Essais.*

---

[6] L'on sait que sa nature si abordable l'amenait à ne pouvoir se débarrasser des fâcheux qui encombraient constamment sa maison et le dérangeaient de son travail. Il aimait d'ailleurs partager ses idées et ses plaisirs avec ses amis : « Un plaisir, qui n'est que pour moi, me touche faiblement et dure peu », confesse-t-il dans son *Salon de 1767* (XI, 115) et il ajoute : « c'est pour moi et mes amis que je lis, que je réfléchis, que j'écris, que je médite, que j'entends, que je regarde, que je sens ».

[7] D'ailleurs *L'Art du dix-huitième siècle* des Goncourt portent indubitablement la marque des *Salons* de Diderot, lesquels sont fréquemment cités, paraphrasés ou mentionnés.

[8] Le nom de Voltaire revient souvent sous la plume de l'auteur du *Journal.* D'autre part, il est révélateur que Baudelaire loue de manière enthousiaste le style écrit de Delacroix, à cause de sa concision et de sa concentration (p. 866). Bien entendu, le poète n'a pas eu l'occasion d'étudier le *Journal,* paru après la mort de l'artiste ; mais il base ses réflexions sur les catalogues rédigés par Delacroix ainsi que sur ses articles parus dans la *Revue de Paris* et la *Revue des Deux-Mondes.*

Pourquoi Baudelaire écrit-il en une prose plus compacte, moins abondante et détaillée que Diderot ? C'est que poète, il préfère resserrer ses effets, les concentrer en des termes chargés d'une grande expressivité; ne dire que ce qui est nécessaire à la compréhension d'une idée. [9] En se forgeant patiemment et avec amour son instrument de poète, il a appris à ne s'attacher qu'au trait caractéristique, et à laisser une large part à l'imagination du lecteur.

Il s'ensuit chez Baudelaire critique d'art, une certaine impatience qui l'empêche de reconstruire de manière détaillée ce qu'il a vu : sa vision ne semble plus enregistrer que le ton dominant d'une composition. Même lorsqu'un artiste a représenté des thèmes chers à son cœur, le poète s'astreint à transposer seulement les traits marquants. Voici, par exemple, comment il rend compte de l'œuvre de Méryon, aquafortiste qui s'était spécialisé dans le traitement de scènes parisiennes :

> Nous avons rarement vu, représentée avec plus de poésie, la solennité naturelle d'une grande capitale. Les majestés de la pierre accumulée, les *clochers montrant du doigt le ciel,* les obélisques de l'industrie vomissant contre le firmament leurs coalitions de fumées, les prodigieux échafaudages des monuments en réparation, appliquant sur le corps solide de l'architecture leur architecture à jour d'une beauté arachnéenne et paradoxale, le ciel brumeux, chargé de colère et de rancune, la profondeur des perspectives augmentée par la pensée des drames qui y sont contenus, aucun des éléments complexes dont se compose le douloureux et glorieux décor de la civilisation n'y est oublié (p. 848).

A une époque où les moyens de diffusion photographique ne pouvaient compléter et rehausser l'essai critique, l'intérêt de descriptions de cet ordre dépendait entièrement du talent de l'écrivain. Mais tandis que le peintre possède de riches moyens et se crée un monde à plusieurs dimensions — perspective, couleurs, dessin, etc. — le critique n'est maître que de l'austère caractère imprimé sur la neutre blancheur de la page. Diderot, d'une grande modestie en cette matière, s'est plaint à plusieurs reprises de la supériorité du moindre croquis sur sa description la plus minutieuse :

> Une esquisse... suffirait pour vous indiquer la disposition générale, les lumières, les ombres, la position des figures, leur action, les masses, les groupes, cette ligne de liaison qui serpente et enchaîne les différentes parties de la composition ; vous liriez ma description, et vous auriez ce croquis sous les yeux ; il m'épargnerait beaucoup de mots ; et vous entendriez davantage (XI, 4). [10]

Sous la plume de nos deux magiciens, ces obstacles mêmes se sont transformés en avantages car, faute d'illustrations, l'un et l'autre se

---

[9] Quant à son habitude de rendre en caractères italiques les termes-clefs de ses développements, Baudelaire la tient certainement de Stendhal qui rehaussait de cette façon les expressions qu'il désirait mettre en relief.

[10] « Que l'on convienne de la nécessité d'un croquis », se plaint-il aussi dans son *Salon de 1767* (XI, 248), et dans le même *Salon* l'on peut lire : « La meilleure description dit si peu de chose ! » (XI, 285). Qu'eût-il dit à la vue des livres d'art actuels si somptueusement illustrés ?

sont ingéniés à transposer la jouissance que leur procurait l'organisation cohérente de formes et de couleurs en une jouissance parallèle procédant du style. Il s'agissait en somme de suggérer la brillante palette du peintre au moyen de la palette plus sobre de l'écrivain.

Mais la langue, quelque supérieur qu'en soit le maniement, ne saurait correspondre à toute la complexe variété des tons et des schèmes plastiques. Il fallait donc tenter de combler les lacunes en cherchant des équivalences, non seulement dans la signification des termes employés, mais aussi dans la répétition expressive, dans la progression, la cadence et l'ordonnance des rythmes verbaux. Diderot en particulier excelle dans ce genre de critique « auditive » : « Je me rappelle deux paysages de feu Deshays, dont je ne vous ai rien dit », écrit-il dans son *Salon de 1765* (X, 304), « c'est que ce n'est rien ; c'est qu'ils sont *tous les deux d'un dur,* aussi dur... que ces derniers mots », [11] ajoute-t-il, se fiant pour compléter sa pensée à l'effet que produira la succession de consonnes dentales sur la sensibilité auditive du lecteur. Ailleurs, voici comment il amorce sa description d'une scène libertine de Baudouin : « La scène est dans la cave. La fille et son doux ami en étaient sur un point, sur un point ... C'est dire assez que ne le dire point ... lorsque la mère est arrivée justement, justement ... C'est dire encore ceci bien clairement » (X, 334).

Comme Diderot se propose de décrire les tableaux aussi fidèlement que possible et de telle manière « qu'avec un peu d'imagination et de goût », on puisse les réaliser « dans l'espace », et y poser « les objets à peu près comme nous les avons vus sur la toile » (X, 236), il s'ensuit que les compositions riches en groupements complexes de personnages et d'objets, réclameront un art particulier de la transposition et de l'organisation. Il est évident, par exemple, que les pastorales charmantes mais surchargées de Boucher l'amusent énormément, car elles lui offrent l'occasion de recourir à ses ressources de virtuose du style. Et c'est avec un brio digne de celui du grand décorateur rococo, qu'il traduit en « pyramidant » ses propositions, l'accumulation gracieuse, quoique souvent forcenée, de bergers, bergères et accessoires de toutes sortes dans les compositions de ce peintre :

> Au centre de la toile, une bergère, Catinon en petit chapeau, qui conduit un âne ; on ne voit que la tête et le dos de l'animal. Sur ce dos d'âne, des hardes, du bagage, un chaudron. La femme tient de la main gauche le licou de la bête ; de l'autre elle porte un panier de fleurs. Ses yeux sont attachés sur un berger assis à droite. Ce grand dénicheur de merles est à terre ; il a sur ses genoux une cage ; sur la cage, il y a de petits oiseaux. Derrière ce berger, plus sur le fond, un petit paysan debout, qui jette de l'herbe aux petits oiseaux. Au-dessus du berger, son chien ; au-dessus du petit paysan, plus encore sur le fond, une fabrique de pierre, [12] de plâtre et de solives, une espèce de bergerie,

---

[11] C'est nous qui soulignons.

[12] « Fabrique » au dix-huitième siècle indique quelque construction : palais, temple, monument, ruines, etc., et, selon Brunot, « est un des éléments constituants du paysage, particulièrement du paysage historique » *Histoire de la*

plantée là on ne sait comment. Autour de l'âne, des moutons ; vers la gauche, derrière la bergère, une barricade rustique, un ruisseau, des arbres, du paysage. Derrière la bergerie, des arbres et du paysage. Au bas, sur le devant, tout à fait à gauche, encore une chèvre et des moutons, et tout cela pêle-mêle à plaisir. (X, 260).

La langue noble et classique, telle que l'a léguée le XVIIe siècle, est trop abstraite pour rendre en une imagerie adéquate les effets picturaux. Aussi, avec le développement de la critique d'art au XVIIIe siècle, assistons-nous à un enrichissement considérable de la langue. Brunot a déjà noté « cette montée de mots à la fois techniques et populaires dans la langue des critiques »,[13] mais il est révélateur que ce soient les *Salons* de Diderot qu'il cite le plus abondamment dans son *Histoire de la langue française* pour illustrer des novations audacieuses, aventurières, plaisantes, ou des emplois de mots tout récemment mis en circulation parmi les connaisseurs.[14]

Par son emploi de petites touches vigoureuses, par la préférence qu'il accordait à la phrase courte et concrète sur la longue période d'origine latine, Diderot fut le premier à appliquer à la théorie artistique un style impressionniste et moderne. Assurément, sa formation classique était trop solide pour qu'il rejetât à tout jamais le mouvement ample, majestueux et noble de la période cicéronienne. Il s'en sert à l'occasion, mais c'est pour fournir un contraste plus frappant avec des phrases au mouvement bref et vif, possédant la saveur du langage parlé.[15] De plus, ses périodes, lorsqu'il en use, n'ont plus le ton sévèrement moral ou psychologique d'un Bossuet ; elles sont plutôt empreintes d'un caractère lyrique qui préfigure la phrase richement sertie d'un Chateaubriand, ainsi que les cadences des poètes romantiques.

Il suffit de lire n'importe quel passage des théories critiques de l'abbé Batteux pour se rendre compte du chemin parcouru des *Beaux-Arts réduits à un même principe* (1746) à l'*Essai sur la peinture* (1765). Et n'oublions pas qu'en 1750 encore, Baumgarten publiait son *Esthétique* en latin. Diderot devait, lui aussi, dégager le style critique de toute lourdeur pédantesque, ainsi que des élucubrations abstraites qui n'ont rien à voir avec ce que se propose de faire l'artiste devant son chevalet. Confiant ses idées et ses impressions au papier à l'aide de traits fermes

---

langue française des origines à 1900, Vol. 6, *Le dix-huitième siècle,* p. 719. « Fabrique » ainsi compris apparaît souvent dans les descriptions de paysages de Diderot.

[13] *Ibid.*, p. 784.

[14] Voir *Ibid.*, pp. 743-806.

[15] Dans son Introduction au *Supplément au voyage de Bougainville,* Herbert Dieckmann observe que « la langue du *Supplément* montre de temps en temps un curieux mélange de termes nobles et abstraits, dans la tradition du grand style du dix-septième siècle, et de mots ou de tours du style de la conversation » (p. CLIII). L'on peut appliquer cette remarque aux *Salons.* Cependant, au lieu de voir dans cette convergence de styles « un manque de raffinement et de discipline du style » (p. CLIII), comme H. Dieckmann, nous sommes plutôt porté à y trouver un équilibre réussi, une tension dynamique ; résultat d'une recherche délibérée et méditée de la variété dans la forme.

⁂

Certains ont reproché au style de Diderot et de Baudelaire d'être quelquefois cru et vulgaire.[18] Mais c'est oublier que les auteurs de *Jacques le Fataliste* et des *Fleurs du Mal* n'ont jamais reculé devant l'emploi d'une expression si celle-ci se moulait bien sur une pensée ou sur un aspect du réel à mettre en relief. Comme tous les grands esprits, nos salonniers ne sont pas des natures pudibondes ou excessivement délicates, et un caractère important de leur originalité stylistique est cette totale absence de timidité, de traditionalisme dans le maniement des mots. En outre, leur haute conception du rôle de l'art se traduit de manière brutale lorsqu'ils s'aperçoivent que la sottise de quelque rapin ou le commercialisme de quelque « fabricant » de peinture à la mode risquent d'obscurcir cet idéal à la fois sacré et fragile.

Outragé par la manière mesquine dont un peintre a traité le thème biblique du bon Samaritain, Diderot fait la sortie suivante : « Mais est-ce qu'on tente ce sujet-là, quand on est une pierre ?... Monsieur Briard, ne faites plus de Samaritain : ne faites plus rien ; faites des souliers » (X, 360). Et dans son *Salon de 1845,* Baudelaire se moque d'un rapin qui a les mêmes ambitions et la même médiocrité que le « Monsieur Briard » : « Tant qu'il ne s'agissait que de peindre des femmes solfiant de la musique romantique dans un bateau, ça allait... mais cette année, M. Gleyre, voulant peindre des apôtres, — des apôtres, M. Gleyre ! — n'a pas pu triompher de sa propre peinture » (p. 574). Un autre facteur contribue à rendre les invectives de nos critiques pittoresques et pleines de verdeur ; le fait que leurs façons d'écrire reflètent directement la langue énergique des ateliers, émaillée de tournures populaires.

Voici en quels termes vigoureux Diderot dépeint Hélène, telle que Challe la représente dans une de ses ambitieuses machines historiques : « Hélène est pâle, blafarde, tirée, sucée, l'air d'une catin usée et malsaine. Je veux mourir si je me fiais à cette femme ; elle a des taches verdâtres et livides » (X, 298). Si ce genre d'allusion peut blesser les délicats, il faut du moins reconnaître que l'effet en est suggestif à souhait... « L'Angélique est une petite tripière », s'écrie ailleurs notre philosophe dans une de ses boutades contre Boucher. « O le vilain mot ! » ajoute-t-il, « mais il peint : dessin rond, mou et chairs flasques. Cet homme ne prend le pinceau que pour me montrer des tétons et des fesses. Je suis bien aise d'en voir ; mais je ne puis souffrir qu'on me les montre » (X, 260).

---

[18] Voir Brunot, *op. cit.* : « Les mots crus, sales mêmes, abondent dans sa critique. *Cuisses* ou *seins* et, à la *rigueur, fesses, tétons* (Voir *Sal., 1765* X, 260 et 280) s'imposaient, c'étaient des mots de métier. Mais combien d'autres qui eussent pu être plus modestes » (p. 803). Et Charles Brunier, dans *La Démocratie pacifique* (7 mai 1845), émet ce jugement sur le *Salon de 1845* de Baudelaire : « La crudité de style... empêche de dire tout le bien que nous en pensons... Il est des expressions qu'on blâme même chez Diderot. » Cité par Jean Pommier, *op. cit.*, p. 258.

Usant d'un langage en général plus modéré que celui de Diderot, Baudelaire a cependant recours aux gros mots lorsque la colère lui fait oublier sa retenue habituelle ; et en pareil cas, il excelle à malmener les mauvais peintres par des épithètes méprisantes. En face des peintures d'un certain Saint-Jean, il procède à l'éreintement suivant : « M. Saint-Jean, qui fait, dit-on, les délices et la gloire de la ville de Lyon, n'obtiendra jamais qu'un médiocre succès dans un pays de peintres. ... Depuis longtemps la couleur générale des tableaux de M. Saint-Jean est jaune et pisseuse » (p. 670). Mais c'est Horace Vernet, peintre de compositions militaires, jouissant d'un immense succès, quoique rappelant sans doute au poète le souvenir pénible de l'idéal de son beau-père, le général Aupick, c'est Horace Vernet, disons-nous, qui a le don d'exciter chez lui un violent emportement de fureur : « M. Horace Vernet est un militaire qui fait de la peinture. — Je hais l'armée, la force armée, et tout ce qui traîne des armes bruyantes dans un lieu pacifique. ... Je hais cet homme parce que ses tableaux ne sont point de la peinture, mais une masturbation agile et fréquente, une irritation de l'épiderme français » (p. 656). Se rendant compte que sa tirade pourrait offusquer nombre de lecteurs, il se justifie après coup en déclarant que, à l'encontre des partisans de « la ligne courbe en matière d'éreintage », il préfère, quant à lui, être « brutal et... aller droit au fait » (p. 657).

Particulièrement sensibles à la manière dont l'artiste applique le pigment coloré sur la toile, Diderot et Baudelaire reprennent rudement les mauvais coloristes : « On dirait que vous avez barbouillé cette toile d'une tasse de glace aux pistaches » (X, 269), lance l'Encyclopédiste à l'adresse de Hallé ; et Ary Scheffer reçoit ce compliment de la plume de Baudelaire : « C'est un poète sentimental qui salit des toiles » (p. 603), lesquelles font l'effet de « tableaux de M. Delaroche, lavés par les grandes pluies » (p. 661).

A la condition de ne pas être excessivement prude, on accepte tout naturellement les métaphores les plus hardies, les tours les plus populaires ou les termes pleins de verdeur car, loin d'être gratuit, l'emploi en est toujours suggestif et efficace.

*
**

Là où les trouvailles abondent dans les *Salons* de nos deux critiques, c'est dans l'alliance de mots, dans les formules heureuses et dans les métaphores qui mettent la terminologie musicale à contribution. Procédés révélateurs car ils témoignent d'un effort pour reculer les limites de l'instrument critique et souligner les rapports qui relient les sensations dépendant de l'ouïe et celles de la vue. [19]

---

[19] Dans « Les *Salons* de Diderot », chapitre de son livre *Dans les chemins de Baudelaire,* Pommier indique également cette similitude entre nos deux critiques, mais nous tentons ici de pousser plus loin l'analyse des procédés employés, leurs origines et leurs conséquences...

En se servant à maintes reprises de ce procédé, l'auteur du *Salon de 1765* a indiqué la voie à suivre et s'est montré l'annonciateur direct d'un des aspects les plus saillants de la critique baudelairienne. Bien que l'emploi de métaphores d'origine musicale remonte au XVIIe siècle et à Roger de Piles (1635-1709), [20] les nombreuses allusions à la musique qui se trouvent dans les *Salons* de Diderot sont d'une nature plus technique et témoignent d'une connaissance plus approfondie de cet art que celles des devanciers ou des contemporains. Il en résulte des transpositions sensorielles obéissant à un mécanisme plus complexe que celles que l'on peut relever chez des prédécesseurs. Dans un même ordre d'idées, si des « intermédiaires » tels que Stendhal et Gautier acceptèrent et notèrent quelques-unes de ces analogies, ils ne les soulignèrent point de manière aussi continue que le critique de 1765. L'accent mis sur les similitudes entre la musique et la peinture dans les *Salons* de Diderot marque la première étape importante d'une orientation nouvelle qui, au lieu d'envisager la plastique sous l'angle littéraire, verra en elle une opération plutôt évocatrice que descriptive, et aboutira aux théories esthétiques des symbolistes.

Dans ses descriptions de tableaux, Diderot aime à conjuguer une impression visuelle et une auditive. Une composition de Casanove lui plaît parce qu' « il n'y a ici ni éclat, ni tumulte, ni fracas de couleur et de figuer » (XI, 182). Dépeignant le *Corésus et Callirhoé* de Fragonard, il se montre particulièrement sensible à l'éclairage dans lequel baignent les personnages : « Vous auriez vu la masse de cette lumière, forte d'abord, se dégrader avec une vitesse et un art surprenants : vous en auriez remarqué les échos se jouant supérieurement entre les figures » (X, 405). [21] Par contre, Boucher provoque cette appréciation peu flatteuse : « Quel tapage d'objets disparates ! » (X, 112). [22] L'unité supérieure des tons éveille chez le co-auteur (avec Bemetzrieder) des *Leçons*

---

[20] Voir Ferdinand Brunot, *Histoire de la langue française,* Vol. VI, p. 708-709. D'ailleurs « les rapports entre les deux arts avaient été vus et mis à profit en Italie dès le XVe siècle ». (p. 709). Voir aussi le « clavecin oculaire » du P. Castel dans le *Journal de Trévoux* en 1735.

[21] Craignant que cette formule audacieuse ne demeurât obscure aux lecteurs de la *Correspondance littéraire,* Grimm crut devoir l'expliciter dans la note suivante : « Au reste, un écho est un son réfléchi : un écho de lumière est une lumière réfléchie. Ainsi une lumière qui tombe fortement sur un corps, d'où elle est renvoyée sur un autre, lequel en est assez vivement éclairé pour la réfléchir sur un troisième, et de ce troisième sur un quatrième, etc., forme sur ces différents objets des échos, comme un son qui va se répétant de montagne en montagne » (X, 407). Diderot reprendra la même expression dans son *Essai sur la peinture* : « Le difficile, c'est la dispensation juste de la lumière et des ombres... ce sont les échos, les reflets de toutes ces lumières les unes sur les autres » (X, 477).

[22] Voir aussi *Salon de 1765* : « Toutes ses compositions font aux yeux un tapage insupportable. C'est le plus mortel ennemi du silence que je connaisse » (X, 257). Et d'une *Chaste Suzanne* de Carle Van Loo, il écrit : « Sur le devant. un canal d'où jaillit vers la droite un petit jet d'eau mesquin, de mauvais goût, et qui rompt le silence » (X, 244).

de Clavecin des idées de compositions musicales. De même, les désaccords de couleurs, leur emploi outré ou peu judicieux lui rappellent la sensation désagréable d'une cacophonie de sons. Critiquant le manque d'harmonie[23] d'un *Saint Thomas* d'Amédée Van Loo, il note : « Rien n'est mal, ni le saint, ni les livres, ni les chaises, ni le pupitre, mais tout est discordant » (X, 192). « Le tout est un modèle de dissonance et d'inharmonie à proposer aux élèves » (X, 298), est sa conclusion à une description d'une toile de Challe ; et dans le même *Salon de 1765,* il loue le coloris de Vernet en ces termes : « Il n'est pas permis à tout peintre d'opposer ainsi des phénomènes aussi discordants, et d'être harmonieux » (X, 314). En analysant le faire large et « heurté » du coloriste qui, évitant la fonte des tons, place des touches de couleur presque pure les unes à côté des autres en vue de produire un effet qui se reconstitue à une certaine distance de la toile, il s'exclame : « Quel travail que celui d'introduire entre une infinité de chocs fiers et vigoureux une harmonie générale qui les lie. ... Quelle multitude de dissonances visuelles à préparer et à adoucir ! » (X, 200). Ces exemples prouvent que Diderot, en véritable pré-romantique, a pratiqué des transpositions frappantes — surtout à son époque — par leur audacieuse expressivité.

Pour Baudelaire, la métaphore musicale devait avoir une importance spéciale car, avant Verlaine, Rimbaud et Mallarmé, il s'était proposé d'incorporer la synesthésie au domaine poétique. L'auteur de *Correspondances* fera donc un usage aussi constant que son prédécesseur de ces trouvailles inspirées d'un autre ordre sensoriel. Il ira encore plus loin en *concentrant* davantage ses transpositions afin d'en rehausser la force expressive, et d'un procédé il fera un art, une mystique même...

Diderot avait déjà appliqué l'adjectif « sourd » au coloris, mais dans un sens péjoratif : « Ce tableau [*Une Marche d'armée* de Casanove] est sombre, il est terne, il est *sourd* » (X, 329). Baudelaire reprend la même épithète, non plus pour critiquer un défaut de style, mais pour caractériser le coloris particulier de Delacroix : « Cette couleur est d'une science incomparable, ... ce ne sont que tours de force — tours de force invisibles à l'œil inattentif, car l'harmonie est *sourde* et profonde » (p. 560).

C'est dans son essai *De la Couleur,* où abondent les parallèles avec la critique de Diderot, que Baudelaire se réfère le plus abondamment aux rapports entre l'harmonie musicale et picturale. Nous ne sommes donc pas trop surpris d'y découvrir jusqu'à l'expression « écho de la lumière », (qui a dû frapper le poète) ainsi que d'autres tours, lesquels évoquent *L'Essai sur la peinture* et les *Pensées détachées sur la peinture.* Nous

---

[23] F. Brunot relève l'emploi des termes « accord » et « harmonie », dès le dix-septième siècle, par Roger de Piles. (Voir pp. 708-709, *op. cit.*). Ce vers de Molière, tiré du poème sur le *Dôme du Val de Grâce* : « L'union, les concerts et les tons des couleurs », révèle déjà une préoccupation du même ordre.

citons tout ce passage tant il rappelle la manière de Diderot[24] et décèle un effort délibéré pour rendre une série de sensations visuelles à l'aide d'impressions auditives :

> A mesure que l'astre du jour se dérange, les tons changent de valeur, mais, respectant toujours leurs sympathies et leurs haines naturelles, continuent à vivre en *harmonie* par des concessions réciproques.[25] Les ombres se déplacent lentement, et font fuir devant elles ou éteignent les tons à mesure que la lumière, déplacée elle-même, en veut faire *résonner* de nouveaux.[26] Ceux-ci se renvoient leurs reflets, et, modifiant leurs qualités en les « glaçant » de qualités transparentes et empruntées, multiplient à l'infini leurs *mariages mélodieux* et les rendent plus faciles. Quand le grand foyer descend dans les eaux, de rouges *fanfares* s'élancent de tous côtés ; une *sanglante harmonie éclate* à l'horizon et le vert s'empourpre richement. Mais bientôt de vastes ombres bleues[27] chassent en *cadence* devant elles la foule des tons orangés et rose tendre qui sont comme *l'écho lointain et affaibli de la lumière.*[28] Cette grande *symphonie* du jour, qui est l'éternelle variation de la *symphonie* d'hier, cette *succession de mélodies,* où la variété sort toujours de l'infini, cet *hymne* compliqué s'appelle la couleur. (pp. 612-613).[29]

Ici, Baudelaire a procédé selon une méthode qui lui est caractéristique. Empruntant à Diderot certaines images se rapportant à la musique, certains traits de style, et même certaines pensées, il les a refondus, enrichis de tournures personnelles et de résonances nouvelles. En outre, il leur a imposé une tonalité poétique et dense qui n'appartient qu'à lui. Particulièrement notable est le mariage opéré entre des substantifs musicaux et des adjectifs de couleur — « rouges fanfares », « sanglante harmonie » — procédé stylistique qui met encore davantage en relief la « correspondance » entre deux domaines sensoriels. Le lecteur

---

[24] Voir *L'Essai sur la peinture,* « Mes petites idées sur la couleur », et « Tout ce que j'ai compris de ma vie du clair-obscur » pour des similitudes frappantes. Margaret Gilman a relevé des points de contact révélateurs entre le début du passage que nous citons et ce développement des *Pensées détachées* : « Cependant l'astre du jour a paru, et tout a changé par une multitude innombrable et subite de prêts et d'emprunts » (XII, 111), *op. cit.,* p. 43.

D'autre part, Jean Prévost voit surtout dans ce passage une réminiscence d'une page de Bernardin de Saint-Pierre dans les *Harmonies de la nature* (voir *Baudelaire,* p. 79). Mais Bernardin de Saint-Pierre ne fait que décrire un coucher de soleil ; il n'a pas recours aux transpositions des sons et des couleurs, alors que Diderot use déjà de ce procédé.

[25] L'on peut lire dans *L'Essai sur la peinture* : « On dit qu'il y a des couleurs amies et des couleurs ennemies ; et l'on a raison, si l'on entend qu'il y en a qui s'allient... difficilement » (X, 472).

[26] Comparez à cette phrase du même essai de Diderot : « Au crépuscule, presque plus d'effet de lumière sensible, presque aucune ombre particulière discernable » (X, 478).

[27] Notons cette vision déjà impressionniste de « l'ombre bleue », mais ici aussi il est aisé d'en trouver la source, ou du moins le précédent dans *L'Essai sur la peinture* : « L'ombre d'un corps bleu prend une nuance de bleu » (X, 479).

[28] Cf. Diderot X, 407 et X, 477 pour la formule identique.

[29] C'est nous qui soulignons toutes les images se rapportant au domaine musical.

non averti de cette alchimie intérieure, croirait se trouver en présence d'un morceau lyrique inspiré directement de quelque contemplation méditative d'un coucher de soleil. La nature n'est peut-être pas totalement absente de la rédaction de ce développement, mais elle n'a sans doute servi qu'à ajouter quelques touches à une fusion savante d'éléments de source littéraire et picturale ; Baudelaire se montrant généralement plus sensible aux harmonies réalisées dans le domaine artistique qu'aux beautés inconscientes de la nature...

Même la définition baudelairienne de la couleur : « L'art du coloriste tient évidemment par de certains côtés... à la musique » (p. 778), semble être une réminiscence de « L'arc-en-ciel est en peinture ce que la basse fondamentale est en musique » (X, 472), qui se trouve dans *L'Essai sur la peinture.*

Déjà dans son premier *Salon,* le poète avait constaté que « la couleur est une science mélodieuse » et que « M. Delacroix avait progressé dans la science de l'harmonie » (p. 562). Dans son essai consacré à la couleur, il précise le caractère de cette analogie : « On trouve dans la couleur, l'harmonie, la mélodie et le contre-point » (p. 613). A « l'unité profonde » des chefs-d'œuvre du passé, il oppose le « tohu-bohu de styles », la « cacophonie de tons » (p. 675) qui caractérisent la production artistique de cette classe de rapins (le poète les appelle dédaigneusement des *singes*) qui se contentent d'emprunts — non assimilés — à diverses écoles contradictoires.

Diderot avait maintes fois fait usage du terme « harmoniste ». Baudelaire suit cet exemple, mais il confère au mot une signification spéciale en l'appliquant aux peintres qui préfèrent les tons doux et subtils, les contrastes plus savants qu'éclatants, aux palettes vives et brillantes : « Rembrandt n'est pas un pur coloriste, mais un harmoniste » (p. 611) et « M. Corot est plutôt un harmoniste qu'un coloriste » (p. 667).

C'est en comparant à celles des sons les qualités inhérentes aux couleurs que Diderot aborde pour la première fois, dans son *Salon de 1763,* la théorie des « reflets » qu'il développera dans son *Essai sur la peinture :*

> Assemblez confusément des objets de toute espèce et de toutes couleurs, du linge, des fruits, du papier, des livres, des étoffes et des animaux, et vous verrez que l'air et la lumière, ces deux harmoniques universels, les accorderont tous, je ne sais comment, par des reflets imperceptibles ; tout se liera, les disparates s'affaibliront, et votre œil ne reprochera rien à l'ensemble. L'art du musicien qui, en touchant sur l'orgue l'accord parfait d'*ut,* porte à votre oreille les dissonants *ut, mi, sol, si, ré, ut,* en est venu là (X, 187).

Les vibrations des sons reposent donc sur le même principe que les reflets produits par la lumière, et ces phénomènes parallèles, lorsqu'ils sont utilisés avec succès, concourent au plaisir esthétique. Il existe néanmoins une divergence sur laquelle l'Encyclopédiste a attiré l'attention : tandis que la qualité du son demeure toujours la même, le coloris du peintre dépend de facteurs chimiques souvent imprévisibles et subit, à la longue, certaines transformations dues aux pigments utilisés. Aussi la peinture, à cet égard du moins, se rapproche-t-elle davantage du langage, cet autre instrument insuffisant et impur parce que si souvent banalisé, déformé par un usage constant.

D'après les exemples que nous avons donnés, il est évident que ni Diderot ni Baudelaire n'ont érigé en système les analogies entre la peinture et la musique. Ils ont uniquement eu recours à ce genre d'allusion lorsqu'en résultait un enrichissement dans les associations d'idées, une intensification de la réceptivité aux beautés formelles. Trop sensibles aux divergences des conditions et des techniques, ils se défendaient d'empiéter sur les divers domaines artistiques. En règle générale, Diderot, qu'on a si souvent accusé de confondre la peinture avec d'autres genres, [30] n'en fut pas moins conscient de l'autonomie et des limites de chaque genre. [31]

Quant à Baudelaire, personne ne s'est moqué plus cruellement que lui du parti-pris philosophique ou musical en peinture : « Est-ce par une fatalité des décadences qu'aujourd'hui... les peintres introduisent des gammes musicales dans la peinture ? » (p. 926). Aussi n'admirera-t-il point la « peinture musicale ». Par contre, Mallarmé prônera les sirupeuses et fades *Vierges du Rhin* de Fantin-Latour, inspirées des drames musicaux de Wagner et de l'esthétique des symbolistes.

En dotant le langage toujours inadéquat de la critique d'une terminologie d'origine musicale Diderot et Baudelaire ont du moins fait ressortir un aspect important de l'esthétique : puisque la musique est composée de rapports de sons dans le temps et la peinture de relations de formes dans l'espace, le Beau sera l'effet produit par l'harmonie des parties d'une œuvre. Bien entendu, l'harmonie présuppose la variété, car « il y a entre l'unité et l'uniformité la différence d'une belle mélodie à un son continu » (XII, 80). La peinture a finalement rejoint le domaine de la poésie et de la musique en ce qu'on n'exige plus qu'elle soit exclusivement narrative et imitative, mais qu'elle existe plutôt comme une création absolue qui vaut par ses qualités intrinsèques et irréductibles : organisation originale des éléments, architecture cohérente et homogène des formes et des tons ; abstraction faite de la qualité littéraire ou morale de la fiction représentée.

Vivant à une époque où la primauté du style sur « l'illustration » n'a pas encore émergé dans la conscience esthétique, il va de soi que nos

---

[30] Voir en particulier Trahard, *Les Maîtres de la sensibilité française*, « La Sensibilité de Diderot », II, 215.

[31] On retrouve d'ailleurs certaines théories de Diderot sur la séparation des genres dans le *Laokoon* de Lessing. Le philosophe a maintes fois souligné les divergences de modalités entre la peinture et la littérature : « Cela sera passable, écrit ; détestable, peint ; et c'est ce que mes confrères [il entend, naturellement, les littérateurs] ne sentent pas (XI, 72). « Le plus grand tableau de poésie que je connaisse serait très-ingrat pour un peintre, même de plafond ou de galerie » (XI, 78). Voir aussi « De la composition et du choix des sujets » dans *Les Pensées détachées* (XII, 82), *L'Essai sur la peinture* (X, 498) et le compte rendu du poème sur la peinture de Le Mierre, où Diderot reproche à cet auteur de confondre les moyens plastiques et poétiques (XIII, 86).

critiques n'ont pu pressentir toutes les conséquences de ces confrontations entre les formes musicales et plastiques. Cependant, il est hors de doute que, par leurs emprunts continuels et réussis au pur symbolisme du monde des sons, ils ont puissamment aidé à découvrir un champ artistique fécond : celui d'une peinture où seul existe l'accord des formes et des tons en tant que traduction d'un état de sensibilité, et où la représentation est subordonnée à l'expressivité du style.

***

Puisqu'il est impossible d'exprimer toute la riche variété des pigments sur la page imprimée, et puisqu'on ne peut définir en termes descriptifs toutes les résonances qu'une œuvre d'art produit dans notre affectivité, le critique doit apprendre à ne point tenter de tout écrire. Il doit savoir laisser une part à la fantaisie du lecteur. « Quand on écrit, faut-il tout écrire ? quand on peint, faut-il tout peindre ? » (X, 172) s'exclame Diderot, excédé par les artistes qui croient qu'il convient de représenter minutieusement le moindre détail de ce qu'on voit. Et ailleurs, il revient à la même pensée : « En littérature comme en peinture, ce n'est pas une petite affaire que de savoir conserver son esquisse » (XI, 270). En effet, tout énumérer consisterait à nous empêcher de distinguer l'essentiel de l'accessoire, et de jouir des associations d'idées et d'images que comporte une phrase bien enchaînée. « L'inachevé » impressionniste, avec son effet tremblant mais intensément vivant, est donc souhaitable tant dans une composition que dans la description de cette composition.

Baudelaire à son tour sera conscient du fait que les plus grands morceaux d'éloquence sont souvent ceux qui sont impliqués et non explicités, et, à propos de Richard Wagner, il constate que « dans la musique, comme dans la peinture et même dans la parole écrite, qui est cependant le plus positif des arts, il y a toujours une lacune complétée par l'imagination de l'auditeur » (p. 1049). Phrase qui fait écho au « De grâce, laissez quelque chose à suppléer par mon imagination » (X, 172) de Diderot. Ce précepte, vrai pour tous les domaines artistiques, nos critiques l'appliqueront avec des résultats particulièrement satisfaisants dans leurs descriptions.

Sous ce rapport, toutefois, Baudelaire ira encore beaucoup plus loin que son prédécesseur du XVIIIe siècle. En effet, alors que le poète ne relève que le trait saillant, l'élément qui l'a frappé et s'est gravé dans sa mémoire, l'Encyclopédiste, bien que loin d'appliquer le procédé balzacien de la description, use d'une méthode plus rigoureuse et détaillée, s'assujettissant à traiter même la majorité des peintures médiocres. Baudelaire « exécutera » une « croûte » en quelques formules lapidaires et impitoyables ; Diderot n'escamote certaines descriptions que lorsque les tableaux sont tout à fait mauvais, auquel cas il s'excuse auprès de son ami de substituer un de ses chers contes à l'analyse d'une toile détestable. Cette différence résulte sans doute du fait que Diderot était plus exubérant de sa nature, qu'il s'était plié de longue date aux disciplines d' « écrivassier », qu'il était conteur et non poète et, par ailleurs, que ses *Salons* étaient destinés à *La Correspondance littéraire* de Grimm, laquelle s'adressait exclusivement à des amateurs étrangers et lointains, forcés de s'en rapporter aux seules descriptions et appréciations du salonnier. En outre, nombre de souverains et de nobles étrangers (notamment Catherine II de Russie) se basaient sur les jugements du philosophe pour acheter les meilleures toiles exposées et en enrichir leur collection privée, leur « cabinet » particulier. [32] Par contre, le critique du XIXe siècle écrivait pour un public parisien qui avait aisément accès aux tableaux exposés.

A nos yeux, cependant, ces facteurs extérieurs importent moins que les intentions profondes du critique, rarement liées aux circonstances historiques et répondant bien plutôt à des besoins d'ordre esthétique. Car, au fond, si Baudelaire s'était plu, comme Diderot, à procéder à une analyse méthodique des toiles exposées, rien ne l'empêchait de le faire. Quant à l'auteur de *Jacques le Fataliste,* c'était certainement la nature de son génie, plutôt que les indications de son ami Grimm, qui le poussait à exercer ses talents si riches, et à écrire des volumes là où il eût pu se contenter de quelques feuillets... Mais au lieu d'entrer de plain-pied dans l'univers propre de chaque artiste, comme Diderot, Baudelaire procédera en sens contraire, s'identifiant avec l'objet contemplé à condition que celui-ci produise une réaction positive, s'en assimilant les aspects significatifs et omettant dans ses descriptions tout ce qui le laisse indifférent.

Philosophe et éditeur de l'*Encyclopédie,* Diderot, au cours de ses analyses, se crée pourtant un devoir de toucher le plus rarement possible à des problèmes n'ayant pas une portée picturale. A l'exception de quelques remarques, il serait impossible de déduire de la lecture de ses *Salons* qu'il avait consacré au moins vingt-cinq ans de sa vie à répandre les « lumières ». Mais si Diderot critique d'art s'éloigne de Diderot philosophe et encyclopédiste, il se rapproche sensiblement de Diderot romancier. Certaines de ses descriptions, aussi savamment agencées qu'une mise en scène, rappellent nettement Diderot dramaturge.

Dans ses *Voix du Silence,* Malraux affirme que « Diderot était entré en contact avec les peintres... à travers la philosophie ». [33] A notre avis, c'est plutôt à travers sa sensibilité d'artiste, refoulée au cours de ses travaux de nature technique, que Diderot parvint à établir une fraternité réelle entre les arts plastiques et le domaine littéraire. Philosophe, Diderot ne se détache pas entièrement de la philosophie dans sa critique d'art, qui s'en trouve d'ailleurs enrichie. Mais dans ses descriptions de

---

[32] Dans son *Salon de 1769,* Diderot se plaint de la pauvreté de l'exposition et du grand nombre de bonnes toiles qui ont été vendues avant d'avoir été montrées au public : « Ce n'est pas que nos artistes aient chômé : ils ont travaillé et beaucoup ; mais leurs ouvrages ont passé en pays étranger » (XI, 385). En fait, Diderot lui-même, par ses brillants comptes rendus, n'a pas peu contribué à faire prendre à tant de chefs-d'œuvre français le chemin de pays lointains, et en particulier, de la collection de peinture de l'Ermitage à Pétersbourg...

[33] André Malraux, *op. cit.,* p. 491.

tableaux et de sculptures, il se révèle essentiellement romancier : c'est-à-dire homme pour qui tout devient matière à des histoires, ou à des « contes », comme il préfère les appeler, et qui éprouve un plaisir évident à *raconter* les secrets de l'art à son lecteur. Ses expéditions aux Salons prennent l'allure d'aventures merveilleuses et dramatiques. « Mon ami », écrit-il dans son *Salon de 1767,* « faisons toujours des contes. Tandis qu'on fait un conte, on est gai ; on ne songe à rien de fâcheux. Le temps passe ; le conte de la vie s'achève, sans qu'on s'en aperçoive » (XI, 374). C'est aussi la raison pour laquelle il se plaît à substituer une « digression » à une toile sur laquelle il n'a rien de significatif à dire. [34]

La digression lui offre également la possibilité de présenter une pensée sous des jours différents. Après avoir lu un long et complexe développement technique, le lecteur aborde avec plaisir une de ces anecdotes savamment préparées et annoncées à l'avance. Il est prévenu que ce qu'il va lire n'est qu'un intermède, une espèce d'amusette qui, à vrai dire, n'est même pas digne de figurer dans un texte sérieux. Mais quoi ! il est temps de changer le ton, et l'auteur d'avouer sur un ton de semi-confidence que lui-même commençait à ressentir de la fatigue et de l'ennui : « Et puis encore une petite digression », plaide-t-il dans son *Salon de 1763,* « Je suis dans mon cabinet, d'où il faut que je voie tous ces tableaux ; cette contention me fatigue, et la digression me repose » (X, 187). Au lieu de poser le livre et d'interrompre une lecture qui risquait de devenir indigeste, on continue parce que l'attention a été réveillée, stimulée. Après avoir terminé l'intermède, on s'aperçoit que ce qu'on allait considérer comme une historiette sans conséquence, constitue en fait une continuation habile de la discussion picturale précédente ou le prolongement d'une pensée profonde, mais dit sur un registre plus familier et plus proche de notre expérience quotidienne. Diderot peut rappeler incidemment ce qu'il avait énoncé plus haut et passer à la généralisation, si celle-ci s'impose ou se justifie. Notre critique a donc non seulement pratiqué le conte, l'anecdote et la digression comme un art, mais encore comme une méthode expérimentale afin de rendre certaines lois plastiques plus accessibles à l'amateur moyen.

Même là où il était impossible de présenter une idée autrement que sous forme d'exposition, il a recherché la clarté, la simplicité de l'énoncé et les références à ce qui était le plus familier au lecteur. Voici un exemple de développement purement théorique : « La couleur est dans un tableau ce que le style est dans un morceau de littérature. Il y a des auteurs qui savent distribuer leur matière ; il y a des peintres qui savent ordonner un sujet. Il y a des auteurs qui ont de l'exactitude et de la justesse ; il y a des peintres qui connaissent la nature et qui savent

---

[34] Ayant à rendre compte d'une dizaine de portraits du frère cadet de Deshays, Diderot, qui n'aime pas ses tableaux, préfère relater une anecdote sur le frère aîné décédé, car il n'a rien à dire du « cadet de Deshays, dont les tableaux sont plus mauvais encore que ceux de l'aîné n'étaient bons, quoiqu'ils fussent très-bons » (X, 386) et, à propos de Lépicié qui suit Deshays dans le même *Salon de 1765,* il plaisante : « Mon ami, si nous continuions à faire des contes ? » (X, 386).

dessiner ; mais de tous les temps le style et la couleur ont été des choses précieuses et rares » (X, 127). C'est certainement afin de rendre plus compréhensives les lois de la plastique que Diderot, comme dans le passage cité, a souvent établi des parallèles entre la peinture et les lettres : il n'ignorait point que les gens possédant une certaine culture, ont plutôt des notions de littérature que de problèmes picturaux.

Quant à Baudelaire, il rejoint le petit groupe des « purs » poètes, aux dons limités mais concentrés, pour qui tout est prétexte à remembrances subtiles et à suggestions dénuées des procédés descriptifs ou oratoires. « Manier savamment une langue, c'est pratiquer une espèce de sorcellerie évocatoire », proclame l'auteur des *Fleurs du Mal* (p. 1035). Et afin d'obtenir ce résultat, il faut que l'Exact se fonde dans le Vague, ou pour parler comme Verlaine, faire en sorte que « l'Indécis au Précis » se joigne. L'œil de Baudelaire enregistre moins ce qui est « racontable » que ce qui caractérise la substance spirituelle de l'artiste ; de là, l'habitude qu'a le poète d'imposer une sourdine à tout ce qui ne constitue pas, selon lui, l'essence *sui generis* d'une composition.

Certes, il est loin de négliger la forme que la pensée a revêtue, mais il s'y arrête juste assez longtemps pour pénétrer les intentions esthétiques et s'interroger sur les associations diverses qu'elle évoque dans son esprit et dans son cœur. A l'inverse de Diderot, pour qui le monde des formes matérielles existe avec une plénitude joyeuse, Baudelaire ne l'accepte que difficilement. Pour lui, cet univers porte en lui-même le germe de sa déchéance et de sa damnation. En outre, les formes et les couleurs, bien que présentant un attrait irrésistible, constituent en fait une traduction bien imparfaite de la spiritualité. Par conséquent, la description d'une composition, avec son thème, sa disposition particulière des tons, des volumes et des lignes, ne présente qu'un stade préliminaire, et, aux yeux de Baudelaire, subordonné au véritable but du critique ; celui de communier avec l'âme de l'artiste. Semblable à cet égard — comme à bien d'autres — à Poe, qu'il a appelé « l'écrivain des nerfs » par opposition à Diderot qu'il considérait comme un «auteur sanguin », [35] Baudelaire, au lieu de *conter* un tableau ou une statue, ne s'attarde volontiers que devant ce qui fait exquisément vibrer sa sensibilité.

Avide de se dépenser et de communiquer familièrement avec autrui, Diderot a rarement rechigné devant sa tâche de donner des descriptions nombreuses et variées. Au contraire, ce travail régulier et exigeant présentait des attraits à son tempérament de solide lutteur. Lorsque, dans son *Salon de 1769,* il ne fait que camper ses personnages et croquer en quelques mots la disposition respective des objets, il en exprime le regret : « Vous voyez, mon ami [dit-il à Grimm], je vous fais grâce des descriptions, la partie qui m'amusait et qui prêtait à mon imagination » (XI, 394). Chose qui mérite d'être relevée, les meilleurs passages des *Salons* de l'Encyclopédiste ne se trouvent pas toujours sous le nom d'un

---

[35] Voir *Edgar A. Poe, sa Vie et ses Œuvres,* p. xxviii.

artiste favori ; l'analogie la plus ténue provoque une saillie imprévue, une association d'idées inattendue, tout un développement profond même. « Prenez-y garde, mon ami, c'est vous qui me rengagez », lance-t-il à Grimm, à la fin du *Salon de 1769* ; ce commentaire indique qu'il connaissait fort bien la nature généreuse de son propre génie : « On ne sait jamais, avec les têtes comme la mienne, ce que la question la plus stérile peut amener : d'abord une ligne, puis une autre, une page, deux pages, un livre » (XI, 460). Baudelaire, lui, a besoin d'un « choc » psychique, d'un ébranlement nerveux pour trouver l'inspiration ; mais alors, quelle précision rigoureuse du verbe, quelle concision magistrale de la formule !

Doué d'une extrême mobilité de sensibilité et d'une pensée toujours active, effervescente même, Diderot a élaboré une forme complexe qui comporte une convergence savante et dynamique de presque tous les genres littéraires. Ceci afin de traduire le caractère particulier de chaque peintre, et même de chaque composition ; afin de respecter le va-et-vient de ses pensées ainsi que les modifications de sa sensibilité. Le portrait qu'il a tracé de lui-même, devant celui, trop sucré à son avis, de Michel Van Loo, aide à comprendre le caractère si varié de son style : « J'avais en une journée cent physionomies diverses, selon la chose dont j'étais affecté. J'étais serein, triste, rêveur, tendre, violent, passionné, enthousiaste... » (XI, 21). On pourrait facilement appliquer cette appréciation à ses descriptions au mouvement toujours renouvelé : tantôt rapide, tantôt lent ; tantôt coupé comme dans la conversation familière ; tantôt vaste et ample comme un alexandrin. Dans ses *Salons,* l'on trouve le conte, le rêve, la promenade, l'idylle, le dialogue, l'invocation lyrique, l'apostrophe directe au lecteur, l'exposé théorique, l'anecdote, la lettre, [36] et, lorsque le tableau est par trop mauvais pour l'analyse, ou lorsque l'auteur, écrivant tard dans la nuit, se sent las, la « digression », l'intermède reposant et presque toujours instructif. Le dialogue, qu'il substitue volontiers à l'exposition proprement dite, est une des formes favorites du philosophe, tant dans sa critique d'art, que dans ses essais de nature scientifique et dans ses fictions : il lui permet d'amener le lecteur à découvrir peu à peu une vérité, par étapes successives, par associations d'idées, telles qu'elles se présenteraient au cours d'une conversation réelle. Cette forme littéraire lui permet aussi de présenter simultanément plusieurs points de vue et de poursuivre une idée dans toutes ses conséquences et ramifications. Enfin, le dialogue favorise, de la part du lecteur, [37] une identification plus étroite avec un ou plusieurs protagonistes.

On se souvient que *Le Grand Prêtre Corésus s'immolant pour sauver Callirhoé,* ce morceau ambitieux où Fragonard, voulut prouver que, lui aussi, savait peindre des compositions d'un genre élevé, est écrit sous

---

[36] Voir *Le Salon de 1769,* entièrement rédigé sous forme épistolaire.

[37] Diderot considère comme primordiale l'identification étroite du lecteur, et c'est une des raisons pour lesquelles il admire tant Richardson : « O Richardson ! on prend, malgré qu'on en ait, un rôle dans tes ouvrages... » *Eloge à Richardson.*

forme de rêve dans le *Salon de 1765*.[38] Trouvaille fort ingénieuse, car le vague du rêve suggère à perfection la charmante et vaporeuse irréalité de la facture de ce peintre. Dans un même ordre d'idées, les paysages de Vernet se transforment sous la plume du salonnier en sites réels où l'on déambule en dialoguant, en méditant et rêvant agréablement ; et ses scènes de tempête et de naufrage sont admirablement rendues sous forme de cauchemar (*Salon de 1767*). En superposant des paysages fictifs à des paysages réels, Diderot n'a pas voulu confondre la nature avec l'art et juger celui-ci sur le patron de celle-là ; mais tout comme dans *La Religieuse* (écrite en 1760), cette supercherie géniale qui a trop bien réussi auprès du Marquis de Croismare,[39] son dessein était de prouver la précellence de la *surréalité* artistique sur la réalité.[40] Certes, il est agréable de se promener et de méditer dans quelque coin tranquille et charmant de la campagne, mais combien plus piquante, pour une sensibilité qui s'enchante de l'art, est une randonnée en imagination dans les cadres enchanteurs d'un site, tel que le génie d'un peintre l'a conçu !

C'est ce même désir d'illusionner le lecteur qui conduit Diderot à pénétrer effectivement dans les compositions, à déambuler d'un plan à l'autre, à s'arrêter devant tel spectacle qui exerce sur lui une attirance spéciale. Voici un échantillon de ce procédé appliqué à une scène champêtre de Le Prince :

> Ce sont d'abord de grands rochers assez près de moi. Je les laisse. Sur la saillie d'un de ces rochers, j'aperçois un paysan assis, et un peu au-dessous de ce paysan, une paysanne assise aussi. Ils regardent l'un et l'autre vers le même côté ; ils semblent écouter, et ils écoutent en effet un jeune musicien qui joue, à quelque distance, d'une espèce de mandoline. Le paysan, la paysanne et le musicien ont quelques moutons autour d'eux. Je continue mon chemin ; je quitte à regret le musicien, parce que j'aime la musique, et que celui-ci a un air d'enthousiasme qui attache. Il s'ouvre une percée, d'où mon œil s'égare dans le lointain. Si j'allais plus loin, j'entrerais dans un bocage ; mais je suis arrêté par une large mare d'eaux qui me font sortir de la toile. (XI, 206)

---

[38] C'est dans ses *Salons* que Diderot semble avoir élaboré le rêve en tant que forme littéraire. Quatre ans après sa description de la toile de Fragonard, il choisira à nouveau le rêve, mais cette fois-ci pour exposer ses théories scientifiques et physiologiques dans *Le Rêve de d'Alembert* (1769). Voir Eleanor Walker, *Diderot's Rêve de d'Alembert* pour une étude de la fusion de l'imagination artistique et scientifique chez Diderot (thèse de doctorat non publiée, Columbia University, 1953) et l'Introduction au *Rêve de d'Alembert*, édition critique de Paul Vernière.

[39] Voir *Diderot Studies II*, éd. par N. L. Torrey et O. E. Fellows, « The Préface-Annexe of *La Religieuse* » par Herbert Dieckmann pour une étude approfondie de l'illusion artistique dans la fiction de Diderot et des procédés qu'il utilise pour réaliser cette illusion.

[40] M. H. Dieckmann, dans son Introduction au *Supplément au voyage de Bougainville*, trouve « dangereux » ce « mélange... de données véritables et imaginées » car, selon lui, « plus d'un lecteur trouvera ce mélange un peu pénible et d'un goût peu sûr » (pp. CLI-CLII). Avouons que, pour notre part, nous n'avons rien trouvé de « pénible » ou de « choquant » dans ce procédé que nous estimons, au contraire, artistique et novateur.

Avec quel élan lyrique et poétique, il décrit les effets de la lumière vespérale dans les paysages de Claude-Joseph Vernet (un des rares paysagistes du XVIIIe siècle, et le premier qui ait introduit des éléments romantiques dans ses compositions), et avec quel art il ménage ses transitions du réel à l'imaginaire !

> Les ténèbres s'augmentaient, les bruits s'affaiblissaient dans la campagne, la lune s'élevait dans l'horizon ; la nature prenait un aspect grave dans les lieux privés de la lumière, tendre dans les plaines éclairées. Nous allions en silence, l'abbé [le compagnon de Diderot dans ces « promenades »] me précédant, moi le suivant, et m'attendant à chaque pas à quelque nouveau coup de théâtre. Je ne me trompais pas. Mais comment vous en rendre l'effet et la magie ? Ce ciel orageux et obscur, ces nuées épaisses et noires, toute la profondeur, toute la terreur qu'elles donnaient à la scène ; la teinte qu'elles jetaient sur les eaux, l'immensité de leur étendue ; la distance infinie de l'astre à demi voilé, dont les rayons tremblaient à leur surface ; la vérité de cette nuit, la variété des objets et des scènes qu'on y discernait, le bruit et le silence, le mouvement et le repos, l'esprit des incidents, la grâce, l'élégance, l'action des figures ; la vigueur de la couleur, la pureté du dessin, mais surtout l'harmonie et le sortilège de l'ensemble. ... C'est ainsi que nous avons vu l'astre de la nuit en percer [de l'atmosphère] l'épaisseur. C'est ainsi que nous avons vu sa lumière affaiblie et pâle trembler et vaciller sur les eaux. Ce n'est point un port de mer que l'artiste a voulu peindre.
>
> « L'artiste ! — Oui, mon ami, *l'artiste*. Mon secret m'est échappé ; et il n'est plus temps de recourir après : entraîné par le charme du *Clair de lune* de Vernet, j'ai oublié que je vous avais fait un conte jusqu'à présent ... (XI, 138).

Au cours d'une description d'une scène de naufrage par le même artiste, Diderot révèle une telle prédilection (déjà toute romantique) pour les thèmes mouvementés et dramatiques, que si l'on ne savait qu'il s'agit de Vernet, on se croirait devant *Les Massacres de Scio* de Delacroix, cette composition célèbre et révolutionnaire qui devait causer une si grande fureur au Salon de 1824 :

> Epars sur le rivage, frappés du péril ... [ils] pleuraient, s'embrassaient, levaient leurs mains au ciel, posaient leur front à terre ; je voyais des filles défaillantes entre les bras de leurs mères, de jeunes épouses transies sur le sein de leurs époux ; et, au milieu de ce tumulte, un enfant qui sommeillait paisiblement dans son maillot. ... Une mère qui tenait un petit enfant pressé sur son sein ... (XI, 144).

Dans le choix que le peintre a fait du thème ainsi que dans la manière dont le critique a réagi devant ce choix, nous nous sentons à l'orée du romantisme. Seule l'école de David, avec son retour à l'antique, explique que cette évolution ait été retardée jusqu'à l'arrivée de Delacroix.

⁂

De tous les procédés de description utilisés par Diderot, aucun ne sera directement adopté par Baudelaire, ce dernier n'ayant point voulu mettre en relief cette partie de sa critique. Le poète des *Fleurs du Mal* était loin d'ignorer que la suggestion et l'évocation, plutôt que la narration, étaient son fort.

L'explication de cette divergence dans les intentions respectives de nos critiques tient sans doute à ce que Baudelaire s'intéresse moins aux événements propres qu'à leurs résonances et à leurs harmoniques dans l'intimité de son *moi*. Diderot ajoute souvent un récit ou une anecdote à ses descriptions, non seulement pour capter ou retenir l'attention, mais aussi parce qu'il se complaît à ce jeu et sait qu'il le fait bien, parce que cette spacieuse structure stylistique lui permet de se livrer aux riches ressources de son imagination, de sa vaste expérience humaine et de sa virtuosité de conteur. Baudelaire s'abstient le plus souvent de ces procédés, non parce qu'il les estime au-dessous de la dignité du critique, mais parce qu'il sent que cette méthode d'approche n'est en accord ni avec son tempérament, ni avec la nature de son esprit.

Plutôt que de décrire à la file les tableaux exposés (comme l'avait fait Diderot) Baudelaire s'est constitué un procédé plus en harmonie avec son talent. A partir du *Salon de 1846*, sa prose se resserre de plus en plus et un ton plus uni se substitue aux touches impressionnistes du *Salon de 1845*. La véritable personnalité du poète, indépendante et fière, cassante même à de certains égards, émerge mieux de cette forme restreinte qu'il s'impose après son premier essai. Il est facile de voir que dans son premier *Salon*, Baudelaire ne s'est pas encore entièrement assimilé la manière du philosophe dont il s'inspire trop directement pour permettre à la sienne propre de s'épanouir librement. Son *Salon de 1846*, par contre, décèle un souci de ne se servir d'aucune méthode qui ne lui appartienne en propre. Ce qui, bien entendu, ne veut pas dire qu'il se soit affranchi de l'influence de ses lectures. Mais aux dialogues, à la forme tout ensemble familière et poétique, aux apostrophes et au discours indirect libre de Diderot, il semble préférer maintenant un style dense, objectif et concentré qui se rapproche davantage des démonstrations quasi géométriques d'Edgar Poe.

En une description généralement fort brève, mais intense de ton, Baudelaire procède à une synthèse savante des caractères marquants d'une certaine facture. Avant de confier ses impressions au papier, il semble qu'il permette à sa mémoire et à son imagination de fusionner tous les éléments vraiment originaux d'un peintre, sa substance interne ainsi que ses intentions profondes. Chargé d'analyser pour l'*Opinion nationale* l'œuvre de Delacroix, lors de sa mort (1863), Baudelaire prévient le rédacteur du journal qu'il se propose de « chercher la qualité caractéristique du génie de Delacroix et d'essayer de la définir ; de chercher en quoi il diffère de ses plus illustres devanciers, tout en les égalant » (p. 855). Par ailleurs, voici comment il transpose l'art du paysagiste Rousseau :

> Il est aussi difficile de faire comprendre avec des mots le talent de M. Rousseau que celui de Delacroix, avec lequel il a, du reste, quelques rapports. M. Rousseau est un paysagiste du Nord. Sa peinture respire une grande mélancolie. Il aime les natures bleuâtres, les crépuscules, les couchers de soleil singuliers et trempés d'eau, les gros ombrages où circulent les brises, les grands jeux d'ombre et de lumière. Sa couleur est magnifique, mais non pas éclatante. Ses ciels sont incomparables pour leur mollesse floconneuse. Qu'on se rappelle quelques paysages de Rubens et de Rembrandt, qu'on y mêle quelques souvenirs de peinture anglaise, et qu'on suppose, dominant et réglant tout cela, un amour profond et sérieux de la nature, on pourra peut-être se faire une idée de la magie de ses tableaux. Il y mêle beaucoup de son âme, comme Delacroix ; c'est un naturaliste entraîné sans cesse vers l'idéal. (p. 669).

Il est évident que pour cette description de « la magie » de Rousseau, Baudelaire ne s'est basé sur aucun paysage particulier ; il a plutôt gardé à l'esprit tous ceux qu'il avait eu l'occasion d'étudier, et il a opéré un choix heureux des aspects les plus distinctifs qu'ils ont en commun.

Déjà en 1845, le poète montre peu d'enthousiasme pour la description analytique, et au fur et à mesure que s'approfondit sa connaissance des divers artistes, il s'en rapportera de plus en plus à sa mémoire pour mettre en valeur leurs qualités caractéristiques. Aussi excelle-t-il à opérer de vastes synthèses qui font un avec la partie critique proprement dite au point de ne s'en plus distinguer. Au lieu de précéder les jugements, comme c'était presque toujours le cas chez Diderot, la description baudelairienne, à mesure que le poète se crée un style, devient partie intégrante de l'évaluation.[41] Le *Salon de 1846,* organisé autour de thèmes généraux, est le premier à révéler cette préoccupation de fondre la description et l'évaluation de compositions individuelles avec des problèmes esthétiques d'une plus large portée.

Le compte rendu que Baudelaire fait, dans son *Salon de 1859,* des tableaux de Millet — qu'il n'affectionne guère — est caractéristique de sa dernière manière : disparition presque totale de la description au profit de la partie critique ; seules quelques allusions indirectes suggérant les thèmes favoris du peintre :

> M. Millet cherche particulièrement le style ; il ne s'en cache pas, il en fait montre et gloire. Mais une partie du ridicule que j'attribuais aux élèves de M. Ingres s'attache à lui. Le style lui porte malheur. Ses

---

[41] Il existe une preuve amusante que Baudelaire se fût très mal accommodé de la description analytique, telle que l'a si brillamment pratiquée Diderot. Dans une lettre à Poulet-Malassis, de février 1860, il décrit une conversation avec Méryon, « paysagiste » des grandes villes dont il admire les gravures. Il s'agit d'un projet d'album avec commentaires du poète : « Et puis Méryon ! Oh ! ça, c'est intolérable. Delâtre me prie de faire un texte pour l'album. Bon ! voilà une occasion d'écrire des rêveries de dix lignes, de vingt ou trente lignes sur de belles gravures, des rêveries philosophiques d'un flâneur parisien. Mais M. Méryon intervient, qui n'entend pas les choses ainsi. Il faut dire ; à droite, on voit ceci ; à gauche, on voit cela » (I, 297).

paysans sont des pédants qui ont d'eux-mêmes une trop haute opinion. Ils étalent une manière d'abrutissement sombre et fatal qui me donne l'envie de les haïr. Qu'ils moissonnent, qu'ils sèment, qu'ils fassent paître des vaches, qu'ils tondent des animaux, ils ont toujours l'air de dire : « Pauvres déshérités de ce monde, c'est pourtant nous qui le fécondons ! Nous accomplissons une mission, nous exerçons un sacerdoce ! » Au lieu d'extraire simplement la poésie naturelle de son sujet, M. Millet veut à tout prix y ajouter quelque chose. (p. 813).

De ce qui précède, on peut retenir que Diderot avait résolu le problème de la transposition plastique par la *variété* ; Baudelaire le résoudra au moyen de la *densité.*

Une forme à la fois succincte et riche exige un art égal (bien que différent) à un style plus varié et moins resserré, et est plus conforme au génie particulier de l'auteur d'un unique, mince, mais inoubliable recueil de poèmes. Devant une toile, Baudelaire, toujours soucieux de s'analyser, rentre en lui-même, après n'avoir que momentanément oblitéré sa subjectivité. Sur la page blanche, il évoquera surtout les aspects picturaux qui auront éveillé en lui des correspondances, des échos, qui l'auront fait méditer ou rêver, qui auront approfondi la connaissance de son être. Ne confesse-t-il pas, qu'à l'instar de Balzac qui, « avec son adorable naïveté », s'écriait devant un tableau d'hiver avec une maisonnette « d'où montait une maigre fumée ‘ Que c'est beau ! Mais que font-ils dans cette cabane ? à quoi pensent-ils, quels sont leurs chagrins ?... *Ils ont sans doute des échéances à payer ?*’ », à lui aussi il arrivait souvent « d'apprécier un tableau uniquement par la somme d'idées ou de rêveries » (p. 692) qu'il apportait dans son imagination. Un tableau, pour lui plaire, doit surtout pouvoir poser en termes renouvelés une question qui l'obsède depuis longtemps.

La sensibilité de Diderot possède peut-être un clavier plus étendu, car il peut se révéler à la fois prosaïque et lyrique, artiste et savant, prébalzacien dans sa vaste curiosité enthousiaste et sa « soif de connaissance universelle », [42] et pré-baudelairien dans son intuition aiguë de la chose poétique. Certes, la pensée de Baudelaire est aussi large que celle de Diderot, mais elle est moins ouverte, en ce sens qu'elle tend à ignorer ce qui ne l'aide pas directement à prendre position. Sosie de Hamlet à bien des égards, tout ce qui environne le poète lui est occasion pour une nouvelle plongée dans sa rêverie lucide et tragique, dans sa perpétuelle interrogation sur son essence. Devant telle action qui engage tout l'être, le libère partiellement de la sphère de sa subjectivité, et requiert une application quotidiennement renouvelée, il hésite et se trouve véritablement paralysé : « Une épreuve d'imprimerie à corriger, et le voilà perdu d'affairement », note Tabarant dans *La Vie artistique au temps*

---

[42] Voir Ernst R. Curtius, *Balzac* (B. Grasset, 1933), p. 283. A propos de l'influence de Diderot sur Balzac, l'auteur écrit : « Là, Balzac trouvait tous les éléments dont se composait sa nature : même besoin de réformer la société, de diagnostiquer son temps, même modernité, même enthousiasme, même soif de connaissance universelle,... même culte du génie, même richesse débordante de vie spirituelle. »

de Baudelaire. [43] Par contre, c'est un fait connu que Diderot, une fois lancé dans une entreprise, s'y jetait corps et âme jusqu'à ce qu'elle fût menée à bien.

Portant en lui-même un critique extrêmement exigeant, Baudelaire, par la force des choses, produira moins librement que son prédécesseur, avec une verve moins généreuse, et considérera le laconisme plus difficile à réaliser que l'abondance : « Vous m'avez dit : 'Soyez bref ; ne faites pas un catalogue, mais un aperçu général, quelque chose comme le récit d'une rapide promenade philosophique à travers les peintures. », écrit-il dans son Introduction au *Salon de 1859,* en réponse à une lettre du directeur de *La Revue française,* « Eh bien, vous serez servi à souhait... non pas que cette méthode soit plus facile que l'autre, la brièveté réclamant toujours plus d'efforts que la prolixité... » (p. 761). [44]

***

Dans son *Salon de 1767,* Diderot formule un système de description uniforme : « C'est une assez bonne méthode... que d'entrer sur le lieu de la scène par le côté droit ou par le côté gauche, et, avançant sur la bordure d'en bas, de décrire les objets à mesure qu'ils se présentent » (XI, 199). [45] En fait, il avait déjà eu recours à cette méthode dans ses *Salons* précédents, pour autant qu'il s'agissait de « grandes machines » et de paysages se divisant aisément en plans et en groupements. Dans les *Pensées détachées sur la peinture,* on peut lire un programme qui, bien que différent de celui du *Salon de 1767,* trahit la même préoccupation d'uniformité dans les descriptions :

> Dans la description d'un tableau, j'indique d'abord le sujet ; je passe au principal personnage, de là aux personnages subordonnés dans le même groupe ; aux groupes liés avec le premier, me laissant conduire par leur enchaînement ; aux expressions, aux caractères, aux draperies, au coloris, à la distribution des ombres et des lumières, aux accessoires, enfin à l'impression de l'ensemble. Si je suis un autre ordre, c'est que ma description est mal faite, ou le tableau mal ordonné (XII, 100).

Il convient de ne point prendre cette « pensée » au pied de la lettre. Le fait que Diderot a constamment varié sa présentation selon le caractère propre de chaque composition atteste qu'il s'est rendu à cette évidence : il n'existe point de recette général applicable à toutes les peintures, même dans un seul genre ou style. Chaque composition obéit à une structure interne différente qui est régie à son tour par une combi-

---

[43] A. Tabarant, *op. cit.,* p. 337. Voir aussi les pathétiques conseils que le poète se donne sur la manière de fournir un travail assidu dans *Mon Cœur mis à nu.*

[44] Asselineau a également relevé le procédé de « la concentration » de son ami, « ce qui explique l'intensité d'effet qu'il obtenait dans des proportions restreintes, dans une demi-page de prose, ou dans un sonnet », *op. cit.,* p. 62.

[45] Pour une étude détaillée des procédés de description utilisés par Diderot, voir August Langen, « Die Technik der Bildbeschreibung in Diderots *Salons* », *Romanische Forschungen,* 1948, vol. 61, pp. 324-384.

naison unique, un accord irréductible des parties. Chaque tableau exprime un mode unique de penser et de sentir. Le critique doit donc pouvoir pénétrer le caractère de l'absolu pictural qu'il décrit, non seulement par un effort de l'intelligence, mais aussi avec toute sa sensibilité intuitive ; il doit posséder « toutes les sortes de goût, un cœur sensible à tous les charmes, une âme susceptible d'une infinité d'enthousiasmes différents », et pour rendre de manière efficace ce qu'il ressent, il faut qu'il ait « une variété de style qui *réponde* à la variété des pinceaux » (X, 160).

La meilleure méthode, celle que Baudelaire se vantera également d'utiliser, réside précisément dans une perception toujours flexible, se traduisant par un art de la transposition à chaque fois renouvelé ; et non dans quelque système rigoureusement élaboré d'avance.

Au cours de leurs descriptions, Diderot et Baudelaire ont néanmoins travaillé selon un principe constant : la mise en relief des aspects qui caractérisent une toile. Que ceux-ci résident dans le choix du thème, l'ordonnance des éléments, le coloris, la qualité linéaire, le traitement des personnages, le jeu de la lumière et de l'ombre, nos critiques, suivant l'ordre de leurs perceptions, dépeignent d'abord ces qualités saillantes, s'en remettant à l'organisation propre au tableau du soin d'ordonner les autres parties autour de ces qualités principales.

Dans ses descriptions de grandes compositions complexes, Diderot tend à diviser les groupements par plans : premier ou avant-plan, second plan, etc., jusqu'au fond, débutant généralement par le côté de la toile qui présente quelque aspect intéressant. Outre la division en profondeur, il indique les directions de gauche à droite ou vice-versa, avec les masses principales et leurs subdivisions secondaires, et définit d'une part, les rapports et les tensions entre ces masses, et de l'autre, l'action réciproque des couleurs, des schèmes linéaires et de la lumière. Dans ses quelques descriptions plus détaillées, Baudelaire opérera la même division par plans dont son prédécesseur avait donné le modèle. En voici un échantillon tiré du *Salon de 1845,* où le style de Diderot, son ton et son allure se font encore fortement sentir. Il s'agit de la *Fontaine de Jouvence* de William Haussoullier, peinture aujourd'hui oubliée, mais dont une certaine préciosité archaïsante semble avoir séduit le jeune poète :

> Sur le premier plan trois groupes ; — à gauche, deux jeunes gens ou plutôt deux rajeunis, les yeux dans les yeux, causent de fort près, et ont l'air de faire l'amour allemand. — Au milieu, une femme vue de dos, à moitié nue, bien blanche, avec des cheveux bruns crespelés, jase aussi en souriant avec son partenaire ; elle a l'air plus sensuel, et tient encore un miroir où elle vient de se regarder — enfin, dans le coin à droite, un homme vigoureux et élégant — une tête ravissante, le front un peu bas, les lèvres un peu fortes — pose en souriant son verre sur le gazon pendant que sa compagne verse quelque elixir merveilleux dans le verre d'un long et mince jeune homme debout devant elle.
>
> Derrière eux, sur le second plan, un autre groupe étendu tout de son long sur l'herbe : — ils s'embrassent. — Sur le milieu du second une femme, nue et debout, tord ses cheveux d'où dégouttent les derniers pleurs

de l'eau salutaire et fécondante ; une autre, nue et à moitié couchée, semble comme une chrysalide, encore enveloppée dans la dernière vapeur de sa métamorphose. ... Celle qui est debout a l'avantage de séparer et de diviser symétriquement le tableau. Cette statue, presque vivante, est d'un excellent effet, et sert, par son contraste, les tons violents du premier plan, qui en acquièrent plus de vigueur. ... Dans un sentier tortueux qui conduit l'œil jusqu'au fond d'un tableau, arrivent, courbés et barbus, d'heureux sexagénaires. — Le fond de droite est occupé par des bosquets où se font des ballets et des réjouissances. (pp. 563-564). [46]

Mais la rareté de telles transpositions analytiques dans les *Salons* de Baudelaire atteste que cette forme littéraire, où Diderot se complaisait, ne convenait guère à sa vision synthétique et condensatrice.

En guise de comparaison, nous voudrions donner cette admirable description du célèbre *Paysage au Serpent* de Poussin, où l'on notera la perfection avec laquelle Diderot a suggéré les plans horizontaux et parallèles chers aux classiques, avec quelle maîtrise des effets stylistiques il a rendu le jeu dramatique des tensions qui relient les personnages savamment disposés sur les divers plans, avec quel soin il a étudié la gradation des émotions que reflètent les attitudes de ces personnages :

La profondeur de sa toile est occupée par un paysage noble, majestueux, immense. Il n'y a que des roches et des arbres ; mais ils sont imposants. Votre œil parcourt une multitude de plans différents depuis le point le plus voisin de vous jusqu'au point de la scène le plus enfoncé. Sur un de ces plans-ci, à gauche, tout à fait au loin, sur le fond, c'est un groupe de voyageurs qui se reposent, qui s'entretiennent, les uns assis, les autres couchés ; tous dans la plus parfaite sécurité. Sur un autre plan, plus sur le devant, et occupant le centre de la toile, c'est une femme qui lave son linge dans une rivière ; elle écoute. Sur un troisième plan, plus sur la gauche, et tout à fait sur le devant, c'était un homme accroupi ; mais il commence à se lever et à jeter ses regards mêlés d'inquiétude et de curiosité vers la gauche et le devant de la scène ; il a entendu. Tout à fait à droite et sur le devant, c'est un homme debout, transi de terreur, et prêt à s'enfuir ; il a vu. Mais qui est-ce qui lui imprime cette terreur ? Qu'a-t-il vu ? il a vu, tout à fait sur la gauche et sur le devant, une femme étendue à terre, enlacée d'un énorme serpent qui la dévore et qui l'entraîne au fond des eaux, où ses bras, sa tête et sa chevelure pendent déjà. (XI, 280)

*
**

A ses débuts dans la critique d'art, il est évident que Baudelaire parcourait les salles en flâneur, faisait de longues pauses, et prenait des notes. Mais le 14 mai 1859, il se vante auprès de son ami Nadar : « J'écris maintenant un *Salon,* sans l'avoir vu. Mais *j'ai un livret.* Sauf la fatigue de deviner les tableaux c'est une excellente méthode que je te recommande. On craint de trop louer et de trop blâmer ; on arrive ainsi à l'impartialité » (II, 313). Bien entendu, il s'agit de ne pas interpréter cette boutade littéralement. D'ailleurs, lui-même est bien obligé

---

[46] Baudelaire a fait une description d'une estampe de Boilly, *La Cour des Messageries,* qui, par sa division en plans de gauche à droite, évoque également les « traductions » de Diderot. (Voir pp. 759-760.)

de se rétracter dans la lettre suivante (datée du 16 mai 1849) et de confesser : « Quant au Salon, hélas ! j'ai un peu menti » (II, 317), mais, « si peu » s'empresse-t-il d'ajouter, assurant qu'il avait « fait une visite, UNE SEULE, consacrée à chercher les nouveautés : mais j'en ai trouvé bien peu ; et pour tous les vieux noms, ou les noms simplement connus, je me confie à ma vieille mémoire, excitée par le livret. Cette méthode, je le répète, n'est pas mauvaise, à la condition qu'on possède bien son personnel. » Etant alors à Honfleur avec sa mère, et devant effectuer le voyage de Paris pour visiter les salles du Palais de l'Industrie, [47] il est fort vraisemblable, en effet, qu'il ne fit qu'une fois le tour du Salon de 1859. De là, encore plus marquée dans ce *Salon* que dans les précédents, l'absence de tous détails précis.

Certains artistes estiment qu'ils rendent plus parfaitement l'essence d'un coin de nature lorsqu'ils ne travaillent pas directement sur le motif, mais, par le recueillement et la concentration, réordonnent la réalité dans le calme de leur atelier. Baudelaire sentait sans doute qu'il lui fallait un certain recul du temps pour être mieux à même d'évaluer, de comparer et de juger ; pour éviter de se trouver trop complètement sous l'emprise de la sensation première ; pour permettre la lente cristallisation des pensées et des sentiments que suscite le *choc* initial de la contemplation d'une œuvre d'art. On se souvient que le poète admirait chez Poe une méthode de la « mnémotechnie » dans la création artistique. Il n'y a pas de doute qu'il assignait un rôle aussi important à la « mnémotechnie » dans la critique.

Diderot, en revanche, préférait « battre le fer tant qu'il est chaud », et, se référant à de brèves notes prises au Salon même, écrivait tard dans la nuit de crainte que tout ce qui l'avait frappé au cours de sa randonnée du jour à travers l'exposition ne s'émoussât, ne perdît ses contours nets. Conscient du fait que la mémoire optique est loin d'être intégralement fidèle, il tenait à noter d'emblée tous les aspects importants des tableaux contemplés. « Il était nuit, tout dormait autour de moi ; j'avais passé la matinée au Salon. Je me recordais le soir ce que j'avais vu » (XI, 416) écrit-il avant d'entamer une description d'un *Clair de lune* de Vernet dans son *Salon de 1769* ; et dans son *Salon de 1763*, il exprime le regret de ne pas avoir « devant soi le tableau dont on écrit... il est loin », et le salonnier de tracer ce petit croquis de lui-même en train de rassembler ses souvenirs : « la tête appuyée sur les mains ou les yeux égarés en l'air on... recherche la composition » (X, 160). [48]

---

[47] Depuis l'*Exposition Universelle de 1855*, les expositions n'ont plus lieu au Louvre, mais au Palais de l'Industrie.

[48] Constamment à la recherche de l'exactitude dans ses descriptions, Diderot justifie une « petite digression » par la fatigue qu'amène cet effort soutenu de « reconstitution », lequel n'a que la mémoire comme auxiliaire : « Je suis dans mon cabinet, d'où il faut que je voie tous ces tableaux ; cette contention me fatigue » (X, 187). Lorsqu'il était inspiré, il rédigeait avec une grande rapidité. C'est ainsi qu'il put se vanter, dans une lettre à Sophie Volland (10 nov. 1765), d'avoir écrit son *Salon de 1765* en quinze jours ! D'autres fois, cependant, des mois s'écoulaient entre les premières notes jetées sur le papier et la rédaction finale.

⁂

On peut donc conclure qu'à mesure que Baudelaire développe une méthode conforme à son génie propre, une divergence s'établit entre sa critique et celle de son prédécesseur. Alors que les descriptions du philosophe sont essentiellement *impressionnistes* et *analytiques,* celles du poète sont *mnémoniques* et *synthétiques.* Dans *Un Mangeur d'opium,* Baudelaire dit que ce qu'il recherche dans les ouvrages d'art n'est pas « leur *matérialité* facilement saisissable... les hiéroglyphes trop clairs de leurs contours... mais... l'âme dont ils sont doués » (p. 532). Son œil, négligeant tout accessoire non absolument essentiel, tout ornement descriptif, est surtout attiré vers « la lumière ou... les ténèbres spirituelles » que les peintures « déversent sur nos âmes » (p. 532). Plus « matérialiste », plus attentif à tous les aspects de l'exécution, Diderot veut avant tout respecter la matière picturale et sa signification psychologique dans ses transpositions stylistiques.

L'art de la description, tel que l'ont pratiqué nos auteurs, marque deux étapes décisives dans la critique. Avec Diderot, a lieu la grande aventure : création presque de toutes pièces d'un style descriptif propre à la plastique. Avec Baudelaire, la transcription rigoureuse disparaît, et la description, cessant de relater, attirant l'attention du lecteur vers les seuls traits distinctifs, se confond avec la critique proprement dite. Grâce à l'invention de la reproduction photographique, l'art descriptif, si brillamment pratiqué par l'auteur du *Salon de 1767,* perdra bientôt sa raison d'être, et avec elle une forme que le génie de Diderot avait élevée au rang de genre littéraire authentique. L'Encyclopédiste aura été le premier et le seul à décrire de manière *scrupuleuse* et toujours amusante d'interminables galeries de tableaux, à s'efforcer de *faire voir* tout ce que son œil observateur avait perçu, à émailler chacun de ses comptes rendus de réflexions instructives, d'enseignements techniques et de poésie... [49]

On a beaucoup commenté la tâche gigantesque et presque surhumaine qu'il accomplit pour l'*Encyclopédie.* A notre avis, le tour de force qu'il réalisa en acceptant la gageure de traduire aussi fidèlement que possible les ouvrages des peintres et sculpteurs des Salons de 1759, 1761, 1763, 1765, 1767, 1769, 1771, 1775 et 1781 est tout aussi spectaculaire : car il exigeait le même dynamisme et la même patience.

En dépit du nombre de toiles insignifiantes analysées dans les *Salons* respectifs de nos critiques, les descriptions et les appréciations de ceux-ci constituent une lecture enrichissante et très souvent passionnante, car elles démontrent comment deux esprits, surmontant le handi-

---

[49] Elie Faure, dans son Avant-Propos aux *Variétés critiques* de Baudelaire, affirme que « si l'on met à part la tentative passionnante, mais avortée de Diderot, Baudelaire a créé... la transposition poétique de la peinture » (p. x). Nous espérons que ce chapitre aura révélé l'injustice, commise à l'égard de Diderot, que comporte ce genre d'assertion...

cap d'une formation littéraire, ont pu communier étroitement avec les artistes les plus avancés de leur temps, et communiquer cette expérience au lecteur par la seule magie du Verbe. Fier de ses connaissances techniques et de son identification avec le praticien, chacun se vantera du point de vue exclusivement pictural qu'il a adopté : « Le dessinateur Cochin raisonne comme un littérateur, et moi je raisonne comme un peintre » (X, 335) déclare Diderot à propos d'une différence d'opinion sur un tableau de Baudouin ; et au cours de son voyage en Belgique, Baudelaire écrit : « En France, on me trouve trop peintre » (p. 1303).

Chose qui peut paraître paradoxale aux yeux de quiconque n'a pas approfondi nos deux auteurs, la pensée de Baudelaire est plus abordable dans ses écrits critiques que celle de Diderot. C'est que celui-ci réussit souvent trop bien à voiler son excellente connaissance de la technique derrière des anecdotes divertissantes, des dialogues d'une verve généreuse et des effusions sentimentales. Aussi nombre de lecteurs, trompés par cette bonhomie, ce manque apparent de toute cérémonie, et se fiant à ce qui saute aux yeux, ont-ils méconnu l'originalité réelle, l'importante contribution esthétique de ses *Salons*.

Les connaissances de Baudelaire sont plus facilement reconnaissables car sa forme plus brève, plus dense, comporte une orchestration moins vaste et complexe. L'on ne saurait donc trop recommander la prudence à qui étudie la personnalité quelquefois fuyante, parce que si polychrome, du célèbre Langrois.

CHAPITRE VI

LES CRITÈRES DU BEAU

En ce qui concerne l'ensemble des théories esthétiques de Diderot et de Baudelaire, il existe un facteur dont il convient de tenir compte à l'égard du philosophe, mais qui n'entre presque pas en jeu dans l'analyse de la critique baudelairienne. Le point de vue de Baudelaire ne subira point de changement notable. En soulignant tour à tour divers aspects de sa pensée, en invoquant le droit de contradiction, il ne fait qu'obéir aux fluctuations de la réceptivité émotive et d'une pensée non soumise à un système rigide. Il est bien vrai que son dernier *Salon* est moins riche que les précédents en observations purement techniques, qu'il se propose un but théorique plutôt qu'expérimental et qu'il trahit surtout une préoccupation de la spiritualité de l'art : rôle de l'imagination et de la partie idéale. Ce ne sont pas là des oscillations au sens précis du mot, mais plutôt la mise en relief de tendances profondes qui se manifestaient dès le *Salon de 1845*. De fait, l'on peut retrouver les mêmes grands principes dans les essais que Baudelaire écrivit à l'âge de ving-cinq ans et dans ceux de sa maturité, et s'il nous semble que quelque chose a changé, cette impression est due surtout à une évolution de la forme, du style, évolution que nous avons déjà discutée. Pareille précocité dans la compréhension des problèmes de la plastique résulte certainement du fait que sa passion des images remonte à un âge très tendre, au jour où son père, lui-même si féru de peinture, lui avait ouvert les portes d'un monde féérique dont il ne se lassera jamais : « Goût permanent depuis l'enfance de toutes les représentations plastiques » (p. 1238), peut-on lire dans sa *Note autobiographique*.

Chez Diderot, par contre, l'initiation a lieu beaucoup plus tard, et comme en 1755 (date à laquelle il commence à s'intéresser activement aux Beaux-Arts) il n'est plus l'enfant qui regarde naturellement le monde des formes et des couleurs avec des yeux « neufs », il s'ensuit que son apprentissage marquera des étapes. De là une progression, non linéaire et uniforme, mais avec des méandres, vers une conception de plus en plus purement picturale des grandes questions esthétiques. Lorsqu'il rédige son article *Beau* (1750), il trahit un point de vue théorique et tire ses exemples surtout de la littérature et de la géométrie. De cette première tentative, brillante il est vrai, mais peu révélatrice pour le peintre, jusqu'à *L'Essai sur la peinture* (1765), jusqu'aux *Pensées détachées sur la peinture* (1781), un long chemin a été parcouru ; et même lorsque philosophe se sert des mêmes termes, leur acception a sensiblement évolué et s'est enrichie en fonction d'une pratique directe des beaux-arts. Malheureusement, nombreux sont les écrivains qui basent leurs études de l'esthétique de Diderot sur ses premiers écrits, sans tenir compte que l'essai sur le *Beau,* et avant lui, certains passages de l'*Essai sur le mérite et la vertu* (1745), sont un point de départ et non un aboutissement.[1] Cet enrichissement se fait sentir plus tard par la manière dont Diderot porte l'accent sur la technique, sur les divers modes de création artistique et sur les problèmes spécifiques de l'exécution. Sa pensée devient plus complexe, moins facile à réduire en quelques formules car, même dans ses développements plus théoriques, il se refuse à sacrifier le particulier au général.

Avec une expérience grandissante des modalités de l'art, il éclairera d'une lumière sensiblement différente les mêmes aspects de sa pensée. Ce qui le préoccupait lorsqu'il était encore sous l'influence de Shaftesbury, notamment le rapport entre le Beau et le Bon, est, ou bien laissé dans l'ombre, ou repensé d'un point de vue plus profond et plus subtil. C'est ainsi que la relation plutôt abstraite qu'il avait établie entre le Beau et l'Utile dans son *Essai sur le mérite et la vertu* est traité sur un plan plus concret : à savoir, la connexion qui existe entre l'état d'une société et l'état de son art, entre l'artiste et son milieu, entre les mœurs du peintre et le caractère de sa production artistique, et finalement, entre l'intention impliquée dans une composition et l'effet moral de celle-ci sur le spectateur.

Les qualités de la composition, du coloris et des formes, voilà qui constitue la pierre de touche quand Diderot atteint à sa maturité de critique d'art et quand son naturalisme s'estompe en faveur d'un autre critère : celui du *style* en tant qu'image extérieure du « modèle intérieur ». Et cette intuition se trouve à la base de notre foi esthétique moderne selon laquelle l'artiste trouve une source jamais tarie de beauté en se penchant sur son *moi* irréductible ; non en recherchant le Beau en soi, en copiant les grands modèles ou en s'astreignant à l'obéissance à la nature.

Un fait mérite d'être relevé ici ; c'est que dans ses *Salons,* donc à partir de 1759, Diderot ne se réfère pas une seule fois à ses écrits antérieurs sur l'esthétique. Par contre, combien le fascinent les problèmes issus directement de la pratique de l'art ! De toute évidence, il a dû se rendre compte (inconsciemment peut-être) que ses analyses théoriques antérieures à sa fréquentation des ateliers ne pouvaient être que d'une portée fort restreinte pour le praticien. Aussi, après 1759, le voit-on se reporter aux opinions des peintres plutôt qu'à celles des théoriciens.

Certains érudits ont attribué cet abandon des systèmes abstraits à ce qu'ils appellent « his characteristic fragmentary thinking », « his

[1] Luppol, dans son *Diderot* (Editions sociales internationales, 1936), et Jean Thomas, dans son *Humanisme de Diderot* (Les Belles-Lettres, 1938), font exception à cette tendance de la part des spécialistes. Mais à cause des limites imposées par la nature des études d'une portée générale, ils ne sont pas à même de préciser cette évolution. Par contre, Gilbert et Kuhn, dans leur *History of Esthetics* (Indiana University Press, 1953), basent entièrement leur discussion de la théorie du Beau de Diderot sur son essai le *Beau,* sans en poursuivre les ramifications et les prolongements si importants dans sa critique d'art. De là une interprétation certes unifiée mais qui met seulement en lumière une facette de la pensée multiforme et évolutive du philosophe.

limited ability to cope with a sustained development of high-level abstractions ». [2] A notre avis, ce genre d'appréciation fausse non seulement les intentions délibérées du critique, mais aussi le caractère essentiellement expérimental et pragmatique de sa philosophie.

***

Dès la rédaction de son article *Beau* (1751), Diderot a vu, et avec raison, que le plaisir esthétique réside principalement dans la perception intellectuelle et émotive d'un ordre harmonieux de rapports et de proportions. Ayant passé en revue les doctrines de divers théoriciens tels que Du Bos, Batteux, Wolff, Crousaz, Hutchinson, le Père André et Shaftesbury, il formule à son tour une théorie du Beau qui se distingue par un point de vue expérimental et sensualiste : est Beau « tout ce qui contient en soi de quoi réveiller dans mon entendement l'idée de rapports, ou tout ce qui réveille cette idée » [3] (X, 27). Sûr d'avoir enfin trouvé une définition qui embrasse toutes les formes de beauté, il affirme plus loin : « Placez la *beauté* dans la perception des rapports, et vous aurez l'histoire de ses progrès depuis la naissance du monde jusqu'aujourd'hui » (X, 35).

Comment notre critique a-t-il, par la suite, appliqué cette définition au domaine plastique ? Naturaliste, il a dû croire, à ses débuts de salonnier, que la beauté esthétique se réalise par l'excellence et la fidélité de l'imitation de l'harmonie naturelle. Et déjà ici, il y a un écart significatif avec les théories de ceux qui voulaient que l'artiste peignît une nature embellie et ennoblie selon les canons classiques. Mais bientôt, il s'est rendu à l'évidence que le Beau procède plutôt de la manière dont l'artiste a réordonné et recréé les données de la réalité en vue de donner forme à sa propre vision du monde. En effet, alors que le Beau dans la nature n'est que le résultat d'un nombre incalculable de causes fortuites, de « jets » pour parler comme le philosophe, le Beau artistique résulte d'un effort individuel et soutenu.

S'étant familiarisé avec les productions de l'art, Diderot deviendra plus conscient de l'irréductibilité qui se manifeste entre ces deux ordres de beauté et se rapprochera sensiblement de la conception baudelairienne du Beau artistique en tant que protestation contre l'ordre naturel brut. Voici ce qu'il dit à ce sujet dans son *Salon de 1767* :

> C'est sans contredit une grande chose que cet univers ; mais, quand je le compare avec l'énergie de la cause productrice, si j'avais à m'émerveiller, c'est que son œuvre ne soit pas plus belle et plus parfaite encore. C'est tout le contraire lorsque je pense à la faiblesse de l'homme, à ses pauvres moyens, aux embarras et à la courte durée de sa vie, et à certaines choses qu'il a entreprises et exécutées ((XI, 101-102). [4]

---

[2] Lester G. Crocker, *Two Diderot Studies : Ethics and Esthetics*, p. 67.

[3] A la date du 22 mars 1857, Delacroix inscrit cette note : « Lire à fond le passage (Sénancour, *Obermann*, I, 156) : 'La perception des rapports ordonnés produit l'idée de la beauté.' » (III, 83.)

[4] « Il y a des effets de nature qu'il faut ou pallier ou négliger », écrit-il aussi dans son *Salon de 1765* (X, 422).

Un des traits les plus intéressants que présentent les *Salons* de Diderot, est cette distinction de plus en plus marquée entre le Beau naturel et le Beau esthétique, et cette conception toujours plus proche de la nôtre : notion de l'art comme un système cohérent et à l'échelle humaine, substitué, au prix d'efforts toujours admirables et souvent tragiques, à l'ordre inhumain et indifférent de l'univers.

Au cours d'un dialogue concernant les paysages de Vernet, Diderot assure son interlocuteur que si celui-ci avait un peu plus fréquenté cet artiste, il aurait appris à distinguer, dans l'ordre de la nature, bien des choses à reprendre : « Combien l'art en supprimerait, qui gâtent l'ensemble et nuisent à l'effet ; combien il en rapprocherait, qui doubleraient notre enchantement ! » (*Salon de 1767,* XI, 101).

Lorsqu'on demande au philosophe comment il s'y prendrait pour embellir la nature, la réponse est révélatrice par sa simplicité et son humilité. Elle atteste combien le critique s'est éloigné et du naturalisme de ses débuts et des néo-classiques, lesquels veulent aussi une certaine exagération de la nature, mais par *l'épuration* de tous ses accidents particuliers et par la conformation à un moule transcendant et précis, établi selon les dogmes de l'Académie. Au lieu d'énumérer une série de recettes au moyen desquelles on pourrait arriver à améliorer et à réordonner les données de la réalité en vue de l'embellir, il avoue très sincèrement : « Je l'ignore, et si je le savais je serais plus grand poète et plus grand peintre que lui [Vernet] (XI, 101).

En d'autres termes, c'est à chaque artiste qu'il appartient d'élaborer sa propre vision de l'univers, et non au théoricien de tenter d'imposer quelque système de règles rigides parfaitement inutiles.

Diderot sera bientôt amené à distinguer deux types d'artistes : celui qui « imite rigoureusement la nature » et « celui qui la compose, l'exagère, l'affaiblit, l'embellit, en dispose à son gré » (XV, 169). Le premier est « l'historien » de la réalité ; le deuxième en est « le poète ». En ce qui concerne « l'historien », même lorsque celui-ci « imite rigoureusement la nature », il convient de ne point interpréter cette expression à la lettre, puisque l'imitation proprement dite est impossible à réaliser : « Qu'on me montre sur toute la surface de la terre... la plus petite partie d'une figure, un ongle, que l'artiste puisse imiter rigoureusement », lit-on dans *L'Essai sur la peinture* (X, 516). On trouve d'ailleurs un prolongement fort intéressant de cette distinction dans l'essai de Baudelaire consacré au portrait (*Salon de 1846*) :

> Il y a deux manières de comprendre le portrait, — l'histoire et le roman. L'une est de rendre fidèlement, minutieusement, le contour et le modelé du modèle. ... La seconde méthode ... est de faire du portrait un tableau, un poëme avec ses accessoires, plein d'espace et de rêverie (p. 651).

Dans son *Traité du Beau,* Diderot avait fait montre d'une quasi-indifférence à l'égard de la plastique. C'est que jusque vers l'année 1755, ni la peinture ni la sculpture n'avaient été de sa part l'objet d'une attention particulière. Aussi la méthode dont il se sert dans son article encyclopédique est-elle surtout spéculative. En fait, que signifie ce terme vaste et un peu vague de « rapports ? » Dans son article encyclopédique, il n'élucide pas encore sa pensée à l'aide d'exemples concrets et tirés d'ouvrages artistiques, comme il ne manquera jamais de le faire dans ses *Salons*. Mais l'emploi du mot « rapports » fait déjà pressentir les principes plus concrets du Beau tels qu'il les exposera dans sa critique d'art. Ces rapports, en effet, embrassent les divers éléments complexes et entrelacés qui produisent le plaisir esthétique : rapports entre les parties d'une composition, rapports entre cette composition et la subjectivité du spectateur, et finalement rapports entre l'esthétique et l'éthique. Diderot ne peut considérer le Beau comme une valeur autonome, suprême, et dégagée de tout effet moral.

En ceci, Baudelaire, bien qu'il ait été plus prudent dans ses assertions et y ait mis moins d'insistance que le philosophe « engagé », est néanmoins plus proche du point de vue du salonnier du XVIIIe siècle que de celui de Gautier et des Parnassiens. Dans sa notice sur *Edgar Poe, sa vie et ses ouvrages,* il loue le poète américain de ne pas s'être rangé parmi les « poètes marmoréens et inhumains », qui proclament que « toute chose belle est essentiellement inutile ». En effet, de l'avis du critique, « la puérile utopie de *l'art pour l'art,* en excluant la morale, et souvent même la passion, était nécessairement stérile » (p. 960). Pendant la révolution de 1848, son enthousiasme humanitaire est à son comble, et encore en 1851 il écrit dans sa préface à l'édition illustrée des chansons de Pierre Dupont :

> Quel est le grand secret de Pierre Dupont, et d'où vient cette sympathie qui l'enveloppe ? Ce grand secret, je vais vous le dire ... il n'est ni dans l'habileté du faire, ni dans la plus ou moins grande quantité de procédés que l'artiste a puisés dans le fonds commun du savoir humain ; il est dans l'amour de la vertu et de l'humanité (p. 967).

Mais déçu par l'expérience de 1848, le poète se préoccupera moins de cette question d'art et de morale. S'il condamne le didactisme en art, ce n'est point parce qu'il considère le Beau comme essentiellement amoral (« tout objet d'art *bien fait* suggère naturellement et forcément *une morale* », écrit-il à Swinburne), [5] mais parce qu'il estime que l'artiste, s'il se donne un but extérieur au genre qu'il pratique, commet une grave erreur esthétique. Tenter de réaliser artificiellement un Beau moral, une pensée qui ne résulte pas directement du jeu des formes et des couleurs, revient à commettre le même genre d'empiétement sacrilège que la confusion entre le plastique et le littéraire, ou le pictural et le musical. La contemplation du Beau artistique, en élevant l'homme au-dessus des contingences de la vie quotidienne et des intérêts égoïstes, implique l'accroissement du Bien et l'ennoblissement des mœurs ; cependant là n'est pas son but, mais plutôt son effet.

Diderot en est venu quelquefois à placer le Bien sur le même plan que le Beau. Cette tendance remonte surtout à l'influence de Shaftesbury et de son disciple Hutcheson, et les théories de ces derniers procèdent à

---

[5] *Correspondance,* IV, 198.

leur tour — en partie du moins — des théories platoniciennes, lesquelles assimilent l'esthétique à l'éthique. Shaftesbury établit, en effet, un rapport des plus étroits entre le « moral sense », qui pousse l'homme à agir charitablement et bénévolement, et son « inner sense », qui le rend sensible à l'harmonie des formes et des sons. En outre, il considère cette sensibilité éthique et esthétique comme un don inné, une partie intégrante des facultés mentales de l'homme : « The sense of inward numbers, the knowledge and practice of the social virtues, the familiarity and favor of the moral graces are essentiel to the character of a deserving artist and just favorite of the muses. Thus the science of *virtuosi* and that of virtue itself become in a manner one and the same. » [6]

Encore que Diderot aime à penser qu'un homme sensible au Beau le serait aussi au Bien, et qu'il existerait une relation de cause à effet entre l'idéal moral d'une part, et l'idéal artistique de l'autre, [7] il se voit forcé de rejeter le postulat que cette perception fait partie d'un sens inné, relié au sens moral :

> Croire avec Hutcheson, Smith et d'autres, que nous ayons un sens moral propre à discerner le bon et le beau, c'est une vision dont la poésie peut s'accommoder, mais que la philosophie rejette. Tout est expérimental en nous. ... Combien de motifs secrets et compliqués dans notre blâme et nos éloges ! ... Nos habitudes sont prises de si bonne heure, qu'on les appelle naturelles, innées ; mais il n'y a rien de naturel, rien d'inné que des fibres plus flexibles, plus raides, plus ou moins mobiles, plus ou moins disposées à osciller (XI, 25).

***

On a souvent considéré l'Introduction au *Salon de 1767* comme une profession de foi classique où Diderot exhorte l'artiste à corriger les types fournis par la nature à la lumière des sculptures grecques et des peintres de la Haute Renaissance italienne. Mais si sa solide formation classique l'a rendu sensible au Beau des Anciens, s'il s'est penché plus d'une fois sur cet idéal noblement réalisé dans la statuaire antique, et s'il était loin d'être indifférent à l'ordre architectonique de Poussin, à la calme grandeur des figures de Raphaël, il n'a pas posé comme principe la primauté de cet idéal classique.

Parce que la statuaire tendait à s'approcher de l'Antiquité plus que tous les autres arts, [8] c'est surtout devant elle que Diderot garde présents

---

[6] Cité dans *A History of Esthetics* par Katharine Everett Gilbert et Helmut Kuhn (Indiana University Press, 1953), p. 240.

[7] Il observe autour de lui que la production artistique des peintres qui cèdent aux attrayantes tentations de l'argent et d'une gloire rapide, finit toujours par perdre les qualités prometteuses qu'elle avait à l'origine pour dégénérer dans la facilité, le poncif, le plagiat et la médiocrité. C'est que ces artistes, avides de récompenses et de plaisirs, négligent, par la force des choses, la lente et difficile élaboration d'un *style*.

Par contre, il se rend parfaitement compte qu'il ne suffit pas d'avoir de bonnes intentions pour devenir un grand artiste.

[8] Diderot a d'ailleurs noté ce fait : « Les statuaires tiennent plus à l'antique que les peintres » (X, 418).

à l'esprit les types plastiques créés par les Grecs. Tout au long de ses *Salons,* il revient à cette conception du Beau, mais c'est pour la confronter avec celle des modernes. Il en résulte, dans certains passages du *Salon de 1765,* dans *L'Essai sur la peinture* et particulièrement dans l'Introduction du *Salon de 1767,* des essais de définition très révélateurs.

Comme il existe une profonde correspondance entre notre condition physiologique et notre sentiment de la beauté, et comme les organes, les formes et les proportions du corps humain produisent leurs fonctions et besoins, ceux-ci déterminent à leur tour notre conception de l'harmonie des rapports. « Qu'est-ce qu'un bel homme, si ce n'est celui dont les membres bien proportionnés conspirent de la façon la plus avantageuse à l'accomplissement des fonctions animales ? » avait déjà constaté le philosophe en 1745 dans son *Essai sur le mérite et la vertu* (I, 35). De cette observation, qui ne pouvait venir que de la plume d'un naturaliste, il découle que certaines habitudes modifieront profondément l'aspect physique de l'individu et provoqueront des déformations fonctionnelles. Il est également évident que chacun porte les indices visibles de l'usure de la vie et de son état. Comment les Anciens, par exemple, en sont-ils arrivés à concevoir un type « primitif », un « modèle premier » (XI, 11) ? En procédant au retranchement successif des « altérations » amenées par les fonctions et les « passions », en opérant un choix très rigoureux guidé par un goût de plus en plus raffiné, en empruntant les plus belles parties de divers modèles, non uniquement par la voie de la réflexion, mais avec le secours de l'instinct, du tact artistique et de l'inspiration.

C'est au terme de longues et patientes recherches que les Grecs sont parvenus à trouver une ligne pure et originelle qui suggère la forme humaine telle qu'elle se présenterait sans aucune déformation fonctionnelle, sans trace de labeur, d'usure et d'émotion. Ce genre de recherche ne pouvait être couronné de succès du jour au lendemain : « ce fut l'ouvrage du temps » (XII, 76), car « s'il y avait une figure difficile à trouver, ce serait celle d'un homme de vingt-cinq ans, qui serait né subitement du limon de la terre, et qui n'aurait encore rien fait ; mais cet homme est une chimère » (X, 463). Ce « modèle le plus beau, le plus parfait d'un homme... supérieurement propre à toutes les fonctions de la vie, et parvenu à l'âge du plus entier développement, sans en avoir exercé aucune » (XI, 12) est bien l'image du fameux Antinoüs.

Mais qu'est-ce que l'Antinoüs à la lumière de la philosophie naturaliste de Diderot ? C'est tout simplement « un homme qui n'est d'aucun état ;... un fainéant, qui n'a jamais rien fait... C'est la figure que vous choisirez pour la plier à toutes sortes de conditions » (X, 306).

Jusqu'ici, l'essai de définition ne s'éloigne pas trop des théories d'un Poussin ou d'un Le Brun, à cela près que ceux-ci n'eussent jamais appliqué à l'Antinoüs l'épithète peu respectueuse de « fainéant » : ils ne voyaient pas en lui une espèce de figure en cire à « plier à toutes sortes de conditions », mais un modèle parfait et transcendental à imiter humblement. Mais c'est surtout lorsque Diderot tente de retracer l'origine de la ligne idéale qu'il s'écarte de l'école classique. Cette dernière, fidèle à la conception platonicienne d'un type de beauté objectif, supra-naturel et extérieur à l'artiste, avait imposé une série de préceptes, de recettes qui, selon les adeptes, ne pouvaient manquer d'aider le peintre ou le sculpteur à dégager ce type universel des accidents individuels et spécifiques de la nature visible. Or, pour Diderot, le Beau n'a plus une existence indépendante de la vision de l'artiste. Eliminant tout platonisme de « l'idéalisme » individuel qu'il prêche, l'auteur du *Salon de 1767* proclame que cette ligne idéale *est* la vision de certains créateurs, de certains « voyants », pour parler comme Rimbaud.

Ce « modèle idéal » est déterminé, non seulement par le caractère particulier de chaque génie, mais aussi par « le climat, le gouvernement, les lois, les circonstances qui l'auront vu naître » (XI, 13). Mais il est surtout la création d'une imagination puissamment lyrique, et n'existe que « dans la tête des Agasias, des Raphaël, des Poussin, des Puget, des Pigalle, des Falconet » (XI, 13). Comme cette « ligne vraie » est par essence « non traditionnelle », qu'elle « s'évanouit presque avec l'homme de génie » (XI, 13), le disciple, s'inspirant trop étroitement de ces modèles, ne réussira qu'à produire des copies plus ou moins habiles. C'est précisément parce qu'il s'aperçoit que chaque grand artiste possède sa « manière » et que le moindre tableautin suffit pour « signer son nom *ex ungue leonem* » (XI, 411), que Diderot se pique de pouvoir reconnaître immédiatement « une ordonnance, des incidents, une figure, une tête, un caractère, une expression empruntés de Raphaël, des Carraches, du Titien, ou d'un autre » (XI, 4).

De ce principe, il tirera un corollaire entièrement opposé aux traditions académiques ; à savoir, qu'un artiste ne doit jamais imiter la manière d'un autre, même si c'est un Phidias ou un Raphaël ; il doit, bien plutôt, tenter d'élaborer son propre style. En effet, l'obéissance aux règles d'école et aux canons académiques empêche le libre développement de toute initiative personnelle et de tout esprit de recherche, essentiels à la production d'une œuvre d'art authentique. Dans un bel élan lyrique, le critique s'écrie :

> Modèle idéal de la beauté, ligne vraie, que ces grands maîtres ne peuvent inspirer à leurs élèves aussi rigoureusement qu'ils la conçoivent ; modèle idéal de la beauté, ligne vraie, au-dessus de laquelle ils peuvent s'élancer en se jouant, pour produire le chimérique ... au-dessous de laquelle ils peuvent descendre pour produire les différents portraits de la vie, la charge [entendez, la caricature] le monstre, le grotesque ... (XI, 13).

A notre avis, A. Fontaine fausse l'esprit de ce passage lorsqu'il en conclut que c'est « au goût antique qu'il [Diderot] ramène ceux qui l'écoutent ».[9] Nous n'y voyons qu'un hommage éloquent rendu aux grands maîtres du passé, accompagné d'ailleurs d'avertissements réitérés

---

[9] Voir A. Fontaine, *op. cit.*, p. 297. Nous ne voyons pas très bien non plus comment l'on peut déduire de l'analyse du Beau par Diderot, que cette notion est « typical of the neo-classical theory — that Diderot will consistently maintain in his writings », comme le fait Lester G. Crocker dans ses *Two Diderot Studies : Ethics and Esthetics*, p. 55.

aux jeunes élèves qui commettraient l'erreur fatale de s'assujettir « en esclaves aux proportions de l'antique » (XI, 412).

Les artistes de la Renaissance italienne ont égalé les Grecs, non en se soumettant servilement à eux, mais en adoptant leur esprit de recherche, en adaptant l'idéal hellénique, l'humanisation de l'univers, à leurs aspirations d'Italiens du XVe et du XVIe siècles. Et ce faisant, ils ont créé un Antinoüs à leur propre image et conforme à leur mythe. En christianisant les dieux païens, ils ont opéré « la métamorphose d'Apollon en saint Jean » (XI, 346). Et Diderot de louer Poussin d'avoir, comme Michel-Ange et Raphaël, « fondu avec un tel art la Bible avec le paganisme, les dieux de la fable antique avec les personnages de la mythologie moderne » (XI, 346).

Notre critique est tout heureux, au cours d'une de ses causeries avec le portraitiste La Tour, de voir ses principes confirmés par un praticien qu'il estime. Aussi résume-t-il une fois de plus sa théorie du Beau dans son *Salon de 1769* (XI, 412-413). La Tour, note-t-il avec satisfaction, estime, lui aussi, qu'afin de produire un effet poétique, le peintre devrait accuser le trait caractéristique de ses personnages, au lieu de retrancher « l'empreinte plus ou moins marquée » (XI, 413) de leur état, à la manière des académistes qui transforment les êtres vivants en statues antiques. Aux données de la vérité, l'artiste est même tenu d'ajouter « un peu d'exagération » (XI, 413) en vue d'intensifier l'expressivité et la poésie de son sujet. Il est évident que c'est un portraitiste qui parle, et que cette façon de voir ne pouvait que gagner l'approbation enthousiaste du promoteur des drames de conditions...

S'il existe un élément idéaliste dans la critique de Diderot — pour celui-ci l'artiste se sert de la nature extérieure comme d'un matériau devant servir à l'expression de son idéal intérieur — cet idéalisme n'est plus d'origine platonicienne, mais se rattache d'une part à sa philosophie naturaliste, et, d'autre part, à sa conception essentiellement romantique du génie.

Lorsque Diderot se demande s' « il est impossible à nos artistes d'égaler jamais les Anciens » (XI, 14), sa réponse n'est affirmative que pour ceux qui se contentent d'étudier la nature « d'après des copies antiques » (XI, 14). Les Grecs, en revanche, sont grands précisément parce qu'ils « ont été soumis au tâtonnement » (XI, 16). Essayer de les imiter automatiquement, sans recherche individuelle au préalable, en suivre la lettre, mais en trahir l'esprit, « réformer la nature sur l'antique, c'est suivre la route inverse des Anciens qui n'en avaient point ; c'est toujours travailler d'après une copie » (XI, 14).[9 bis] C'est seulement en renonçant à répéter les chefs-d'œuvre du passé, en adoptant le parti-pris de l'originalité, en s'imprégnant du *caractère* des œuvres de premier ordre, que le peintre ou le sculpteur modernes, à force de persévérance et de réflexion, égaleront jamais leurs illustres prédécesseurs dans leur

---

[9 bis] Stendhal exprimera la même idée de manière presque identique : « Copier l'antique,... c'est employer son esprit d'une manière exactement contraire à ce que faisait le sculpteur d'Athènes, qui choisissait dans la nature les traits à imiter » (Le Div., XLVII, 181).

style propre. L'auteur du *Salon de 1767* émet maintes fois et de diverses manières le principe fondamental que « les grands modèles, si utiles aux hommes médiocres, nuisent beaucoup aux hommes de génie » (XI, 17). Pour sa part, il affirme qu'il aimerait mieux être « un pauvre petit original qu'un grand copiste » (XI, 425).

A la lumière de cette théorie, où l'artiste trouvera-t-il le principe du Beau ? Certes pas dans les canons d'école. C'est plutôt en remontant à sa perception individuelle de l'univers qu'il arrivera à une conception supérieure du Beau. Diderot tient cette conception pour le résultat d'une combinaison de divers facteurs, tels qu' « une longue observation,... une expérience consommée,... un tact exquis,... un goût, un instinct » (XI, 12), et finalement, « une sorte d'inspiration donnée à quelques rares génies » (XI, 12). Il appelle « idéale » cette conception du Beau, non au sens platonicien du terme, mais dans la mesure où ce Beau résulte d'une double généralisation ; d'après un type intérieur créé par l'artiste, et d'après une combinaison d'images fournies par l'expérience : « Convenez donc que ce modèle est purement idéal, et qu'il n'est emprunté directement d'aucune image individuelle de Nature, dont la copie scrupuleuse vous soit restée dans l'imagination, et que vous puissiez appeler derechef, arrêter sous vos yeux et recopier servilement » (XI, 11).

Conséquence très importante de ce principe : un sujet ordinaire, et même laid par lui-même, sera complètement transfiguré par l'art, lorsque celui qui l'a choisi y a senti des éléments transcendants, et si, possesseur de moyens d'exécution adaptés à son dessein, il sait les assimiler à un style authentique. Un thème sera beau et poétique à voir sur la toile, non parce qu'il est beau dans la nature extérieure, mais pour peu que le peintre l'ait rendu beau à contempler en tant que peinture.

Grâce surtout aux Hollandais, aux Flamands et à Chardin, Diderot comprendra bientôt que l'artiste peut trouver d'infinies possibilités plastiques dans les gestes les plus routiniers... C'est ainsi qu'il reproche à Le Mierre, auteur d'un poème sur la peinture, de ne pas s'être douté qu' « un incident commun bien rendu en peinture est encore une belle chose » (XIII, 86).

Le mérite de Diderot, à cet égard, est d'avoir pris de plus en plus conscience des nouvelles catégories du Beau, là où ses prédécesseurs et ses contemporains ne tendaient à voir que de l'irrégulier, du vulgaire et même du *laid*. Devant *La Raie dépouillée* de Chardin, il donne ce conseil : « Regardez bien ce morceau, quand vous irez à l'Académie, et apprenez, si vous pouvez, le secret de sauver par le talent le dégoût de certaines natures » (X, 195). Dégageant ses appréciations des vieilles conceptions littéraires, dont le XVIIIe siècle resta si féru, ainsi que de la notion classique qui requiert que l'on épure la nature en n'en choisissant que les aspects les plus élevés, il tire cette conclusion de ses réflexions sur le problème du Beau dans la nature et dans l'art : à savoir que s' « il y a... des sujets ingrats... c'est pour l'artiste ordinaire qu'ils sont communs » (X, 503). En d'autres termes, ce qui est beau dans un ordre, ne l'est pas forcément dans l'autre, et même lorsque pareil cas se présente, ce ne sera jamais de la même façon puisque le Beau dans l'art ne dépend pas d'un jeu de circonstances fortuites, de quelque hasard heureux, mais d'une combinaison étroite de deux facteurs mutuellement dépendants et souvent impossibles à distinguer l'un de l'autre : l'originalité et la profondeur de la conception — ce que Diderot appelle « l'idée » — ainsi que l'excellence et l'audace de l'exécution.

Qu'il vive quand le Beau classique, maniériste, baroque ou rococo est en honneur : s'il est fidèle à lui-même, l'artiste finira toujours par réaliser une seule forme de Beau, la sienne propre. A propos des martyrs de Rubens, Taine, dans sa *Philosophie de l'art,* observe que ce sont « des géants fougueux et des lutteurs lâches », et il trouve que ses saintes ont des « torses de faunesses et des hanches de bacchantes ». Et Boucher, croyant peindre des déesses grecques, portraiturait en fait un type de « petite-maîtresse » coquette et charnue qu'il admirait et qui s'accordait avec son talent facile et séduisant.

Diderot s'est donc aperçu que le Beau est variable et individuel, qu'il se transforme chaque fois que se renouvelle un style, que survient un grand artiste. De là, à rejeter tout idéal qui ne caractérise pas la substance et l'esprit de l'époque contemporaine ; de là, à rechercher fiévreusement, dans toutes les manifestations de cette époque, l'aspiration vers ce Beau multiforme — un Beau résidant surtout dans l'intensité de l'expression — il n'y a qu'un pas. Ce pas, Baudelaire, le promoteur passionné de la « modernité », le franchira.

***

Ceci nous amène aux deux catégories baudelairiennes de beauté artistique dont on trouve la définition notamment dans *Le Peintre de la vie moderne* :

> Le beau est fait d'un élément éternel, invariable, dont la quantité est excessivement difficile à déterminer, et d'un élément relatif, circonstanciel, qui sera, si l'on veut, tour à tour ou tout ensemble, la passion. Sans ce second élément, qui est comme l'enveloppe amusante, titillante, apéritive, du divin gâteau, le premier élément serait indigestible, inappréciable, non adapté et non approprié à la nature humaine (p. 883).

Notons que cette conception du Beau est en parfait accord avec le dualisme chrétien du poète et se rapproche du platonisme, alors que l'esthétique de Diderot s'en éloigne sensiblement. En effet, Baudelaire considère l'instinct du Beau comme l'indice le plus sûr de notre aspiration vers l'immortalité et...

> ... le meilleur témoignage
> Que nous puissions donner de notre dignité
> (*Les Phares*)

Tel Sisyphe, le poète tente vainement d'appréhender l'archétype absolu, les insuffisances de sa nature humaine font de cette lutte toujours recommencée « un duel où l'artiste crie de frayeur avant d'être vaincu » (p. 284). Cet inégal et tragique combat provoque dans l'esprit du créateur un sentiment mélancolique d'impuissance, et même quelquefois l'horrible sensation du « gouffre ». Mais du moins, la recherche du

Beau révèle-t-elle une âme capable de perceptions supérieures et d'une compréhension, bien incomplète il est vrai, de l'Infini épars dans ce monde déchu :

> Que tu viennes du ciel ou de l'enfer, qu'importe,
> O Beauté ! monstre énorme, effrayant, ingénu !
> Si ton œil, ton souris, ton pied, m'ouvrent la porte
> D'un Infini que j'aime et n'ai jamais connu ?
> (*Hymne à la Beauté*)

Le premier ordre de beauté, « l'élément éternel, invariable », étant transcendant et d'origine divine, se présente comme inaccessible à l'imparfait esprit humain. Puisque, en dépit du culte le plus passionné et le plus exclusif, l'artiste ne pourra atteindre cette idole surhumaine et impassible, il doit accepter la nécessité d'un deuxième ordre de beauté, moins parfait et éternel peut-être, mais plus près de sa nature. A l'encontre du Beau absolu, le Beau relatif doit être aussi piquant, aussi original que possible et se conformer au moule de chaque époque, de chaque contrée, ainsi qu'au caractère propre de chaque artiste. « La dualité de l'art », proclame Baudelaire, « est une conséquence fatale de la dualité de l'homme » (p. 883).

Nous voici loin du monisme vitaliste du philosophe... Mais si l'axiome que pose Baudelaire diffère de la conception de Diderot, les corollaires qu'il en tire s'approchent des principes les plus importants que l'ami de Grimm avait établis dans sa critique d'art.

Dans *Le Peintre de la vie moderne,* le poète exhorte l'artiste à rechercher surtout « la morale et l'esthétique du temps » (p. 882). Le Beau relatif est, par conséquent, *l'idée personnelle* que le peintre, le sculpteur ou le poète se fait de ce Beau ; [10] idée qu'il n'aura pas de mal à formuler s'il sait déchiffrer la signification profonde de tous les aspects de la vie moderne : même les plus transitoires, tels que la ligne de l'habit, le geste inconscient, la parure féminine. Le peintre se devra de traduire cet idéal ainsi que le perçoivent son intelligence et son tempérament propres, et non pas chercher à copier quelque idéal traditionnel :

> Si les hommes chargés d'exprimer le beau se conformaient aux règles des professeurs-jurés, le beau lui-même disparaîtrait de la terre, puisque tous les types, toutes les idées, toutes les sensations se confondraient dans une vaste unité, monotone et impersonnelle, immense comme l'ennui et le néant (p. 691).

En rejetant le principe de l'imitation du Beau classique, Baudelaire, avec sa théorie fondamentalement dualiste, rejoint l'esthétique moniste du philosophe. Celui-ci condamnait, nous l'avons vu, l'obéissance servile aux canons établis d'avance. Pour Baudelaire, tout comme pour Diderot, « l'idéal n'est pas cette chose vague, ce rêve ennuyeux et impalpable qui

---

[10] « J'ai trouvé la définition du Beau, — de mon Beau » (p. 1195), écrit Baudelaire dans ses *Fusées,* avant de donner une description du caractère « ardent », « triste », et « un peu vague » de ce Beau personnel, où doivent également exister des éléments de « mystère » et de « regret » ; épithètes qui s'appliquent admirablement à l'idéal de l'auteur des *Fleurs du Mal.*

nage au plafond des académies » (p. 644). Cette notion académique d'un Beau formé des éléments les plus nobles et les plus « distingués » de la réalité, ce principe de la nature corrigée par l'antique, font partie d'une longue tradition qui remonte à Alberti, Lomazzo, le Bernin, Poussin et Le Brun, et qui persistera en France jusqu'à la décisive révolte des impressionnistes. « L'artiste, le vrai artiste, le vrai poète, ne doit peindre que selon qu'il voit et qu'il sent », proclame Baudelaire, « il doit être *réellement* fidèle à sa propre nature » (p. 773).

Il existe néanmoins des nuances dans la manière dont Diderot et Baudelaire ont éclairé leur pensée.

L'auteur du *Salon de 1767,* s'apercevant qu'il existe des types de beauté plastique en dehors de la norme traditionnelle, et qu'un artiste — Chardin par exemple — peut exceller dans son art sans avoir fait le pèlerinage de l'Italie, en tire la conclusion que chaque peintre doit apprendre à regarder de ses propres yeux, et non à travers les lunettes déformantes de quelque Académie. Ce qui n'empêche pas le philosophe de conserver une certaine révérence teintée de nostalgie pour l'ordre harmonieux et serein de l'idéal grec et italien, de citer, au long de sa carrière littéraire, Homère, Virgile, Horace, d'émailler ses propos d'expressions italiennes, et de spéculer sur le platonisme, qu'il connaît à fond, en particulier dans son préambule au *Salon de 1767* où, pour cette raison, certains ont cru voir un acte de foi à l'égard du classicisme.

C'est surtout devant la sculpture, rappelons-le, que Diderot a accoutumé de se référer aux accomplissements des Grecs. Ceci très probablement parce que les statuaires contemporains du philosophe — comme ceux du poète d'ailleurs — s'écartaient moins des sentiers battus que les peintres, se contentant généralement de mettre à contribution leurs connaissances des écoles du passé. [11]

Baudelaire, quant à lui, se lance corps et âme dans la défense et la justification de l'art novateur, si injustement méconnu d'un public féru de traditionalisme. De là son mépris, surtout dans son *Salon* de 1846, pour les statuaires asservis à tous les canons académiques.

Nos deux critiques s'accordent à voir dans l'idéal classique du Beau une fascinante vision conventionnelle qui, en son temps, aida sans doute nombre d'artistes à produire des chefs-d'œuvre. Mais au XIXe siècle en particulier, le néo-classicisme, dégénéré en un académisme des plus étroits, risquait d'étouffer toute initiative originale. Diderot fut un des premiers à s'être avisé que ce mythe académique ne possédait plus d'attaches fécondes avec la vérité esthétique, différente à chaque époque ; mais c'est Baudelaire qui réclamera, avec une éloquence frémissante de passion, justice et droit de cité pour l'artiste qui a courageusement entrepris de chercher un Beau spécifique, bien plus évanescent que le

---

[11] Il fallut, en effet, attendre jusqu'à Rodin pour assister à un renouvellement authentique de l'art de la sculpture. C'est avec férocité que Baudelaire attaquait l'académisme des statuaires. Pradier, roi de la sculpture en 1846, n'est qu'« un talent froid et académique » qui a passé son existence à « engraisser quelques torses antiques, et à ajuster sur leurs cous des coiffures de filles entretenues » (p. 673).

Beau classique, parce que tout neuf et non codifié, non canonisé : nommément, le *Beau moderne*.

Une des raisons pour lesquelles le poète fait des réserves sur l'art d'Ingres, tient aux soupçons que lui inspire la perfection technique de ce peintre. A travers la correction châtiée de celui-ci, il entrevoit un corps de doctrines qui tempère mal à propos, par des procédés empruntés au « répertoire des idées classiques » (p. 893), ce qu'il pourrait avoir de spontanéité et d'élan. Si Ingres s'est accommodé honorablement de ces recettes, il n'en est pas moins vrai que l'école néo-classique a causé d'horribles méfaits chez les artistes moins richement doués et possédant une personnalité moins forte que l'auteur de la *Grande Odalisque*. Baudelaire fait les mêmes réserves à l'égard du maître d'Ingres, David, le promoteur du retour à l'antique. Par contre, les compositions de David qui procèdent de sa veine réaliste et s'inspirent plus directement de la réalité contemporaine, obtiennent son approbation enthousiaste. Voici ce qu'il écrit à propos de *La Mort de Marat* :

> Tous ces détails sont historiques et réels, comme un roman de Balzac ; le drame est là, vivant dans toute sa lamentable horreur, et par un tour de force étrange qui fait de cette peinture le chef-d'œuvre de David et une des grandes curiosités de l'art moderne, elle n'a rien de trivial ni d'ignoble. ... Ceci est le pain des forts et le triomphe du spiritualisme ; cruel comme la nature, ce tableau a tout le parfum de l'idéal (p. 600).

Fidèle à sa théorie de la « modernité », une fois définie sa conception du Beau absolu, Baudelaire se penchera avec prédilection sur les éléments qui constituent à ses yeux le Beau relatif et, en particulier, le Beau moderne. Comme l'art est « une mnémotechnie du beau » (p. 643), celui-ci doit être non seulement individuel, vigoureux, original, mais aussi comporter le *bizarre* (p. 691). Certes, la contemplation d'êtres parfaitement proportionnés constitue une expérience agréable, mais celle d'une individualité fortement marquée, rendue dans toute son irréductible harmonie expressive, est une expérience autrement mémorable ! Et Baudelaire est amené à formuler une théorie d'un Beau ethnique et individuel que Diderot eût pu contresigner. « Telle main veut tel pied ; chaque épiderme engendre son poil. Chaque individu a donc son idéal », déclare le poète dans *De l'Idéal et du Modèle* (p. 643). A l'instar de son prédécesseur, il trouve « la peinture moderne, trop encline, comme tous nos arts, à se contenter de l'imitation des anciens » (p. 644) ; et, comme le philosophe, il réclame, de l'œuvre d'art, une réinterprétation, une re-création de la nature : processus qui implique une certaine exagération, non pas l'exagération mécanique du naturaliste du XIXe siècle, qui cherche à rendre « la moindre verrue... quatre fois plus grosse » (p. 643), mais une exagération qui intensifie l'expressivité et la poésie du sujet et réponde au rêve intérieur de l'artiste. L'idéal ne doit donc être ni trop abstrait ni trop proche de la réalité, car, nous dit Diderot, « tout ce qui est au-dessus est chimérique, et... tout ce qui est au-dessous est pauvre, mesquin, vicieux » (XI, 15). Et le même principe se retrouve sous la plume du poète : « Trop particulariser ou trop généraliser empêchent également le souvenir » (p. 643). Produira donc une impression de beauté, tout caractère harmonieux et vraisemblable, bien que celui-ci puisse fort bien ne pas exister réellement dans la nature extérieure.

Diderot avait considéré la recherche d'un Beau absolu, ce qu'il appelle le « modèle original et premier » (XI, 15), identique à celui des Anciens, comme une entreprise chimérique, la poursuite d'un « fantôme » (XI, 10). A son tour, Baudelaire affirmera que « l'idéal absolu est une bêtise » (p. 642).[12] Que dit, de son côté, Delacroix, cet « intermédiaire » si important entre nos deux critiques ? Tout d'abord, notons que les réflexions du peintre ne contiennent aucun indice du dualisme platonicien qui caractérise souvent la pensée baudelairienne. Par ailleurs, comme tout praticien qui se respecte, il ne se sent guère attiré par ce genre de poursuite spéculative, et c'est en quelques pages de son *Journal* (III, 344-357) qu'il tente de résoudre ce sempiternel problème :

> Une des plus folles idées de tout système qui s'élève sur les ruines d'un autre système, c'est qu'il est enfin le beau. ... Et ensuite, de quel beau voulez-vous parler ? car il y en a plusieurs : que dis-je, il y en a mille, il y en a pour tous les yeux, pour toutes les âmes, et approprié à leurs inclinations, à leurs constitutions particulières (III, 346).

Est-il besoin de souligner que le maître romantique retire lui aussi toute originalité à la peinture dès qu'elle tente d'obéir aux règles du Beau classique ? « L'art chez les modernes se meurt sitôt qu'il s'aide de l'antique » (III, 350). Il se moque des peintres qui sont tout heureux d'avoir à leur disposition « un beau idéal tout fait et en poche qu'ils peuvent communiquer aux leurs et à leurs amis. Pour donner de l'idéal à une tête d'Egyptien, ils la rapprochent du profil de l'Antinoüs » (III, 345). La conclusion que l'auteur des *Massacres de Scio* tire de ses méditations sur le Beau est essentiellement la même que celle de nos deux critiques ; à savoir, que la beauté ne réside pas tant dans les sujets traités que dans le « cachet particulier qu'ils [les artistes] impriment à leurs ouvrages » (III, 353). « Jeter donc au feu et Rembrandt et Murillo ? » s'écrie-t-il, s'adressant sans doute en pensée aux partisans étroits de David : « Que ces peintures aient rendu la nature commune : d'accord, qu'ils aiment mieux des traits personnels, vous appelez cela de la laideur... » (III, 349).[12bis] Mais, nous l'avons vu, Diderot avait déjà compris que l'artiste supérieur peut tirer un brillant parti de sujets ordinaires ou même laids par eux-mêmes en levant, pour le bénéfice des hommes, « un pan de voile... un coin ignoré, ou plutôt oublié du monde qu'ils habitent » (XI, 208), tout en étant « lui-même incertain quelquefois si la chose qu'il annonce est une réalité ou une chimère, si elle exista jamais hors de lui » (XI, 208). Delacroix parlera aussi dans son *Journal* de « cette délicatesse d'organe qui fait voir là où les autres ne voient pas, et qui fait voir d'une différente façon » (I, 87).

Quant à Baudelaire, non seulement proclame-t-il les vertus du *bizarre* et du piquant, mais encore sera-t-il le premier à exploiter dans

---

[12] Bien qu'ailleurs il donne l'impression d'y croire. Voir *supra*, pp. 132-133.

[12bis] Ce n'est certes point au Murillo peignant l'*Assomption de la Vierge* qu'il se réfère ici, mais à ses tableaux de mendiants déguenillés.

la notion du Bien ou du Mal (X, 342). Mais, dans les théories esthétiques de Diderot, une telle pensée ne constitue qu'une incidente, alors que Baudelaire en fera un des thèmes centraux de son œuvre.[15]

En ce qui concerne le symbolisme chrétien comme thème artistique, bien que ne possédant point, comme Baudelaire, un sens aigu du péché et de l'attraction satanique, Diderot n'était pourtant pas insensible aux possibilités plastiques de thèmes extraits du Nouveau Testament, surtout quand ils sont empreints de violence et d'action dramatique.[16] Il se refuse à donner raison à Webb et à Galiani lorsque ceux-ci déprécient la beauté de l'iconographie chrétienne :

> Webb ... dit ... que les sujets tirés des livres saints ou du Martyrologue, ne peuvent jamais fournir un beau tableau. Cet homme n'a vu ni le *Massacre des Innocents* par Le Brun, ni le même *Massacre* par Rubens, ni la *Descente de Croix* d'Annibal Carrache, ni *Saint Paul prêchant à Athènes* par Le Sueur. ... Notre abbé Galiani ... pense comme Webb ... Prononcer que la superstition régnante soit aussi ingrate pour l'art que Webb le prétend, c'est ignorer l'art et l'histoire de la religion (XI, 345-346).

Pour sa part cependant, il rejette une sombre conception dualiste de l'homme et envisage l'art non comme une orientation vers un absolu transcendental, mais sous l'angle moniste et humaniste. Selon l'Encyclopédiste, si une communauté d'hommes reconnaît un certain type de beauté comme le Beau, ce n'est pas parce qu'il existe quelque part un archétype parfait dont cette forme particulière se rapproche, mais parce que des œuvres marquantes forment et transforment constamment le goût, déterminant de la sorte le jugement de toute une collectivité. Sous ce rapport, le relativisme historique de Diderot est plus en harmonie avec l'esthétique moderne que la conception teintée de platonisme et de mysticisme du poète.

> Le grand homme n'est pas celui qui fait vrai [lit-on dans le *Salon de 1767*] c'est celui qui sait le mieux concilier le mensonge [entendez, l'illusion esthétique] avec la vérité ; c'est son succès qui fonde chez un peuple un système ... qui se perpétue par quelques grands traits de Nature, jusqu'à ce qu'un philosophe, poëte, dépèce l'hippogriffe, et tente de ramener ses contemporains à un meilleur goût. C'est alors que les critiques, les petits esprits, les admirateurs du temps passé, jettent les hauts cris, et prétendent que tout est perdu (XI, 255).

Dans son « Héroïsme de la vie moderne », Baudelaire, désireux de prouver que la notion abstraite et générale du Beau est impossible à concilier avec une perception subjective toujours changeante, porte toute son attention à ce qu'il appelle le Beau « transitoire », et, au risque de contredire son esthétique dualiste, va jusqu'à déclarer chimérique l'existence d'un archétype absolu ! « La beauté absolue et éter-

---

[15] Pour une étude de l'esthétique baudelairienne de ce point de vue, voir Marcel A. Ruff, *L'Esprit du Mal et l'esthétique baudelairienne* (Armand Colin, 1955).

[16] De l'avis d'Eugène et de Jacques Crépet, « les scènes de torture et de martyre » traitées par les maîtres espagnols « enchantaient » aussi l'imagination de Baudelaire (*Charles Baudelaire,* p. 22).

nelle n'existe pas, ou plutôt elle n'est qu'une abstraction écrémée à la surface générale des beautés diverses » (p. 677). Pourtant, le poète lui-même semble bien croire à cet « élément éternel, invariable » (p. 883), à ce « divin gâteau » (p. 883). Cette apparente contradiction s'explique lorsqu'on prend garde que Baudelaire considérait l'appréhension du Beau divin comme un duel où l'artiste est vaincu d'avance. Au lieu de prolonger indéfiniment la gageure, il vaut mieux tenter d'atteindre l'idéal indirectement et partiellement par la conquête du Beau relatif. Sans doute aussi cette assertion est-elle un écho de divers propos de Diderot à ce sujet, particulièrement au début de son *Salon de 1767,* où il note la quasi-impossibilité de déterminer un archétype idéal, dès l'instant qu' « entre la beauté d'une forme et sa difformité, il n'y a que l'épaisseur d'un cheveu » (XI, 15). Déjà dans son article encyclopédique sur le Beau, il avait déclaré :

> Quelles que soient les expressions sublimes dont on se serve pour désigner les notions abstraites d'ordre, de proportions, de rapports, d'harmonie, qu'on les appelle, si l'on veut, *éternelles, originales, souveraines, règles essentielles du beau,* elles ont passé par nos sens pour arriver dans notre entendement ... et ce ne sont que des abstractions de notre esprit (X, 25).

Et lorsque, dans son *Salon de 1767,* il reprend ceux qui « parlent sans cesse de la belle nature, croient de bonne foi qu'il y a une belle nature subsistante... et qu'il n'y a qu'à la copier » (XI, 9), nul doute qu'il ne vise directement les partisans des canons classiques de la beauté.

***

Il est évident que les idées de Diderot et de Delacroix ne sont pas pour peu dans l'élaboration de la théorie baudelairienne du Beau. La pensée de Delacroix — grâce à des rapports personnels et à nombre de causeries — était peut-être plus présente à l'esprit du poète que celle de l'Encyclopédiste. Néanmoins, les parallèles que l'on décèle aisément entre les *Salons* de Diderot et ceux de Baudelaire attestent que celui-ci avait gardé un souvenir vivace de ses lectures du grand salonnier du XVIIIe siècle. De plus, le point de vue du peintre romantique, tel qu'il apparaît dans son *Journal,* est, à quelques nuances près, essentiellement le même que celui de l'auteur du *Salon de 1767.* Bien entendu, d'autres lectures, celle de Stendhal notamment, ont laissé leur marque dans l'esprit de Baudelaire. Elément stendhalien que sa manière de diriger un rayon puissant sur l'idée du Beau moderne en laissant d'autres idéals dans l'ombre ; venu de Stendhal, le rapport étroit qu'il établit entre la beauté et les passions.[17] Mais si Diderot a moins développé ces aspects de l'esthétique dans sa critique, il y a néanmoins maintes fois touché, et a fourni de la sorte le germe des idées directrices de ses successeurs.

---

[17] Pour une analyse plus détaillée des incidences stendhaliennes sur la pensée de Baudelaire, en particulier sur sa conception du Beau, voir Margaret Gilman, *Baudelaire the Critic,* p. 48, et Jean Pommier, *Dans les Chemins de Baudelaire,* « De Stendhal et de trois œuvres d'art ».

CHAPITRE VII

DIDEROT ET BAUDELAIRE DEVANT LA PEINTURE DE GENRE

Le fait que Diderot et Baudelaire sont l'un et l'autre des hommes de lettres s'efforçant de transformer leur « passion des images » en une connaissance approfondie des modalités de la peinture, ne contribue pas peu à renforcer leur communauté d'esprit à l'égard de certains aspects du domaine pictural. Et rien n'indique plus clairement leur qualité de littérateurs que leurs développements sur les mérites respectifs du sujet et de la technique. Afin de mieux comprendre le point de vue de nos critiques sur les genres qui ne comportent pas de « littérature » ou de valeur s'attachant au choix du thème, l'analyse s'impose des motifs explicites et implicites de leurs préférences.

Bien que nos écrivains ne soient jamais allés jusqu'à aimer des tableaux uniquement en fonction des qualités de la fiction représentée, comme ce fut souvent le cas chez Stendhal, ils leur ont néanmoins porté une attention soutenue. « Le choix du sujet, du moment, tout étant égal d'ailleurs, peut encore donner à un tableau plus d'effet qu'à un autre », écrit l'ami de Grimm dans son article sur *L'Art de peindre* de Watelet (XIII, 25), et Baudelaire confesse que, pour sa part, « le sujet fait... une partie du plaisir » et « pour l'artiste une partie du génie » (p. 820). Cependant, n'oublions point que jusqu'à la décisive révolution des impressionnistes, la peinture, par son caractère souvent littéraire, prêtait à ce genre d'observation...

Baudelaire, moins apte que son prédécesseur à remettre ses opinions en question, à évoluer ou à osciller dans ses croyances — bien que celles-ci soient loin d'être unilatérales — ne changera pas d'attitude, de 1845 à 1859, à l'égard des tableaux qui ne présentent ni d'intérêt dans le choix, ni d'étalage évident de l'imagination. Avec l'acquisition de théories nouvelles, principalement sur le rôle de l'imagination, il ne fera qu'éclairer d'une lumière quelque peu différente un point de vue qui demeure essentiellement le même. On se serait attendu à ce que, avec son expérience grandissante du langage spécifique des formes et des couleurs, le critique devînt de plus en plus réceptif aux genres mineurs, et en particulier au paysage qui connaissait, durant les années quarante et cinquante, un très bel épanouissement préludant au magnifique feu d'artifice de l'impressionnisme. Or, il n'en est rien. C'est dans son dernier *Salon* que l'on trouve les jugements les plus durs sur les paysagistes qu'il appelle des « talents de second ordre... cultivant avec succès un genre inférieur » (p. 814). Nous voudrions montrer que les raisons de cette sévérité accrue, et de prime abord si injustifiée, sont révélatrices du schème général de l'esthétique baudelairienne.

Diderot, de son côté, tout en abordant le paysage et la nature-morte avec les mêmes préventions que son successeur, subira une lente évolution dans le sens d'une compréhension purement plastique de la peinture. Chose à laquelle on ne s'attendrait guère, sous le rapport de la peinture de genre, c'est Diderot et non Baudelaire, à cause de certains facteurs que nous tenterons d'élucider, qui finira par se placer sur un plan technique plutôt que littéraire ou théorique.

Le dédain croissant que Baudelaire porte à la peinture de genre — surtout représentée à son époque par le paysage — s'explique d'abord par une théorie qu'il développe avec le temps : la théorie de l'imagination, « reine des facultés ». Tout comme Diderot et Delacroix, Baudelaire, à ses débuts, semble avoir perçu l'imagination comme une faculté qui combine de manière originale les données de la réalité à l'aide de la mémoire. [1] Tout comme le philosophe et le peintre, le poète oppose cette puissance de synthèse à la simple imitation. Mais ce genre de définition ne le contente pas entièrement puisque, dans son *Salon de 1859,* il revient sur cette question pour donner une définition plus théologique et mystique de l'imagination, et en faire la pierre de touche de toute activité artistique authentique. [2] L'imagination, aux yeux du poète, est devenue une capacité innée de passer du monde visible des apparences au monde invisible des significations supérieures et des symboles cachés. C'est donc ce travail de l'imagination, travail *créateur* au sens fort du terme, qui permettra à l'artiste d'appréhender le sens profond des « correspondances » et de forger « un monde nouveau », à l'aide du *dictionnaire* fourni par les aspects visibles de la nature. [3]

Il est évident qu'un critique, pour qui la notion de l'imagination a acquis une acception aussi large et aussi primordiale, aux yeux de qui « toutes les parties de l'art... ne sont... que les très-humbles servantes » (p. 777) de cette faculté transcendante, analysera chaque tableau en

---

[1] Delacroix en arrivera également à considérer l'imagination comme « la première qualité de l'artiste » (III, 44) et « la source du génie » (I, 87). Mais si le peintre perçoit cette faculté comme une force créatrice, il entend ceci au même sens que Diderot, non comme Baudelaire. En effet, Diderot définit l'imagination de la manière suivante : « L'imagination ne crée rien, elle imite, elle compose, combine, exagère, agrandit, rapetisse. Elle s'occupe sans cesse de ressemblances » (XI, 131). Sa définition du génie est remarquablement similaire à celle de l'imagination et suggère que lui aussi considérait l'imagination comme un attribut du génie : « Il [le génie] observe rapidement un grand espace, une multitude d'êtres... il réalise ses fantômes, son enthousiasme augmente au spectacle de ses créations, c'est-à-dire de ses nouvelles combinaisons » (XV, 39). Voici, par ailleurs, la définition du génie telle qu'elle se trouve dans le *Journal* de Delacroix : « Le principal attribut du génie est de coordonner, de composer, d'assembler les rapports, de les voir plus justes et plus étendus » (III, 437).

[2] Pour une fine analyse de la genèse de la conception baudelairienne de l'imagination, voir Margaret Gilman, *Baudelaire the Critic.*

[3] Voir le *Salon de 1859,* « Le Gouvernement de l'imagination ».

fonction de cette notion. N'écrit-il pas lui-même dans l'« Envoi » de son *Salon de 1859* : « Je m'étais imposé de chercher l'imagination à travers le *Salon* » (p. 832) ? Erreur de méthode pour un critique d'art, puisqu'à la lumière de cette théorie de l'imagination — certes fort valable en elle-même — Baudelaire a été amené à laisser dans l'ombre d'autres aspects primordiaux de la peinture et à adopter un point de vue si exclusif qu'il se rapproche dangereusement de l'esprit de système. En effet, rien, au premier abord, ne suggérait le « gouvernement » de l'imagination dans les paysages des peintres de Fontainebleau qui déclaraient bien haut se contenter d'étudier scrupuleusement les apparences visibles. L'admirateur de Delacroix — cet artiste qui ne peignait jamais ses compositions sur le motif — s'est laissé illusionner, et par les professions de foi des paysagistes, et par leur méthode de travail, lesquelles ne semblaient laisser aucune part au jeu sublime de l'imagination. C'est que le critique a cherché celle-ci dans le sujet choisi et non dans la *manière* dont des artistes aussi originaux que Corot, Rousseau et Daubigny ont, chacun à sa façon, valorisé des thèmes insignifiants en eux-mêmes. Aussi trouvera-t-on le plus beau tribut de Baudelaire à Corot, ses observations les plus pertinentes sur l'art de ce peintre dans son premier *Salon,* où ses jugements sont surtout guidés par la perception, et non dans le *Salon de 1859,* tout centré qu'il est sur cette fameuse théorie de l'imagination. Or, c'est précisément l'école de Barbizon, dont les paysagistes sont dédaigenusement relégués au second rang par le poète, qui donnera naissance quelques années plus tard au prestigieux renouvellement de la peinture française.

Baudelaire n'a malheureusement pas vécu assez longtemps pour assister à l'épanouissement de l'impressionnisme. Des adeptes de ce mouvement, il n'a connu que Manet dont il a d'ailleurs fait l'éloge avec beaucoup de clairvoyance ; mais Manet n'a pas traité le paysage comme Pissarro, Monet ou Cézanne, l'élément humain, chez lui, ne cessant de prédominer. Il est à croire, en vérité, que Baudelaire n'eût pas aisément renoncé à sa prédilection pour le genre idéal et imaginatif qui synthétise le littéraire et le pictural, et dont il trouvait l'application dans l'œuvre de Delacroix, son peintre préféré. Le poète admire la vaste érudition littéraire — secondée par une exécution supérieure — de ce dernier représentant de la vénérable tradition de « la grande peinture », et il prise son romantisme, aussi présent dans le choix de ses thèmes que dans sa facture : « L'imagination de Delacroix ! Celle-là n'a jamais craint d'escalader les hauteurs difficiles de la religion ; le ciel lui appartient, comme l'enfer, comme la guerre, comme l'Olympe, comme la volupté. Voilà bien le type du peintre-poëte ! » (p. 784). [4]

Le critique se plaît aussi à opposer Delacroix aux naturalistes, à Courbet en particulier, tous artistes préoccupés de « ne peindre que ce

[4] Dans son *Exposition Universelle de 1855,* Baudelaire écrit également à propos de son peintre favori : « Une autre qualité, très-grande, très-vaste, du talent de M. Delacroix, et qui fait de lui le peintre aimé des poëtes, c'est qu'il est essentiellement littéraire » (p. 708).

qu'on voit » (p. 1302). Amoureux des thèmes qui communiquent des émotions puissantes au spectateur, il affiche, dans son essai sur *Le Paysage,* son incompréhension des intentions esthétiques d'un genre que Corot et Rousseau étaient pourtant en train d'illustrer magnifiquement : « J'avouerai, avec tout le monde, que l'école moderne des paysagistes est singulièrement forte et habile ; mais dans ce triomphe et cette prédominance d'un genre inférieur, dans ce culte niais de la nature,... je vois un signe évident d'abaissement général » (p. 812). Il reproche à ces artistes d'être « des animaux beaucoup trop herbivores », et, esclave malgré lui des paysages historiques et romantiques, il regrette que les paysagistes modernes « ne se nourrissent pas volontiers des ruines » (p. 819).

La disparition du paysage romantique et du paysage de ruines lui suggère que « la part de l'imagination dans le paysage [est] de plus en plus réduite » (p. 816), et certaines peintures modernes sont à ses yeux « plus criardes que des foulards de village » (p. 815). Qu'eût-il dit s'il avait eu l'occasion de visiter une exposition d'impressionnistes ou de Fauves ! Influencé par la méthode de Delacroix qui travaillait de mémoire dans son atelier, avec l'aide, bien entendu, de ses fameux croquis, Baudelaire favorise un procédé qui permet à l'artiste de se recueillir avant de passer à l'exécution, et ne peut comprendre le sens de la nouvelle tendance de la peinture en plein air et sur le motif. Il l'attribue aux défaillances de l'imagination : « Peut-être les artistes qui cultivent ce genre se défient-ils beaucoup trop de leur mémoire et adoptent-ils une méthode de copie immédiate, qui s'accommode parfaitement à la paresse de leur esprit » (p. 817). Et le poète de chanter lyriquement les beautés des paysages de ruines, littéraires, romantiques et romanesques : « Ces grands lacs qui représentent l'immobilité dans le désespoir, les immenses montagnes, escaliers de la planète vers le ciel, d'où tout ce qui paraît petit, les châteaux forts... les abbayes crénelées qui se mirent dans les mornes étangs, les ponts gigantesques, les constructions ninivites, habitées par le vertige, et enfin tout ce qu'il faudrait inventer, si tout cela n'existait pas » (p. 819).

A coup sûr, ce passage constitue le prolongement fidèle de maintes réflexions de Diderot sur le même sujet. Amateur d'Hubert Robert, Diderot confie au lecteur que la poésie des ruines le fait « frissonner » (XIII, 43), et dans son *Salon de 1767,* nous assistons aux premières manifestations, dans le domaine critique, de la sensibilité romantique : « L'effet de ces compositions, bonnes ou mauvaiess, c'est de vous laisser dans une douce mélancolie. Nous attachons nos regards sur les débris d'un arc de triomphe, d'un portique, d'une pyramide, d'un temple, d'un palais, et nous revenons sur nous-mêmes. Nous anticipons sur les ravages du temps, et notre imagination disperse sur la terre les édifices que nous habitons » (XI, 227).

En tant que pré-romantique, il était naturel que Diderot se penchât avec un intérêt tout particulier sur des paysages romanesques ; et d'ailleurs, il n'avait guère le choix, puisque Hubert Robert et Joseph Vernet étaient les seuls artistes marquants de son temps qui se fussent préoccupés sérieusement du paysage.

Il est plus malaisé d'expliquer pourquoi, près de cent ans plus tard, le partisan passionné de la modernité, devant les chefs-d'œuvre de l'excellente école de Barbizon, où figuraient des artistes tels que Rousseau, Corot, Daubigny, Millet, Boudin et Troyon, se soit tourné nostalgiquement vers un passé révolu et ait émis ce jugement qui conviendrait mieux à quelque esprit rétrograde comme Delécluze : « En somme, je n'ai trouvé parmi les paysagistes que des talents sages ou petits, avec une très-grande paresse d'imagination » (p. 820).

A l'influence de l'œuvre de Delacroix, sous ce rapport, s'ajoute le fait bien connu que le poète ne fut jamais particulièrement sensible aux beautés des calmes scènes bucoliques. Il se passionnait avant tout pour le « paysage des grandes villes » (p. 818) et ses aspects toujours changeants, tels que les rendaient un Guys, un Daumier, un Méryon même, dont il voulait, à un moment donné, commenter l'album de gravures. Certes, il a finement relevé les qualités respectives des divers paysagistes, et en 1845, il a défendu avec son acuité coutumière Corot contre les reproches qu'on faisait à cet artiste d'être gauche et de ne pas *finir* ses compositions. A ces accusations, il a répondu par une brillante distinction entre le morceau *fait* et le morceau *fini* (p. 586) et par une appréciation très juste de la gamme harmonieuse bien que peu variée, des tons de l'artiste (p. 586). Mais en 1859, il semble avoir négligé quelque peu l'importance des qualités d'exécution pour ne plus se préoccuper que de l'imagination. Aussi, à propos de Rousseau, émet-il ce jugement injustement sévère : « Un marécage miroitant, fourmillant d'herbes humides et marqueté de plaques lumineuses, un tronc d'arbre rugueux, une chaumière à la toiture fleurie, un petit bout de nature enfin, deviennent à ses yeux amoureux un tableau suffisant et parfait » (p. 814). C'est sans doute parce que Baudelaire a envisagé le paysage en amoureux de la ville, parce qu'il était surtout attiré par l'élément humain, et parce qu'une union aussi paisible et harmonieuse entre l'artiste et la nature était non seulement étrangère à sa nature, mais incompatible avec sa conception du génie comme une *révolte métaphysique* contre tout ce qui est naturel, qu'il n'a pas été à même d'appréhender toute la valeur plastique du paysage. Or, l'imagination d'un Corot se manifeste surtout dans la façon dont il a su métamorphoser le moindre coin d'un sous-bois en un riche, tendre et subtil poème.[5] De ceci, il découle que l'imagination de l'artiste s'exerce d'autant plus librement qu'il se trouve en face d'êtres et d'objets modestes. Malraux résumera cette loi en une belle formule qui s'applique autant à des artistes tels que Rembrandt, Vermeer de Delft et Chardin, qu'à la peinture de genre, et à la peinture en général :

[5] Dans son essai intitulé « Autour de Corot », *Pièces sur l'Art,* Paul Valéry note justement qu' « il y a pareillement des aspects, des formes, des moments du monde visible qui *chantent*. Rares sont ceux qui les premiers distinguent ce chant » (Gallimard, 1934), p. 138. Nous nous permettons d'ajouter que si ce « chant » est difficile à distinguer, c'est précisément parce qu'il réside dans l'univers intérieur de l'artiste plutôt que dans la réalité extérieure.

« L'objet humble et la plus grande simplicité permettent la plus grande présence de l'artiste. » [6] Après avoir observé que les paysages de Rousseau et de Corot étaient ressemblants à la nature, Baudelaire en avait conclu que l'imagination n'avait pas eu de part dans la composition de ces paysages ; à quoi Malraux répond que, si « tels paysages de Corot, même parmi les plus beaux, donnent l'impression d'être très 'ressemblants'... si chacun ressemble au paysage qu'il représente, ce paysage ne lui ressemble pas ». [7] Cet important principe n'était pourtant pas inconnu à l'auteur du *Salon de 1846,* qui n'hésitait pas à défendre le portrait, considéré comme un genre inférieur par le vulgaire : « Plus la matière est, en apparence, positive et solide, et plus la besogne de l'imagination est subtile et laborieuse » (p. 807). Là-dessus, le poète de se lancer dans une diatribe contre le bourgeois, cette « brute hyperboréenne des anciens jours » (p. 807), qui n'est pas à même de comprendre que le portrait fait entrevoir *l'âme* du caractère représenté. Or, cette observation, vraie pour le portrait, l'est certes aussi pour le paysage, qui révèle également, et *l'âme* d'un coin de la nature, et celle de l'artiste qui s'est chargé de le peindre. Mais Baudelaire, amant de l'humain, distinguait dans le portrait des qualités qui lui semblaient absentes quand l'homme avait complètement disparu de la scène, ou qu'il n'y jouait qu'un rôle minime. Il n'a pas voulu comprendre que, chassée du sujet pour faire place à la nature, jusque-là restée humblement à l'arrière-plan, l'imagination reparaît dans l'interprétation artistique et subjective de ces phénomènes naturels pour lesquels le poète n'a que dédain ou indifférence ; et de la rugosité d'un tronc d'arbre, du feuillage d'un sous-bois, des taches de soleil sur l'herbe humide, elle crée un monde aussi nouveau que le monde imaginaire...

Certes, Baudelaire pouvait saisir la beauté dans l'art de Daumier, qui ne traitait pourtant pas de thèmes imaginatifs ou littéraires, mais Daumier, de même que Guys et Manet, se penchait exclusivement sur la figure humaine et sur les divers aspects de la vie moderne et citadine. Si Baudelaire pénètre aussi justement le génie du grand caricaturiste (il reste muet sur la peinture de Daumier qui est longtemps restée terre inconnue), c'est en grande partie parce que celui-ci savait analyser à la loupe et rendre en quelques traits magistraux les caractères durement et souvent grotesquement marqués par la vie urbaine. « Le cadavre vivant et affamé, le cadavre gras et repu, les misères du ménage, toutes les sottises, tous les orgueils, tous les enthousiasmes, tous les désespoirs du bourgeois » (p. 740), voilà le genre de paysage pour lequel se passionne l'auteur des *Tableaux parisiens !* [8] Mais, chose curieuse à noter, Baudelaire se sentira fortement attiré vers les études au pastel de Boudin, spécialiste des marines, des plages et des ciels. Il se plaît à décrire l'effet poétique de ces « nuages aux formes fantastiques et lumineuses, ces ténèbres chaotiques, ces immensités vertes et roses... ces

---

[6] Malraux, *Les Voix du Silence,* p. 294.

[7] *Ibid.,* p. 295.

[8] Pour cette raison, Baudelaire eût certainement fort prisé la ligne nerveuse, l'art analytique, ironique et si parisien de Toulouse-Lautrec.

horizons en deuil ou ruisselants de métal fondu » (p. 817), et il remarque avec étonnement qu'« il ne *lui* arriva pas une seule fois, devant ces magies liquides ou aériennes, de *se* plaindre de l'absence de l'homme » (p. 817). Il faut mettre cette exception au compte de la puissance presque hypnotique que la mer et le ciel ont exercée sur l'imagination du poète, et du fait que Boudin n'élaborait ses compositions que d'après ses esquisses, évitant de tomber dans ce que Baudelaire considère comme la méthode des esprits paresseux et non imaginatifs : la peinture sur le motif. « Il n'a pas la prétention de donner ses notes pour des tableaux », approuve le critique (p. 817).

Quant à la nature-morte, comme elle ne bénéficiera d'une « renaissance » qu'après la mort du poète, surtout grâce à l'œuvre de Cézanne, et comme ce genre où avait excellé Chardin était à l'époque très mal représenté au Louvre, il s'ensuit que Baudelaire n'en soufflera mot. Au reste, s'il avait eu l'occasion de contempler des natures-mortes magistrales, nous soupçonnons que, pour les raisons analysées plus haut, il eût manifesté à leur égard le même manque d'enthousiasme que pour les paysages de l'école de Fontainebleau.

***

Et Diderot, quelles sont ses observations sur la peinture de genre ? Notons d'abord qu'à l'encontre de Baudelaire, il put contempler et analyser la nature-morte puisque Chardin produisait alors son œuvre admirable et abondante. Pour ce qui est du paysage, seuls existaient en ce temps-là le paysage romantique et les marines de Joseph Vernet, servant surtout de cadres à quelque épisode descriptif ou dramatique ; ainsi que les ruines et les paysages romains d'Hubert Robert. Certes, le paysage n'était pas absent de la production d'autres artistes tels que Casanove, Boucher ou Fragonard, mais chez eux comme chez la majorité des peintres du XVIIIe siècle, ce genre n'avait pas encore acquis une signification intrinsèque. Avant Rousseau et Corot, la nature ne constituait le plus souvent qu'un fond pittoresque sur lequel se détachait la figure humaine. Par ailleurs, Diderot admira la majesté harmonieuse et grandiose des paysages historiques de Poussin ; et sans doute vit-il aussi quelques paysages des artistes septentrionaux — dans son *Salon de 1775,* il relève une forte ressemblance entre les paysages de Le Prince et ceux de Ruysdael (XII, 11, 15).

Autant que Baudelaire, Diderot a du mal à transcender sa formation essentiellement littéraire et à *voir* la peinture en tant que *peinture pure.* Mais alors que le point de vue de Baudelaire demeure essentiellement le même, l'on peut retracer une certaine progression chez l'auteur du *Salon de 1767.* La raison en est que Diderot ne voit aucune objection à la peinture d'après nature, l'exécution sans recours à la mémoire n'incommodant pas son esthétique teintée de naturalisme. En revanche, il a dû surmonter une autre tendance de caractère : sa sensibilité « fin XVIIIe siècle » qui veut être émue par quelque fiction touchante ou mélodramatique à la Greuze.

Bien que dans son *Essai sur la peinture,* Diderot ait affirmé, et avec raison, qu' « on n'a point encore fait, et l'on ne fera jamais un morceau de peinture supportable, d'après une scène théâtrale » (X, 498), c'est-à-dire un tableau obéissant aux mêmes principes esthétiques qu'une scène de théâtre, à la vue des compositions de Greuze, il semble oublier les divergences de modalités entre les domaines plastique et littéraire. En effet, en 1763 et en 1765, ce qu'il semble surtout priser dans les scènes de genre de ce peintre, si différentes des scènes de genre de Chardin, c'est l'habile synchronisation des attitudes (attitudes qui nous semblent aujourd'hui bien déclamatoires et artificielles), leurs gestes révélateurs quant à *l'histoire* illustrée, l'art de la « vignette » et l'emploi symbolique d'accessoires quotidiens : bref, l'idée « d'enchaîner des événements d'après lesquels il serait facile de faire un roman » (X, 341). Or, ce qui constitue un mérite aux yeux de l'écrivain est précisément ce qu'on a depuis le plus reproché aux compositions de Greuze : s'être éloigné de la peinture pour verser dans le littéraire en appliquant à ses tableaux la loi de la narration plutôt que celle de l'enchaînement plastique. Si, en d'autres passages, Diderot semble mieux avoir gardé à l'esprit ce principe que l'enchaînement pictural est irréductible à celui du poème et du récit, [9] le malheur veut que Greuze lui rappelle surtout ses propres préoccupations esthétiques. Un milieu bourgeois ou paysan, des attitudes savamment synchronisées, des accessoires à la fois communs et symboliques parce qu'ils révèlent un certain mode de vie, des compositions qui font penser à des « tableaux vivants », voilà qui constitue un excellent prétexte à méditation pour le grand conteur. En effet, dans ses œuvres de fiction, Diderot a mis à profit, mais avec combien plus de succès que le peintre, tous ces procédés qui, sous le pinceau de Greuze, avaient souvent tendance à tourner au poncif et à l'artificiel.

De même qu'il faut tenter d'élucider les raisons pour lesquelles Baudelaire a fait montre d'incompréhension à l'égard des intentions esthétiques des paysagistes, de même est-il nécessaire d'éviter de condamner à la légère la prédilection du philosophe pour l'auteur de la *Mère bien-aimée.* Il s'agit d'abord de replacer ce peintre dans le contexte historique et de suivre dans leurs lignes générales, les observations de Diderot à travers ses *Salons.* En 1761 (date de l'exposition de *l'Accordée de Village,* qui, au dire des Goncourt, remporta un succès inouï), [10] le public devait être rassasié, et de la peinture libertine avec son fouillis d'ornements, et des éternelles allégories et scènes mythologiques, lesquelles, aux mains d'imitateurs, n'étaient plus que du classicisme à l'eau de rose. Pour les esprits sérieux et les âmes sensibles (et il n'en manque point dans les années soixante) les sujets de Greuze constituaient certainement un renouvellement authentique de la peinture française. Si souvent

---

[9] Voir *supra,* p. 105, note 31.

[10] « Dans les *Noces d'Arlequin,* jouées la même année, le Théâtre-Italien faisait au peintre l'honneur, jusque là sans exemple, de représenter son tableau sur la scène... c'étaient dix jours de triomphe. » *L'Art du dix-huitième siècle,* II, 17.

capable de dépasser son siècle, Diderot, devant les tableaux de Greuze, ne peut échapper à l'envoûtement général [11] pour un peintre qui a voulu tirer ses sujets de la vie réelle et donner « des mœurs à l'art » (X, 341).

Pourtant, en dépit de son penchant pour les personnages éplorés et les jeunes filles langoureuses de l'auteur du *Fils ingrat,* Diderot ne ferme pas complètement les yeux sur les faiblesses d'exécution de ce peintre, puisqu'il lui reproche certains défauts de coloris et de facture. « Le faire... est raide et la couleur fade et blanchâtre », constate-t-il dans son *Salon de 1759* (X, 101) ; et dans son *Salon de 1765,* analysant les natures-mortes, si peu prétentieuses, de Chardin, il observe que, sous le rapport de l'exécution et du coloris, « cet homme est au-dessus de Greuze de toute la distance de la terre au ciel » (X, 304). D'ailleurs, ce n'est pas seulement le genre de sujet que choisit Greuze, qui a le don de séduire le philosophe. Doué d'un talent indéniable, Greuze le montre surtout dans ses portraits d'hommes et de femmes, ainsi que dans ses esquisses. Devant les ouvrages de cette veine, Diderot oublie de s'attendrir ou de moraliser pour les considérer non en matière première de romans, mais en peinture qui se suffit à elle-même. C'est ainsi que le très beau portrait de *Wille,* où la leçon de Rubens a été mise à bon profit, éveille chez le salonnier un enthousiasme qui n'a rien à voir avec la littérature :

> Très-beau portrait. C'est l'air brusque et dur de Wille ; c'est sa raide encolure ; c'est son œil petit, ardent, egaré ; ce sont ses joues couperosées. Comme cela est coiffé ! que le dessin est beau ! que la touche est fière ! quelles vérités et variétés de tons ! et le velours, et le jabot, et les manchettes d'une exécution ! J'aurais plaisir à voir ce portrait à côté d'un Rubens, d'un Rembrandt ou d'un Van Dyck. J'aurais plaisir à sentir ce qu'il y aurait à perdre ou à gagner pour notre peintre. Quand on a vu ce Wille, on tourne le dos aux portraits des autres, et même à ceux de Greuze. (X, 351).

En 1769, Diderot condamne en termes très sévères l'académique morceau de réception de Greuze au titre interminable : *Septime Sévère reproche à son fils Caracalla d'avoir attenté à sa vie dans les défilés d'Ecosse,* (XI, 438-442). Mais à propos de la *Petite fille en camisole qui tient entre ses genoux un chien noir,* morceau sans prétention littéraire ou moralisatrice, il affirme : « C'est le chef-d'œuvre de Greuze » (XI, 444), et les réflexions pertinentes qui accompagnent ce jugement attestent qu'il a finalement appris à faire devant Greuze ce qu'il avait depuis longtemps accoutumé de faire devant les natures-mortes de Chardin : se départir de la littérature ainsi que de la propension à la sentimentalité

---

[11] Il convient d'attirer l'attention sur le rôle que Grimm a joué dans l'engouement du philosophe pour l'auteur de *l'Accordée de Village.* Dans son article, « Les *Salons* de Diderot », Jean Seznec fait remarquer que Grimm, « en bon Allemand, aime la peinture lachrymatoire et renchérit encore sur son enthousiasme [de Diderot] pour Greuze », p. 274. Cette influence de Grimm n'est pas à dédaigner, surtout chez Diderot, si sensible aux préférences de ses amis.

pour juger uniquement en amateur de peinture. Ceci lui permet, en 1769, de voir chez Greuze des insuffisances qu'il n'avait pas aperçues auparavant et l'oblige « en conscience de rétracter une bonne partie du bien » (XI, 443) qu'il avait dit autrefois d'une composition de jeune fille. Les défauts de ce peintre : attitudes maniérées, faire trop lisse, figures souvent « mesquines », et qui ne sont quelquefois « qu'une vapeur », « teintes... grises, même sales » (XI, 444), éclairage ambigu, finissent par choquer le sens plastique du critique.

Mais Diderot était sensible aux esquisses pleines de fougue, de force et souvent de lascivité de Greuze, et c'est un fait que les qualités de ses ébauches se perdaient très souvent au cours d'une exécution apprêtée et trop finie. Aussi, à la vue de ces dessins, le critique perçoit-il une vérité esthétique importante : « Les esquisses ont communément un feu que le tableau n'a pas.... La pensée rapide caractérise d'un trait ; or, plus l'expression des arts est vague, plus l'imagination est à l'aise » (*Salon de 1765,* X, 352). Pensée novatrice en un temps où l'on ne considérait un tableau comme terminé que lorsque chaque centimètre de toile avait été dûment couvert de matière colorée. Dans son *Salon de 1769,* le critique sera amené à constater que « c'est là [dans ses esquisses] que Greuze s'est montré un homme de génie ! » (XI, 445). Et où est la philosophie, la littérature et la morale dans ce genre d'observation ? En 1765 déjà, année où ces éléments entraient dans le goût de Diderot pour Greuze, il sent — inconsciemment sans doute — qu'un désaccord existe souvent entre la simplicité et la force du trait de ses dessins, leur caractère sensuel, et les glacis fignolés, les surfaces léchées de ses produits finis. « Je vois dans le tableau une chose prononcée : combien dans l'esquisse y supposé-je de choses qui y sont à peine annoncées », note-t-il à propos de la voluptueuse étude de la *Mère bien-aimée* (X, 352).

Avant d'être à même de saisir l'importance d'un genre de peinture où le sujet n'est plus pour l'artiste qu'un prétexte lui permettant de résoudre certains problèmes picturaux, Diderot doit se départir d'un autre préjugé, celui-là non relié à un trait de son caractère, mais dérivé des enseignements de l'école classique, laquelle mettait l'accent sur la nécessité de synthétiser dans l'imagination les aspects nobles de la nature afin d'arriver au « sublime » et au « grandiose ». C'est ainsi qu'il affirme, dans son *Salon de 1765,* que la peinture de genre « ne demande que de l'étude et de la patience. Nulle verve, peu de génie, guère de poésie, beaucoup de technique et de vérité ; et puis c'est tout » (X, 300). Cependant, il est obligé de tenir compte de son goût grandissant pour l'art hollandais et flamand ainsi que pour les natures-mortes de Chardin. Extrêmement attentif et sensible aux qualités techniques, il est bien obligé d'admettre qu'elles peuvent suppléer par leur excellence à l'intérêt du thème. Le peintre peut donc relever une action commune ou « par quelque circonstance particulière, ou par une exécution supérieure » (X, 295). Car il faut bien expliquer l'exemple éclatant d'un Chardin à qui

> il est permis ... de montrer une cuisine, avec une servante penchée sur son tonneau et rinçant sa vaisselle ; mais il faut voir comme l'action de cette servante est vraie, comme son juste dessine le haut de sa figure, et comme les plis de ce cotillon dessinent tout ce qui est dessous. ... Il faut voir ... la couleur et l'harmonie de toute la petite composition (X, 295).

Observation significative puisqu'elle pénètre le sens du grand apport de ce modeste peintre de scènes d'intérieur et de natures-mortes ; celui de la *peinture pure* où priment des valeurs picturales : l'enchaînement entre les parties d'une composition, les rapports des tons et des formes, la variété de la touche, le traitement de l'atmosphère dans laquelle baignent les êtres et les choses. Et il ressort clairement des *Salons* de Diderot que ce dernier se délectait à la vue de ces qualités de l'auteur du *Bénédicité.* Certes il aime encore à rêver à une combinaison harmonieuse du sujet et du faire : « le mieux serait de réunir les deux, et la pensée piquante et l'exécution heureuse » (X, 295). Mais un thème grandiose ou ingénieux non poétisé par un faire adéquat ne l'a jamais satisfait, et ses critiques se font particulièrement dures lorsqu'il s'aperçoit qu'un peintre est incapable de mener à bien quelque grande machine ambitieuse : d'une imposante *Marche d'Armée* de Casanove, il regrette que « la partie technique » ne réponde pas à la « partie idéale ». « C'est un beau poème, bien conçu, bien conduit, et mal écrit », est l'heureuse métaphore du critique (X, 328).

De plus en plus, l'ami de Chardin examine les vastes possibilités plastiques d'une peinture directement inspirée de la nature immédiate et d'un milieu familier. Les idées si fécondes et nouvelles qui abondent particulièrement dans les chapitres sur la couleur et sur le clair-obscur de *L'Essai sur la peinture,* nous les devons, d'une part, à l'influence du maître de *La Raie écorchée,* grâce à qui l'esprit mobile et riche en idées du philosophe se tourna vers le genre de peinture qui devait aboutir au réalisme et à l'impressionnisme ; et d'autre part, au fait que la peinture, telle que l'entendait Chardin, s'accordait mieux avec son tempérament que celle de l'école académique ou rococo.

Dans le même *Essai sur la peinture,* au cours de son examen des problèmes complexes qui entrent dans la composition, Diderot revient sur la valeur de la peinture non historique, et, à la lumière de ses nouvelles connaissances, de sa meilleure compréhension de la plastique, il se sent obligé de rétracter ses opinions précédentes :

> Je vois que la peinture de genre a presque toutes les difficultés de la peinture historique, qu'elle exige autant d'esprit, d'imagination, de poésie même, égale science du dessin, de la perspective, de la couleur, des ombres, de la lumière, des caractères, des passions, des expressions, des draperies, de la composition. ... La peinture de genre, ... même réduite au vase et à la corbeille de fleurs, ne se pratiquerait pas sans toute la ressource de l'art et quelque étincelle de génie (X, 509).

La victoire de la peinture est-elle complète dans l'esprit du littérateur ? Pas tout à fait, et certaines allusions le prouvent. Dans le *Salon de 1767,* à propos d'un paysage de Vernet, l'écrivain ne peut s'empêcher de souhaiter la présence de l'élément humain, de préférence quelque incident dramatique comme dans le *Paysage au serpent* de Poussin, pour rendre une scène champêtre « autant et plus intéressante qu'un fait historique » (XI, 281).[12] Ces fictions devraient être de la nature de ces événements et de ces crises qui surviennent dans l'existence du paysan :

> Est-ce que les habitants des campagnes, au milieu des occupations qui leur sont propres, n'ont pas leurs peines, leurs plaisirs, leurs passions : l'amour, la jalousie, l'ambition ; leur fléaux : la grêle qui détruit leurs moissons, et qui les désole ; l'impôt qui déménage et vend leurs ustensiles ; la corvée qui dispose de leurs bestiaux, et les emmène ; l'indigence et la loi qui les conduisent dans les prisons ? (XI, 281).

Rêverie de « littérateur engagé » que la pensée entraîne loin de la peinture pour lui suggérer une critique des abus de l'ancien régime ? Peut-être. Cependant, l'on ne peut s'empêcher d'invoquer, à sa décharge, toute une excellente tradition centrée sur la vie des paysans et illustrée en particulier par Brueghel, Louis le Nain, le Lorrain, certaines toiles de Rubens et d'autres Flamands.

Malgré une formation essentiellement classique et une intermittente sentimentalité, Diderot s'est peu à peu éloigné du point de vue de l'homme de lettres et a ouvert de nouvelles voies importantes en recommandant l'étude en plein air et sur le motif ; en attirant l'attention du praticien sur les variations complexes des tons dans l'atmosphère (en particulier sur la technique des « reflets » pratiquée par Chardin) ; en insistant sur la nécessité de faire circuler l'air autour des objets et des êtres ; en condamnant la stérilisante copie académique en faveur de l'observation directe de modèles réels : artisans, paysans, bourgeois, représentés dans des attitudes et des actions qui leur sont naturelles et familières ; en conseillant une large interprétation de la nature plutôt qu'une soumission à l'école, cette « boutique de *manière* » (X, 465).

Cependant, certaines remarques du critique attestent que, si les préoccupations littéraires reculent à l'arrière-plan pour faire place à l'étude des moyens spécifiques de l'exécution, elles ne disparaissent pas complètement. Comme Baudelaire, il ne peut entièrement renoncer à l'idée d'un thème imaginatif matérialisant une vision « sublime » du monde : « Si, au sublime du technique, l'artiste flamand avait réuni le sublime de l'idéal, on lui élèverait des autels », note-t-il dans son *Salon de 1767* (XI, 281) ; et, dans ses *Pensées détachées,* après avoir fait l'éloge de « la

---

[12] Pourtant, de tous les morceaux de Joseph Vernet, ce n'est pas le plus dramatique que Diderot semble préférer, comme l'on pourrait s'y attendre d'après sa théorie, mais un *Clair de Lune* sans la moindre fiction, et qui annonce déjà l'*Impression* de Monet. Après avoir vanté les tons, l'harmonie des parties et l'excellence de la composition du *Clair de Lune,* Diderot s'écrie : « Voilà vraiment le tableau de Vernet que je voudrais posséder » (XI, 141). Or, dans le *Salon de 1767,* il y avait d'autres tableaux, des scènes de naufrage en particulier. Mais, heureusement, devant tout morceau qui était de la pure peinture, Diderot, au risque de se contredire, se laissait aller à son amour de la plastique, abstraction faite des « idées ».

vigueur de pinceau » de Rembrandt (XII, 106), il lui vient cette arrière-pensée, résidu d'une formation classique et littéraire : « Il fallait penser comme Léocharès, et peindre comme Rembrandt... Oui, il fallait être sublime de tout point » (XII, 106).

*
**

En général, nos salonniers étaient conscients du fait que la facture comporte un moyen d'expression en soi, une beauté intrinsèque du sujet. Mais en permettant à des considérations extérieures d'intervenir, ils ont quelquefois négligé cette loi importante. Illusionné par les compositions de Greuze, Diderot a cru qu'il suffisait qu'un peintre représentât des actions et des attitudes émouvantes pour susciter l'émotion chez le spectateur. Et devant les paysages d'un Corot et d'un Rousseau, Baudelaire, de son admiration un peu exclusive pour Delacroix et du primat qu'il assignait à l'imagination, a conclu en 1859 que, pour être imaginatif, un artiste doit savoir peindre des scènes non tirées de la réalité. Dans l'attitude dualiste, ou plutôt ambivalente, que l'un et l'autre auteur ont souvent manifestée à l'égard du sujet et du faire, de la conception — généralement appelée *idéal* ou même *idée* dans leurs *Salons* — et de l'exécution, l'on sent une fois de plus l'intérêt particulier que présente leur critique artistique. En effet, chacun a rédigé ses comptes rendus à un tournant décisif de l'histoire de l'art ; et pour cette raison, le lecteur moderne y perçoit, côte à côte, les courants de l'avenir ainsi que quelques prolongements nostalgiques de traditions aujourd'hui périmées. De là, l'ambiguïté de leur position en face du problème que nous avons tenté d'élucider.

Au reste, au XVIIIe comme au XIXe siècle, on établissait communément une dichotomie artificielle tant en peinture qu'en littérature ; tout comme l'on opposait la forme au fond en poésie, l'idée au style en prose ; en peinture, « l'idéal » était favorablement comparé au faire, généralement envisagé comme la partie purement mécanique de l'art. Dans les Académies, l'on enseignait la facture comme une série de procédés, de « recettes ». Il s'ensuit que nos critiques n'ont pas clairement établi les rapports entre sujet et faire en tant que *totalité, symbiose* indivisible... Mais, heureusement, tandis qu'à l'instar de leurs contemporains, ils ont continué à voir la peinutre sous ce double aspect, attribuant le primat spirituel à « l'idéal », ils se sont attachés aux qualités de l'exécution qui aboutissent à une adéquation supérieure entre l'idée et la forme.

Diderot proclame qu' « il y a entre le mérite du faire et le mérite de l'idéal, la différence de ce qui attache les yeux et de ce qui attache l'âme » (XI, 238), et Baudelaire se plaint, à la fin de son *Salon de 1845*, de la pauvreté d'idées des artistes, et du fait que « tout le monde peint de mieux en mieux, ce qui nous paraît désolant » (p. 596). A notre sentiment, c'est simplifier quelque peu la position de nos écrivains, surtout celle de Baudelaire, que de conclure de ce genre de remarque que le *Salon de 1845* « comes very close to Diderot's subordination of

11

technique to idea. » [13] Cette dichotomie se trouve également être en harmonie avec la théorie de l'imagination élaborée dans le *Salon de 1859*.

Si Diderot commence par subordonner la facture à l'idée, sa plus grande familiarité avec les modalités de l'exécution le rendra de plus en plus conscient de l'importance du *style*. Dans le domaine littéraire, il en était déjà venu à constater que c'est la pureté du style qui distingue le poète dur et sec de celui qui est harmonieux et original, car « le poète a sa palette, comme le peintre ses nuances.... Il a son clair-obscur, dont la source et les règles sont au fond de son âme » (XI, 267). De même, ce sont les valeurs colorées qui entrent pour la plus grande part dans le style pictural : « La couleur est dans un tableau ce que le style est dans un morceau de littérature » (X, 127). Cette préoccupation du style dans les arts plastiques le conduit à considérer justement le plagiat comme une annihilation du style (X, 329). De là à reconnaître qu'en peinture comme en poésie, l'excellence réside dans les qualités de l'exécution, et non dans la fiction ou dans cette chose vague qu'est « l'idéal », il ne reste qu'un pas à franchir. Diderot ne le franchira pas entièrement, bien qu'il ait peu à peu pris conscience de l'importance capitale du *faire*.

On a accusé l'Encyclopédiste de n'admirer en Chardin qu'un traducteur littéral de la nature ; [14] mais s'il se déclare sensible à une imitation bien faite, il ne manque jamais de définir ce qui constitue le style de ce grand peintre : « C'est toujours une imitation très fidèle de la nature, avec le faire qui est propre à cet artiste ; un faire rude et comme heurté » (X, 129). Et c'est surtout devant les fruits de Chardin qu'il semble oublier complètement la traditionnelle hiérarchie des genres, ses notions sur le « sublime », « l'idéal » et « l'émouvant », pour ne jouir que des qualités du coloriste, cette « magie » qui le laissait confondu d'admiration ! (X, 195).

Et Baudelaire, tout admirateur de l'idéal littéraire de Delacroix qu'il soit, se laisse volontiers aller à contempler la peinture de ce maître en tant que *peinture* :

> Un tableau de Delacroix, placé à une trop grande distance pour que vous puissiez juger de l'agrément des contours ou de la qualité plus ou

---

[13] Margaret Gilman, *Baudelaire the Critic*, p. 43. Plus haut (p. 151), nous avons vu que Diderot admonestait les artistes dont l'exécution était inférieure à la conception. Il s'est même souvent amusé à reconstituer à sa façon les compositions qu'il jugeait médiocres. Dans ses « Nouvelles Recherches sur Diderot », *Critique*, mai 1956, Yvon Belaval donne une interprétation du point de vue de Diderot, qui est semblable à celle de Margaret Gilman, et que nous trouvons trop globale pour être juste : « L'idée l'emporte sur *le faire* ... le jugement de l'humaniste est préférable à celui du technicien » (p. 420). Dans un chapitre précédent (voir p. 70), nous avons donné quelques citations qui mettent en lumière l'humilité de l'humaniste devant les connaissances des techniciens.

[14] Voir Lester G. Crocker, *The Embattled Philosopher* : « He... admired the literal realism of Chardin » (p. 195).

moins dramatique du sujet, vous pénètre déjà d'une volupté surnaturelle. Il vous semble qu'une atmosphère magique a marché vers vous et vous enveloppe. Sombre, délicieuse pourtant, lumineuse, mais tranquille, cette impression, qui prend pour toujours sa place dans votre mémoire, prouve le vrai, le parfait coloriste. Et l'analyse du sujet, quand vous vous approchez, n'enlèvera rien et n'ajoutera rien à ce plaisir primitif, dont la source est ailleurs et loin de toute pensée concrète (p. 864).

C'est le plus souvent dans ces passages rédigés d'une plume un peu fiévreuse, alors que l'esprit est sous le puissant effet des perceptions visuelles, et non dans les développements théoriques rédigés d'une plume plus froide, que l'on peut trouver les jaillissements d'idées ayant une portée moderne... Gardons-nous donc de réduire l'attitude que nos critiques ont manifestée à l'égard de l'idéal et du technique à quelques formules commodes, mais artificielles et infidèles à la riche complexité, à l'ambiguïté même de certaines de leurs observations. Il suffit sans doute de se rendre compte qu'à une époque où était acceptée une hiérarchie des genres, ils ont proclamé qu'un tableau, à quelque genre qu'il appartienne, doit être une conquête originale, une *création*. Selon Baudelaire, « Un bon tableau, fidèle au rêve qui l'a enfanté, doit être produit comme un monde. De même la création telle que nous la voyons est le résultat de plusieurs créations... ainsi un tableau conduit harmoniquement consiste en une série de tableaux superposés, chaque nouvelle couche donnant au rêve plus de réalité » (p. 860). [15] Et dans son *Salon de 1767,* Diderot conclut de cette manière une analyse d'une *Marine* de Vernet : « Le Loutherbourg est fait et bien fait. Le Vernet est créé » (XI, 275).

Près de cent ans après la mort du philosophe et quelques années après celle du poète, les impressionnistes finiront par faire accepter au public et aux critiques, au prix de quels efforts et sacrifices, ce que l'un et l'autre avaient déjà entrevu et ce dont tout grand artiste est conscient depuis un temps immémorial : quels que soient ses thèmes choisis, le peintre se propose, comme but principal, d'arracher au monde que nous connaissons ce qui est propre à en faire un monde *pictural* cohérent, où prime le langage expressif des formes et des couleurs. Et cette aventure isolée doit aboutir à une vision personnelle de l'univers, laquelle s'inscrira dans un style authentique, inimitable...

---

[15] Paraphrasant sans doute Delacroix, Baudelaire écrit encore : « Si une exécution très-nette est nécessaire, c'est pour que le langage du rêve soit très-nettement traduit » (p. 777). Et, en effet, dans les notes du peintre pour l'article sur Raphaël, publié dans la *Revue de Paris,* l'on peut lire : « L'exécution est la langue, l'interprète, elle... ne fait qu'un avec les idées, mais pourvu que les idées y soient » (*Journal,* III, 362).

CHAPITRE VIII

PROBLÈMES D'EXÉCUTION

Des analyses que nos salonniers ont faites de divers aspects de l'exécution, il nous reste à dégager les qualités qu'ils jugeaient essentielles pour qu'un tableau fût une œuvre originale et mémorable. Nous nous limiterons aux thèmes directeurs, cette méthode nous permettant de mieux distinguer ce qu'ils considéraient comme réellement important. Une chose frappe immédiatement le lecteur attentif : c'est que sous ce rapport, comme sous d'autres, le nombre de points de contact entre Diderot et Baudelaire est révélateur.

C'est surtout aux peintres que nous devons leur attachement aux questions d'exécution, et c'est grâce à l'influence de Delacroix que Baudelaire, au cours de l'élaboration de sa théorie de l'imagination, n'a pas négligé outre mesure les problèmes de la mise en œuvre. A l'encontre des romantiques en littérature, qui déclaraient surtout s'en remettre à l'inspiration, à la « Muse » divine et capricieuse, l'auteur des *Massacres de Scio,* précisément parce qu'il sentait sans doute combien sa nature exaltée et violente avait besoin d'une discipline de fer, a toujours souligné l'importance de la maîtrise technique, et respecté la virtuosité de la palette, fruit d'études persévérantes. Aussi a-t-il maintes fois insisté sur l'importance primordiale de la science des harmonies colorées. Et lorsque Diderot, emporté par le courant quelquefois tumultueux de ses chères idées, ou se laissant aller à sa sensibilité « dix-huitième siècle », en oubliait de contempler la peinture en tant que peinture, Chardin n'hésitait pas à le railler, et ceci en dépit du fait qu'il avait affaire à un personnage jouissant d'un très grand prestige, car, chose à laquelle on ne s'attendrait guère de la part du modeste peintre-bourgeois, celui-ci avait un esprit mordant. « Chardin est caustique », lit-on dans le compte rendu du *Poème sur la peinture* de Le Mierre (XIII, 84). C'est certainement un fait d'expérience personnelle que le salonnier rapporte ici. Pendant l'exposition de 1769, il communique à Chardin sa pensée devant les compositions de Boucher : « Qu'est-ce que cela dit à mon cœur, à mon esprit ? Dans cet amas d'incidents, où est celui qui m'attache, me pique, m'émeut, m'intéresse ? » (XI, 389). L'Encyclopédiste, un peu mortifié, se voit forcé d'admettre que son ami « s'est moqué » de ce genre de critique (XI, 389). Et c'est ce même Boucher qui, au Salon de 1767, ordonne à Diderot de s'arrêter devant un dessin de Loutherbourg et lui dit : « Regardez bien ce morceau ! » (XI, 285).

***

Quoique Diderot et Baudelaire eussent considéré le dessin et le coloris comme deux composantes de la peinture indissolublement liées, leurs commentaires, dans la pratique, portent plus souvent sur la qualité des tons que sur le dessin des peintures qu'ils analysaient. En général, ils semblent avoir été sensibles aux riches effets de touche du coloriste soucieux de variété dans ses empâtements et ses pigments, plutôt qu'à l'harmonie volontiers sèche, abstraite et austère du dessinateur préoccupé surtout d'effets de beauté linéaire. La préférence de Baudelaire pour les vives colorations et les formes mouvementées de Delacroix, opposées aux calmes compositions d'Ingres, est trop connue pour qu'il soit nécessaire d'y insister. De fait, sans contester la puissance d'Ingres, il semble n'avoir pas soupçonné ce qu'il y a de romantisme surveillé et de sensualisme réprimé dans la correction et le fini du dessin du chef de l'école « académique ». Ingres, en effet, tout comme Baudelaire et Delacroix, trahit dans maints portraits et compositions la voluptueuse hantise d'un certain type de femme orientale, inexpressive, sereine et fièrement consciente de la toute-puissance de ses charmes. [1] Il serait cependant bien difficile de trouver une image baudelairienne ayant tiré directement sa substance d'un tableau d'Ingres, bien que cet amour du modèle féminin n'eût point échappé au coup d'œil observateur du poète. [2]

Diderot, cet admirateur de Chardin qu'il appelait « le premier coloriste du Salon, et peut-être un des premiers coloristes de la peinture » (X, 303), estimait également que la couleur suggère le plus adéquatement « le souffle divin » (X, 468) qui anime l'artiste véritablement inspiré, et constitue l'essence première des moyens plastiques : « C'est le dessin qui donne la forme aux êtres ; c'est la couleur qui leur donne la vie.... On ne manque pas d'excellents dessinateurs ; il y a peu de grands coloristes » (X, 468). Dans son *Essai sur la peinture,* il indique encore plus clairement sa prédilection pour les grands coloristes aux dépens des dessinateurs :

> Quel est le grand peintre, ou de Raphaël [3] que vous allez chercher en Italie, et devant lequel vous passeriez sans le reconnaître, si l'on ne vous tirait pas par la manche, et qu'on ne vous dît pas : « Le voilà » ; ou de Rembrandt, du Titien, de Rubens, de Van Dyck, et de tel autre grand coloriste qui vous appelle de loin ? (X, 514).

Et en ceci, Diderot et Baudelaire diffèrent fortement de Stendhal,

---

[1] Voir et comparer les diverses *Odalisques, L'Angélique, Le Bain turc* et les nombreux portraits de femmes d'Ingres d'une part, et *Les Femmes d'Alger, La Mort de Sardanapale, Noce juive dans le Maroc, La Mort d'Ophélie, Angélique* ainsi que les portraits et les nus féminins de Delacroix, pour des traitements fort différents de thèmes semblables.

[2] « Un fait assez particulier et que je crois inobservé dans le talent de M. Ingres », note-t-il dans son *Salon de 1846,* « c'est qu'il s'applique plus volontiers aux femmes... Il s'attache à leurs moindres beautés avec une âpreté de chirurgien » (p. 647).

[3] Cet Ingres méditerranéen.

lequel, comme nous l'avons déjà indiqué,[4] était plus sensible aux caractères et aux expressions des figures qu'à la manière dont les peintres avaient appliqué la matière colorée. Notons également que le développement que Baudelaire fait à propos de l'harmonie des couleurs dans son *Salon de 1859* — ce développement où il est dit : « L'art du coloriste tient évidemment par de certains côtés aux mathématiques et à la musique » (p. 778) — évoque de manière précise les idées du philosophe sur le même sujet.

Encore que Baudelaire soulignât l'égalité entre la ligne et la couleur et leur équivalence, sinon leur identité, d'expressivité : « La ligne et la couleur font penser et rêver toutes les deux ; les plaisirs qui en dérivent sont d'une nature différente, mais parfaitement égale et absolument indépendante du sujet du tableau » (p. 863), sa propre préférence le portait vers le coloris brillant et la touche tourmentée de Delacroix, où se trouvent si admirablement traduites les nobles envolées de son imagination. C'est que le poète aimait une peinture dont les effets dépendent de la variété dans la texture et la touche, d'une application vigoureuse des tons, de la présence sensible et matérielle des pigments. Le charme plus abstrait des schèmes linéaires des figures d'Ingres, la surface polie de ses compositions, l'invisibilité de sa touche, sa parfaite maîtrise d'une technique aplanissant les saillies du tempérament ; toutes ces caractéristiques de sa facture ne laissaient pas d'irriter ce qu'il y avait de romantique en Baudelaire, quelque objectif qu'il tentât d'être. Certes, il méprisait la sentimentalité déchaînée ; mais l'émotion contrôlée, le romantisme contenu de l'art de Delacroix ne devaient pas manquer d'exercer un puissant attrait sur l'auteur de « Qu'est-ce que le Romantisme ? »

Si différents dans le choix de leurs thèmes, Chardin et Delacroix se touchent par la technique du coloris qu'ils élaborèrent. Tous deux, évitant la fonte des tons, juxtaposent sans les mélanger des touches de couleur presque pure et indiquent les reflets de la lumière même dans l'ombre : d'où il résulte un effet harmonique qui se reconstruit à une certaine distance de la toile.[5] Principe que les impressionnistes et les

---

[4] Voir *supra*, p. 24 et n. 15.

[5] Dans son *History of Painting*, David M. Robb relate le fait suivant à propos des *Massacres de Scio* de Delacroix : « Most noteworthy in the Massacres of Scio, however, is the use of color. ... Before it was shown in the 1824 Salon Delacroix saw a landscape by the English painter Constable which had been sent to Paris for exhibition at the same time. In this landscape, called The Hay Wain, Constable had made use of broken color in which allover effects of intense hues were obtained by juxtaposing small strokes of different shades of the colors in question... instead of applying uniform patches of pigments mixed on the palette. In a matter of a fortnight before the Salon opened, Delacroix practically repainted his picture along these lines » (pp. 695-696). Mais Chardin avait déjà pratiqué cette technique impressionniste avant la lettre approximativement cent ans auparavant, et Diderot en a souligné les effets à maintes reprises tant dans ses *Salons* que dans son *Essai sur la peinture* où le nom de Chardin revient constamment sous sa plume.

pointillistes devaient appliquer et systématiser au cours de leur innovation de la peinture claire et à ciel ouvert. Devant ce qu'il appelle le « faire heurté » des natures-mortes de Chardin, Diderot s'écrie avec un étonnement admiratif :

> On n'entend rien à cette magie. Ce sont des touches épaisses de couleur appliquées les unes sur les autres et dont l'effet transpire de dessous en dessus. D'autres fois, on dirait que c'est une vapeur qu'on a soufflée sur la toile ; ailleurs, une écume légère qu'on y a jetée. ... Approchez-vous, tout se brouille, s'aplatit et disparaît ; éloignez-vous, tout se recrée et se reproduit (X, 195).

Cette « magie », en réalité, n'est autre que le principe basé sur un phénomène visuel qu'on appelle le mélange optique des couleurs.[6] Devant les compositions du maître romantique, Baudelaire émet la réflexion suivante :

> D'abord il faut remarquer, et c'est très-important, que vu à une distance trop grande pour analyser ou même comprendre le sujet, un tableau de Delacroix a déjà produit sur l'âme une impression riche, heureuse ou mélancolique. On dirait que cette peinture, comme les sorciers et les magnétiseurs, projette sa pensée à distance. Ce singulier phénomène tient à la puissance du coloriste, à l'accord parfait des tons (p. 707).

Commentaire d'allure poétique, qui se base néanmoins sur une observation très juste de la technique de ce peintre. En effet, Delacroix, en vrai coloriste, ne circonscrit pas strictement ses tons aux formes qu'elles colorent, ne subordonne jamais la couleur à ces formes, mais vise surtout à l'effet global produit par le jeu des valeurs de la lumière frappant diverses surfaces et textures en mouvement. Dans son article, « L'Œuvre et la Vie d'Eugène Delacroix », Baudelaire arrive au même principe qu'avait déjà établi Diderot : à savoir qu' « il est bon que les touches ne soient pas matériellement fondues ; elles se fondent naturellement à une distance voulue par la loi sympathique qui les a associées. La couleur obtient ainsi plus d'énergie et de fraîcheur » (p. 860). Principe qui est certainement dérivé surtout de l'étude attentive du coloris de Delacroix. Mais, d'autre part, il est également fort possible qu'en écrivant ces lignes, Baudelaire ait eu présente à l'esprit cette pensée de *L'Essai sur la peinture* : « En général donc, l'harmonie d'une composition sera d'autant plus durable que le peintre aura été plus sûr de l'effet de son pinceau, aura touché plus fièrement, plus librement, aura moins remanié, tourmenté sa couleur ; l'aura employée plus simple et plus franche. »[7]

---

[6] C'est aussi très probablement à Chardin que nous devons cette observation d'un caractère pré-impressionniste : « Mon ami, les ombres ont aussi leurs couleurs. Regardez attentivement les limites et même la masse de l'ombre d'un corps blanc ; vous y discernerez une infinité de points noirs et blancs interposés. L'ombre d'un corps rouge se teinte de rouge... l'ombre d'un corps bleu prend une nuance de bleu ; et les ombres et les corps reflètent les uns sur les autres » (X, 479).

[7] Diderot lui-même a défini l'expression « peindre franchement » : « On dit qu'un peintre peint à pleines couleurs ou franchement, lorsque ses couleurs sont plus unes,... moins mélangées » (X, 169).

(X, 470). Pensée qui résulte sûrement en grande partie de l'observation de la facture de Chardin.

A l'instar des théoriciens classiques, Diderot et Baudelaire attribuent au dessinateur le don d'envisager la nature sous un angle plus abstrait que le coloriste ; Diderot compare les dessinateurs à de « froids logiciens » (X, 468) et Baudelaire à « des philosophes et des abstracteurs de quintessence » (p. 616). Mais alors que les classiques infèrent de ceci que le dessin est supérieur au coloris, car « la couleur dépend tout-à-fait de la matière, et... par conséquent elle est moins noble que le dessin qui ne relève que de l'esprit », [8] nos critiques considèrent la science du coloris comme l'objet principal du peintre.

Il est une autre différence entre le style du dessinateur et celui du coloriste qui a frappé Diderot et Baudelaire. S'approchant des toiles de dessinateurs, ils s'aperçoivent que les détails surgissent de plus en plus précis ; lorsqu'ils s'en éloignent, c'est pour constater que les compositions deviennent de plus en plus indistinctes. Nous avons déjà noté que, devant les toiles de coloristes tels que Chardin et Delacroix, Diderot et Baudelaire avaient noté un phénomène tout à fait contraire : à savoir, que les tableaux de ces artistes gagnent beaucoup à être vus à une certaine distance. Tentant d'élucider les procédés d'exécution qui sont la cause de cette divergence, ils arrivent à des réponses remarquablement similaires. Amoureux de la configuration des formes plastiques, le dessinateur rend ces formes non pas telles que nous les voyons d'ordinaire, mais telles qu'un œil extrêmement observateur et minutieux les envisagerait. Par conséquent, il demeurera toujours très près de l'objet à peindre, et sa touche sera lisse et détaillée. Par contre, le coloriste s'attache surtout aux effets d'ensemble, aux grands contrastes de masses, d'ombre et de lumière tels qu'ils frappent un œil accoutumé à voir les choses « en gros » et à une certaine distance. Voici comment Diderot résume ses observations dans son *Essai sur la peinture* :

> Deux sortes de peintures ; l'une qui, plaçant l'œil tout aussi près du tableau qu'il est possible, sans le priver de sa faculté de voir distinctement, rend les objets dans tous les détails qu'il aperçoit à cette distance, et rend ces détails avec autant de scrupule que les formes principales ; en sorte qu'à mesure que le spectateur s'éloigne du tableau, ... il perd de ses détails, jusqu'à ce qu'enfin il arrive à une distance où tout disparaisse. ... Mais il est une autre peinture qui n'est pas moins dans la nature, mais qui ne l'imite parfaitement qu'à une certaine distance ; elle n'est, pour ainsi parler, imitatrice que dans un point ; c'est celle où le peintre n'a rendu vivement et fortement que les détails qu'il a aperçus dans les objets du point qu'il a choisi (X, 482).

D'ailleurs, en évitant de rendre toutes les finesses du détail, en renonçant au « fini », le coloriste ne fait qu'obéir à l'un des grands principes

---

[8] Un des principes de l'Académie Royale. Cité par Brunot, *Histoire de la langue française,* Vol. 6, *Le XVIIIe siècle,* p. 704.

de l'art : le sacrifice du détail à l'effet d'ensemble ; principe dont l'importance n'a échappé ni à Diderot ni à Baudelaire.[9]

C'est dans son *Salon de 1845* que le poète s'attaque pour la première fois au problème du coloris et du dessin ; comparant le dessin de Delacroix à celui d'Ingres, il y distingue deux styles irréductibles : « Il y a deux genres de dessins, le dessin des coloristes et le dessin des dessinateurs. Les procédés sont inverses ; mais on peut bien dessiner avec une couleur effrénée, comme on peut trouver des masses de couleurs harmonieuses, tout en restant dessinateur exclusif » (p. 561). En donnant une acception plus large au terme *dessin,* il démontre qu'il existe deux formes de dessins : le linéaire (Raphaël, Ingres) et le coloré (Rubens, Delacroix). Cette réinterprétation lui permettra de placer Delacroix, alors communément accusé de ne pas savoir dessiner, et Daumier, dont le trait puissamment simplifié et expressif ne lui valait que d'être considéré comme un bon caricaturiste, au même rang qu'Ingres, le chef de l'école académique, le roi des dessinateurs. Objectivité combien audacieuse en 1845, alors que coloristes et dessinateurs étaient divisés en deux camps férocement hostiles ! Baudelaire revient d'ailleurs au même sujet en 1846, et dans son essai *De la Couleur,* il explique plus longuement ses vues sur les mérites du dessinateur et du coloriste :

> Il y a différentes sortes de dessins.
>
> La qualité d'un pur dessinateur consiste surtout dans la finesse, et cette finesse exclut la touche : or il y a des touches heureuses, et le coloriste chargé d'exprimer la nature par la couleur perdrait souvent plus à supprimer des touches heureuses qu'à rechercher une plus grande austérité de dessin. ...
>
> L'amour de l'air, le choix des sujets à mouvement veulent l'usage des lignes flottantes et noyées. (p. 615).

D'un esprit plus scientifique que son successeur, Diderot appuye davantage sur la cause physique qui fournit le point de départ de ces deux écoles d'artistes : « La proximité de l'œil sépare les objets ; sa distance les presse et les confond » (X, 329).

Mais si le coloriste évite la représentation minutieuse du détail, cela ne veut point dire que sa tâche s'en trouve facilitée. Loin de là. C'est à la suite de longues observations de coloristes au travail devant leur chevalet que l'auteur du *Salon de 1765* a pu arriver à cette brillante généralisation :

> Ce faire de Loutherbourg, de Casanove, de Chardin et de quelques autres, tant anciens que modernes, est long et pénible. Il faut à chaque coup de pinceau, ou plutôt de brosse ou de pouce, que l'artiste s'éloigne de sa toile pour juger de l'effet. De près l'ouvrage ne paraît qu'un tas informe de couleurs grossièrement appliquées. Rien n'est plus difficile que d'allier ce soin, ces détails, avec ce qu'on appelle la manière large. Si les coups de force s'isolent et se font sentir séparément, l'effet du

---

[9] Nous aurons d'ailleurs à reparler de ce principe (voir *infra,* pp. 167-168).

> tout est perdu. Quel art il faut pour éviter cet écueil ! Quel travail que celui d'introduire entre une infinité de chocs fiers et vigoureux une harmonie générale qui les lie et qui sauve l'ouvrage de la petitesse de forme ! Quelle multitude de dissonances visuelles à préparer et à adoucir ! Et puis, comment soutenir son génie, conserver sa chaleur pendant le cours d'un travail aussi long ? Ce genre heurté ne me déplaît pas (X, 200).

Baudelaire souligne également la difficulté qu'il y a à « modeler avec de la couleur », à trouver « l'harmonie du ton » (p. 560) et « le caractère... tremblant de la nature » (p. 561) dans de larges masses en mouvement.

Pour apprécier la justesse et la modernité des vues de nos deux écrivains sur la ligne et la couleur, il suffit de lire le chapitre consacré au même sujet par l'éminent esthéticien Heinrich Wölfflin dans ses *Principes de l'histoire de l'art*. On s'apercevra que le XXe siècle n'avait rien d'essentiel à ajouter à ce que l'on pouvait déjà lire dans les *Salons* d'un philosophe du XVIIIe siècle et d'un poète du Second Empire...

Un artiste élaborera donc un style de coloriste ou de dessinateur selon l'angle de vision auquel il s'attachera et le genre de parti-pris qu'il élira dans son exécution. Bien entendu, chaque peintre, devant avoir recours, et à la ligne et à la couleur, aucune cloison étanche ne sépare ces deux catégories ; mais son tempérament ainsi que ses préférences porteront le praticien à mettre en valeur un point de vue aux dépens de l'autre. Titien, Rubens, Frans Hals, Rembrandt, Chardin, Fragonard et Delacroix — pour ne citer que quelques exemples — choisiront le coloris, le jeu de la lumière et de l'ombre, les variations des touches et de la texture, les groupements par grandes masses, comme les éléments primordiaux de leur vision ; tandis que Raphaël, Léonard de Vinci, Dürer, Holbein, Poussin, David et Ingres peindront à partir de la mise en valeur de la perspective linéaire, du modelé et de la nette circonscription des contours. Libre à l'amateur de faire son choix selon ses affinités. Nous avons vu que Diderot et Baudelaire réagissaient surtout aux qualités d'exécution qui font partie de l'art du coloriste.

Le philosophe et le poète se rejoignent encore dans une admiration commune de la manière dont le coloriste, par une répartition dramatique des clairs et des obscurs, peut créer une *poésie* puissamment suggestive : « Lorsque je me rappelle certains tableaux de Rembrandt et d'autres, je demeure convaincu qu'il y a, dans la distribution des lumières, autant et plus d'enthousiasme que dans aucune autre partie de l'art », observe Diderot (XIII, 36), et Baudelaire voit en Rembrandt « un puissant idéaliste qui fait rêver et deviner au delà » (p. 611).

Au demeurant, il est de tradition d'opposer les mérites respectifs des dessinateurs et des coloristes, et la notoire querelle Ingres-Delacroix n'est ni la seule ni la première en date dans l'histoire de la peinture, puisqu'un débat du même ordre divisait déjà les Vénitiens et les Romains durant la Renaissance,[10] ainsi que les Poussinistes et les Rubénistes de 1669 à 1671, vingt ans après la fondation de l'Académie Royale de

---

[10] Certains reprochaient au Caravage, par exemple, de ne pas suffisamment « raphaëliser ».

Peinture et de Sculpture en 1648. Le Brun, initiateur des Conférences (1667) d'où devaient sortir les doctrines officielles du classicisme, fidèles à la lettre, sinon à l'esprit de Poussin, condamne les coloristes,[11] mais, à partir de 1663 son autorité diminue fortement, grâce surtout aux idées avancées de Roger de Piles,[12] rubéniste enthousiaste que Diderot lira. A la mort de Colbert (1683), protecteur de Le Brun, celui-ci se trouve isolé et les Rubénistes remportent la victoire bien que nombre d'amateurs de peinture du XVIIIe siècle — surtout parmi les antiquaires — continuent à vanter le dessin aux dépens du coloris.

A l'époque où Diderot rédige ses *Salons,* le style rococo, surtout coloriste, prime en art, à l'exception des peintres d'histoire produisant d'ambitieuses machines littéraires et allégoriques dans la sèche tradition académique. Dans son *Salon de 1761,* Diderot note cette préoccupation grandissante pour les qualités du coloris et use d'une heureuse image pour suggérer l'effet de tous ces tableaux aux tons vifs :

> Il me semble que nos peintres sont devenus coloristes. Les autres années le Salon avait, s'il m'en souvient, un air sombre, terne et grisâtre ; son coup d'œil cette fois-ci fait un autre effet. Il approche celui d'une foire qui se tiendrait en pleine campagne où il y aurait des prés, des bois, des arbres, des champs et une foule d'habitants de la ville et de la campagne diversement vêtus et mêlés les uns avec les autres. Si ma comparaison vous paraît singulière, elle est juste, et je suis persuadé que nos peintres n'en seraient pas mécontents (X, 127).

Mais, comme l'on sait, cette prédominance des coloristes en France fut loin d'être définitive puisque, dans le *Salon de 1781,* son dernier, Diderot décrit les tableaux d'un jeune élève de Vien, du nom de Jacques-Louis David, dont les figures sont « belles, bien dessinées et d'un grand effet » (XII, 65), et dont les « attitudes sont nobles et naturelles ; il dessine ; il sait jeter une draperie et faire de beaux plis » (XII, 63). Ce même David, alors jeune artiste, deviendra le chef de l'école néo-classique, mettra en vedette la ligne austère ainsi que l'héroïque idéal gréco-latin, et aura Ingres pour élève. C'est ce même David que Baudelaire, partisan de la modernité et admirateur du coloris de Delacroix, comparera à un « astre froid » (p. 696), et qualifiera de « révélateur despote » (p. 697).

***

Considérant toujours un tableau dans son effet d'ensemble, Diderot et Baudelaire s'attachent surtout à la manière dont le peintre organise

---

[11] Dans son *Sentiment sur le discours du mérite de la couleur,* Le Brun avance la proposition que « le dessin imite toutes les choses réelles au lieu que la couleur ne représente que ce qui est accidentel ». Cité par A. Fontaine, *op. cit.*, p. 37.

[12] Dans son *Dialogue sur le Coloris,* Roger de Piles loue tout l'œuvre de Rubens alors que jusque là on n'approuvait que les allégories et les compositions italianisantes de cet artiste, et même dans ces tableaux on lui reprochait sa nature « vulgaire et flamande », reproches dont on trouve encore l'écho dans la critique de Diderot et de Baudelaire. Quant à Rembrandt, il demeura dans l'ombre aussi longtemps que domina l'école académique.

ses tons et ses formes selon les exigences harmonieuses de la composition : « Un tableau est une machine... où tout a sa raison d'être, si le tableau est bon ; où un ton est toujours destiné à en faire valoir un autre » (p. 621), écrit Baudelaire. Diderot évalue les peintures en fonction du même principe : « Il en doit être d'un tableau comme d'un arbre ou de tout autre objet isolé dans la nature, où tout se sert réciproquement de repoussoir » (XII, 100). En vertu de cette loi, il considère chaque bonne composition comme un schème coloré où l'œil peut facilement percevoir une « ligne » reliant les divers groupes en masses bien distribuées : « Il y a dans toute composition, un chemin, une ligne qui passe par les sommités des masses et des groupes, traversant différents plans, s'enfonçant ici dans la profondeur du tableau, là s'avançant sur le devant » (XI, 174), et c'est ce que notre salonnier appelle « la ligne de liaison » (XI, 175). Si l'œil qui suit cette ligne s'égare dans un labyrinthe d'incidents multipliés et ne saisit que difficilement la liaison, la composition sera surchargée et obscure ; et s'il parcourt de grands espaces vides et monotones, « la composition sera rare et décousue » (XI, 174). Est-il besoin de le souligner, pareille façon d'envisager la peinture a, esthétiquement parlant, une très grande portée.

De cette loi fondamentale découlent plusieurs corollaires qui sont mis en lumière, tant dans les *Salons* du philosophe que dans ceux du poète. En premier lieu, le peintre qui aura ignoré qu'un tableau doit être « conduit harmoniquement » (p. 860) ne parviendra qu'à produire une chose discordante et désagréable à contempler, car c'est en nous un trait de nature que de poursuivre en tout l'harmonie et l'unité : « Troyon... fatigue toujours les yeux par... le papillotage de ses touches », se plaint Baudelaire (p. 587) ; et une considération du même ordre conduit Diderot à observer qu' « un prestige dont il est difficile de se garantir, c'est celui d'un grand harmoniste » (X, 471), car « sans l'harmonie... l'œil est forcé de sautiller sur la toile » (XII, 114). C'est ainsi que *Le Miracle des Ardents* de Doyen, bien que vigoureusement colorié, est « un grand papillotage insupportable » (XI, 176), et ceci, précisément parce qu'il manque d'harmonie.

Cependant, l'un et l'autre critique s'aperçoivent que « les couleurs amies et... ennemies » (X, 471), les « sympathies et [les] haines naturelles » (p. 612) peuvent être surmontées par le grand coloriste grâce à sa maîtrise parfaite des propriétés du pigment et au don qu'il a de lier le tout par des effets d'éclairage et d'atmosphère. Tout comme les dissonances en musique ont la vertu de mettre en valeur certains effets de sonorité, mieux que ne ferait une composition invariablement et fadement harmonieuse, le bon peintre doit pouvoir mélanger hardiment les tons apparemment les plus inharmonieux, les plus discordants : « Leur intrépide pinceau », s'exclame Diderot, à propos du coloris de Chardin et de Vernet, « se plaît à entremêler avec la plus grande hardiesse, la plus grande variété et l'harmonie la plus soutenue, toutes les couleurs » (X, 472). Si le vrai coloriste obtient toujours un arrangement harmonieux des tons, reprendra Baudelaire, c'est que « tout lui est permis, parce qu'il connaît... la gamme des tons, la force du ton, les résultats des mélanges, et toute la science du contre-point, et qu'il peut ainsi faire une harmonie de vingt rouges différents » (p. 614).

Certains rapins, constatent nos salonniers avec dédain, négligeant la loi primordiale de l'unité, exécutent une composition de manière mécanique, terminant complètement une partie avant de passer automatiquement à une autre. Est-il besoin de dire qu'une telle manière de procéder ne diffère pas d'un travail manuel et n'a rien à voir avec l'art ? Le peintre Bounieu, écrit Diderot, « place d'abord une figure, et la finit ; il en place ensuite une seconde, qu'il peint et finit de même ; puis une troisième, une quatrième, jusqu'à fin de paiement » (XI, 341) ; et Baudelaire dit avoir remarqué, dans les ateliers de Paul Delaroche et d'Horace Vernet, « de vastes tableaux, non pas ébauchés, mais commencés, c'est-à-dire absolument finis dans de certaines parties, pendant que certaines autres n'étaient encore indiquées que par un contour noir ou blanc. Quand une étape est faite, elle n'est plus à faire, et quand toute la route est parcourue, l'artiste est délivré de son tableau » (p. 779). En rapportant ce fait, sans doute le poète garde-t-il à l'esprit l'exemple donné par son prédécesseur, mais il est malaisé de l'affirmer car, comme l'a déjà noté Jean Prévost, [13] l'auteur des *Fleurs du Mal* sait cacher « les ressorts » de son artifice.

Si chaque composition comporte un enchaînement propre des tons ayant un caractère distinctif, toutes les compositions d'un seul artiste possèdent également en commun une note dominante, une certaine touche. A quoi est due cette grande variété du style parmi les artistes ? à leur tempérament individuel qui s'accommode naturellement de certaines couleurs plutôt que d'autres. « L'œil tendre et faible ne sera pas ami des couleurs vives et fortes... Mais pourquoi le caractère, l'humeur même de l'homme n'influeraient-ils pas sur son coloris ? » peut-on lire dans *L'Essai sur la peinture* (X, 469). Et, à son tour, Baudelaire constate que « le style et le sentiment dans la couleur viennent du choix, et le choix vient du tempérament » (p. 615). C'est donc principalement grâce au symbolisme suggestif de cette harmonie unique des tons, que le peintre « parlera » le plus éloquemment à l'âme du spectateur, en révélant la nuance particulière de son émotivité, en communiquant un sentiment triste ou gai, noble ou tendre, serein ou passionné.

Puisque l'harmonie d'un tableau reflète l'esprit et le tempérament propres de l'artiste, il s'ensuit qu'un peintre manquant d'une forte personnalité, quelque savant qu'il soit, ne produira que des ouvrages froids et plats. Diderot attire l'attention du lecteur sur ce fait à propos de Vien, artiste dans la tradition néo-classique et maître de David : « Remarquez, à travers la plus grande intelligence de l'art, qu'il est sans idéal, sans verve, sans poésie, sans incident, sans intérêt » (XI, 33) ; et dans son *Salon de 1845,* Baudelaire émet une considération similaire : « Réfléchir devant ce tableau [de Baron] combien une peinture excessivement savante et brillante de couleur peut rester froide quand elle manque d'un tempérament particulier » (p. 581).

---

[13] Voir *Baudelaire,* p. 79.

Le peintre privé d'originalité court un autre risque, celui de se conformer trop facilement aux modèles académiques, de colorier selon des règles imposées du dehors et non élaborées par lui-même : « Il y a, par malheur, un coloris d'école et d'atelier, auquel le disciple se conforme, quoiqu'il ne fût point fait pour lui. Qu'est-ce qui lui arrive alors ? De se départir de ses yeux, et de peindre avec ceux de son maître. De là tant de cacophonie et de fausseté », déclare Diderot (XIII, 25) ; et Baudelaire parle avec mépris de ceux qui « se conforment à des règles de pure convention, tout à fait arbitraires, non tirées de l'âme humaine, et simplement imposées par la routine d'un atelier célèbre » (p. 780). Il est particulièrement sévère pour les sculpteurs qui, se contentant d'être érudits, demeurent froids et académiques (p. 673). Il est vrai que l'état de la sculpture, en 1846, n'était pas bien brillant...

Il est d'ailleurs quelquefois malaisé de distinguer (surtout pour des contemporains qui ne bénéficient pas du recul du temps) l'artiste savant et accompli, du talent puissamment original, car il arrive que la ligne qui sépare l'un de l'autre soit fort ténue. A l'artiste distingué « il ne manque », nous dit Baudelaire, « qu'un millimètre ou qu'un milligramme de n'importe quoi pour être un beau génie » (p. 569). Remarque qui fait écho à cette pensée du philosophe : « C'est tout contre, c'est-à-dire à mille lieues et mille ans. C'est cette petite distance imperceptible, qu'on sent qu'on ne franchit point... La nature a dit: 'Tu iras là, jusque-là, et pas plus loin que là' » (X, 338)

Ceci dit, quels éléments sont essentiels dans une forte personnalité ? D'abord, la capacité d'évoquer à volonté les sensations éprouvées par le passé, l'aptitude à revivre à froid, au cours de l'exécution, l'émotion ressentie devant le monde des formes et des couleurs. Or, afin de garder cet enthousiasme primitif, l'artiste doit pouvoir contempler la réalité avec des yeux « neufs », avec la *naïveté* de l'enfant. La théorie de Baudelaire selon laquelle « le génie n'est que *l'enfance retrouvée* à volonté » (p. 888) est trop célèbre pour qu'il soit nécessaire d'y revenir ici ; mais ses sources sont moins connues. Margaret Gilman, dans son *Baudelaire the Critic,* indique qu'il est possible que le poète ait trouvé chez Delacroix l'idée de relier l'homme de génie à l'enfant ; [14] et elle cite à l'appui de sa thèse ce passage du *Journal* : « Peut-être les très grands hommes, et je le crois tout à fait, sont-ils ceux qui ont conservé, à l'âge où l'intelligence a toute sa force, une partie de cette impétuosité dans les impressions, qui est le caractère de la jeunesse ? » (I, 314). Mais dans ses *Pensées détachées,* Diderot avait déjà émis une réflexion identique :

> Pour dire ce que je sens, il faut que je fasse un mot, ou du moins que j'étende l'acception d'un mot déjà fait ; c'est *naïf.* Outre la simplicité qu'il exprimait, il faut y joindre l'innocence, la vérité et l'originalité d'une enfance heureuse qui n'a point été contrainte ; et alors le naïf sera essentiel à toute production des beaux-arts (XII, 121).

---

[14] Voir *op. cit.,* p. 149. Cette idée est aussi fortement développée par Michelet, *Le Peuple,* 2e partie (1846).

Dans le *Journal* de Delacroix, il existe un autre passage que celui cité par Miss Gilman, et dont le ton est si proche de celui de Diderot qu'on peut raisonnablement se demander s'il n'a pas été directement inspiré par la lecture des *Pensées détachées* : « Il y a dans l'aurore du talent quelque chose de naïf et de hardi en même temps qui rappelle les grâces de l'enfance et aussi son heureuse insouciance des conventions qui régissent les hommes » (III, 221).

Il est une autre raison pour laquelle nos deux critiques revendiquent pour l'artiste le droit d'être « naïf ». C'est que contrairement à l'adulte, l'enfant sait évoquer les sensations du visuel, c'est-à-dire en se représentant les scènes et les choses en tant qu'images réelles, et non d'une manière générale et abstraite. Certes, l'artiste, comme adulte, possède une maîtrise de soi, une puissance de raisonnement, et une connaissance de son instrument d'expression dont l'enfant n'est pas doué, mais il doit, lui aussi, au cours de l'exécution, voir « tout en *nouveauté* » (p. 888) et garder « la facilité de se représenter les choses » (XI, 134).

Puisque c'est l'action réciproque des tons et des formes qui concourt à produire un effet mémorable sur le spectateur, il s'ensuit que cet effet global ne peut être perdu de vue pendant la mise en œuvre ; chose souvent difficile à faire, surtout lorsqu'on est engagé dans le traitement de parties subordonnées et de détails accessoires. Faire primer certains éléments secondaires aux dépens du thème central n'amènera qu'un déséquilibre regrettable qui nuira fortement à l'expressivité de la composition ; mais savoir éliminer les « morceaux de facture » qui obscurcissent ou affaiblissent le caractère d'un tableau est un art qui s'acquiert en général au bout de longues années d'études. Diderot recueille ce mot profond de Lemoine : « Il faut trente ans de métier pour savoir *conserver son esquisse* ! »(X, 234). En effet, l'ébauche comporte toujours les traits essentiels à l'intelligence d'une composition ou d'une figure ; de même, pour produire un morceau bien organisé, certains sacrifices seront toujours nécessaires, sinon les qualités de verve et de fougue du canevas initial se perdront irrémédiablement.

L'idée moderne d'une simplification aussi grande que possible n'était inconnue ni à Diderot ni à Baudelaire, puisque l'un et l'autre insistent sur la nécessité de sacrifier systématiquement les détails non essentiels. A leurs yeux, plus l'artiste est grand, plus il saura se passer de ces accessoires qui ne font qu'encombrer inutilement une toile. « Quand on a le courage de faire le sacrifice de ces épisodes intéressants [entendez, les idées-accessoires] on est vraiment un grand maître » (XI, 340), affirme Diderot ; et, en Delacroix, Baudelaire voit un artiste « sacrifiant sans cesse le détail à l'ensemble » (p. 622). C'est d'ailleurs pour cette raison que les critiques de Delacroix, habitués à une peinture qui n'épargne au spectateur aucune articulation de la narration, ne manquaient pas de « lui reprocher de ne savoir peindre que des esquisses ! » (p. 787). Il est aussi très probable que c'est l'accoutumance à cette loi — aujourd'hui périmée — de tout finir qui fut à la base, dans un des premiers *Salons* de Diderot (*Salon de 1761,* X, 129), de ses réserves à l'égard du style large de Chardin dont il devait, par la suite, devenir un admirateur si fervent. Il est évident qu'en 1761, le style de l'esquisse le déroute encore... Cependant, à partir de l'exposition de 1765, où il a l'occasion de confronter les belles ébauches de Greuze avec ses produits « finis » et fignolés, [15] il se penche avec un intérêt de plus en plus vif sur cet aspect de l'exécution et, trouvant l'esquisse plus libre, moins soumise aux conventions d'une représentation rigoureuse et par conséquent plus suggestive, il finira par proclamer sa précellence : « Pourquoi une belle esquisse nous plaît-elle plus qu'un beau tableau ? C'est qu'il y a plus de vie et moins de formes... C'est que l'esquisse est l'ouvrage de la chaleur et du génie ; et le tableau, l'ouvrage du travail, de la patience, des longues études, et d'une expérience consommée de l'art » (XI, 245). Jusqu'à la fin du XIXe siècle, l'exécution, visant au fini et au réel, comportait une assez grande part de dextérité toute manuelle. De là ces grands ateliers où les disciples se faisaient la main en terminant certaines parties de compositions que les maîtres n'avaient ni le loisir, ni peut-être la patience de polir. [16] Ce n'était d'ailleurs pas seulement en peinture que l'on exigeait le « fini » ; celui-ci « était alors un caractère commun à toutes les sculptures traditionnelles ». [17]

Tout comme son prédécesseur, Baudelaire revendiquera pour l'artiste le droit de laisser un certain inachevé dans l'œuvre dite finie et défendra des artistes tels que Delacroix et Corot contre ceux qui les accusent d'être des « barbouilleurs » :

> Il y a une grande différence entre un morceau *fait* et un morceau *fini* — ... en général ce qui est *fait* n'est pas *fini,* et ... une chose très-*finie* peut n'être pas faite du tout — ... la valeur d'une touche spirituelle, importante et bien placée est énorme ... etc., etc., d'où il suit que M. Corot peint comme les grands maîtres (p. 586).

Cependant, nos deux auteurs se sont bien gardés de confondre le *style de l'esquisse* avec le *croquis* : celle-ci n'étant qu'une étude brute, préparatoire à la composition définitive. C'est ainsi que Diderot, en 1771, reproche à Hubert Robert sa « manie de ne vouloir que croquer du paysage, de se faire un mérite d'expédier sans se soucier comment », (XI, 495), et que Baudelaire, en 1859, loue Boudin, parce que cet artiste « n'a pas la prétention de donner ses notes pour des tableaux » (p. 817).

Par ailleurs, il eût été intéressant de connaître la réaction de Baudelaire devant les tableaux de Daumier — dont il ne savait que les talents de caricaturiste — et leur touche plus simplificatrice encore que celle de Corot, de Delacroix, voire de Manet.

Cette esthétique du style de l'esquisse, entrevue par Diderot, développée par Baudelaire, finira par aboutir à la facture d'un Cézanne, lequel écrivait à sa mère :

---

[15] Voir *supra,* p. 150.
[16] L'atelier de Rubens est sans doute le plus célèbre.
[17] André Malraux, *op. cit.,* p. 106. C'est en vertu de cette tradition que « les œuvres les plus larges de Michel-Ange passaient pour inachevées » *Ibid.*

J'ai à travailler toujours non pas pour arriver au fini, qui fait l'admiration des imbéciles. Et cette chose que vulgairement on apprécie tant n'est que le fait d'un métier ouvrier, et rend toute œuvre qui en résulte inartistique et commune. (Je ne dois chercher à compléter que pour le plaisir de faire plus vrai et plus savant.) [18]

La plus grande simplification de la peinture moderne s'explique aussi à la lumière de l'invention de la photographie, qui a rendu superflue l'imitation littérale du monde extérieur. Et c'est sans doute parce que les maîtres anciens étaient chargés de « terminer » de grandes machines que leur tâche, au dire de nos critiques, était presque impossible à réaliser en toutes ses parties. Selon Diderot, même dans « les ouvrages des grands maîtres,... vous... remarquerez en cent endroits l'indigence de l'artiste... une infinité de choses exécutées de routine » (X, 505). Réflexion à laquelle Baudelaire fait écho lorsqu'il perçoit « bien des papillotages et bien des crudités, même chez les peintres les plus illustres » (p. 778).

L'harmonie d'une toile ne s'arrêtant pas aux incidents principaux, il est nécessaire que le peintre applique sa science aussi bien à l'atmosphère dans laquelle baignent ses personnages qu'au fond qui doit s'accorder avec le reste. « Il est un art de faire les fonds, surtout aux portraits » (X, 480), note justement Diderot, et Baudelaire est tout aussi attentif à cette partie de l'exécution. A propos des fonds de Constantin Guys, il remarque avec plaisir qu'ils sont « toujours d'une qualité et d'une nature appropriées aux figures » (p. 897).

Tout comme il est un art de faire accorder les fonds avec les autres parties d'une composition, il en est un de rendre l'harmonie délicate de l'incarnat de la peau ou le caractère individuel des mains. « C'est la chair qu'il est difficile de rendre », lit-on dans *L'Essai sur la peinture,* « c'est ce blanc onctueux, égal sans être pâle ni mat ; c'est ce mélange de rouge et de bleu qui transpire imperceptiblement ; c'est le sang, la vie qui font le désespoir du coloriste » (X, 471), et devant une belle figure de La Grenée, Diderot s'exclame : « O les belles chairs, les beaux pieds, les beaux bras, les belles mains, la belle peau ! La vie, le sang et son incarnat transpirent à travers ; je suis, sous cette enveloppe délicate et sensible, le cours imperceptible et bleuâtre des veines et des artères » (XI, 60). Voici, par ailleurs, un parallèle tiré de l'essai *De la Couleur* (*Salon de 1846*) révélant une préoccupation identique de la part du poète : « Il y a harmonie parfaite entre le vert des fortes veines qui la sillonnent [une main] et les tons sanguinolents qui marquent les jointures ; les ongles roses tranchent sur la première phalange » (p. 613). On voit, d'après ces exemples, que Diderot et Baudelaire se rendaient compte, avec une acuité de vision digne de celle du meilleur coloriste, que le rose de la chair n'est qu'une convention car, outre les tons divers de la chair et des veines qu'elle laisse transparaître, la peau reflète, comme toute autre surface, les riches variations de la lumière.

Mais il est une méthode autre que celle du coloriste à l'aide de laquelle le peintre peut arriver à donner l'illusion des muscles et des

---

[18] Cité par John Rewald, *Cézanne, sa vie, son œuvre, son amitié pour Zola,* p. 218.

chairs : c'est celle qui consiste à s'attacher à la perfection du modelé et à la pureté impeccable de la ligne ; méthode propre au dessinateur, à un Ingres par exemple. Une des qualités, selon Baudelaire, qui distingue l'art d'Ingres est ce parti-pris de la « reconstruction idéale » du corps féminin : « M. Ingres n'est jamais si heureux ni si puissant que lorsque son génie se trouve aux prises avec les appas d'une jeune beauté. Les muscles, les plis de la chair, les ombres des fossettes, les ondulations montueuses de la peau, rien n'y manque » (p. 603).

Même devant des sculptures, Diderot reste sensible à la manière dont l'artiste a surmonté l'obstacle de la dureté de sa matière et rendu la morbidesse des chairs à l'aide de la variation de la texture, du modelé des contours et du fondu des plans. Le *Pygmalion aux pieds de sa statue qui s'anime* de Falconet plonge le critique dans l'admiration précisément à cause de l'art avec lequel le sculpteur a su animer le marbre : « Quelles mains ! quelle mollesse de chair ! Non, ce n'est pas du marbre ; appuyez-y votre doigt, et la matière qui a perdu sa dureté cédera à votre impression.... C'est une matière une dont le statuaire a tiré trois sortes de chairs différentes. Celles de la statue ne sont point celles de l'enfant [un petit Amour qui fait partie du groupe], ni celles-ci les chairs du Pygmalion » (X, 221-222).

Il est un autre facteur très important qui contribue à créer l'unité dans une œuvre d'art : c'est la loi de l'enchaînement dans le mouvement des personnages, la coordination des expressions faciales. Même lorsqu'il s'agit d'une figure isolée, comme c'est le plus souvent le cas dans le portrait ou la statuaire, l'action en devra obéir à ce que Diderot appelle « la loi de sympathie » (XI, 364), en vertu de laquelle « une femme assise l'est de la tête, du cou, des bras, des cuisses, des jambes, de tous les points du corps et sous tous les aspects » (XI, 353). Pour Baudelaire également, « chaque individu est une harmonie » (p. 643). Comment donc l'artiste arrivera-t-il à saisir le caractère propre à chaque action, la combinaison complexe de lignes, de volumes et de tons constituant chaque individu ? « Je lui expose des enfants, des adultes, des hommes faits, des vieillards, des sujets de tout âge, de tout sexe, pris dans toutes les conditions de la société, toutes sortes de natures en un mot » (X, 467), est la réponse du philosophe. Quant à Baudelaire, il n'hésite pas, lui aussi, à recommander au peintre « l'étude lente et sincère de son modèle » (p. 644). Ceci suffit-il pour arriver à créer des types mémorables ? Non certes, car, répétons-le, l'art pour nos critiques est loin d'être une imitation de la nature, mais une puissante re-création. Il faut donc savoir exagérer certains traits significatifs, augmenter la plasticité des contours, intensifier l'expression, négliger ce qui nuit aux exigences de la composition et réinterpréter l'harmonie naturelle des tons. « Il faut non seulement que l'artiste ait une intuition profonde du caractère du modèle », précise Baudelaire, « mais encore qu'il généralise quelque peu, qu'il exagère volontairement quelques détails » (p. 644). Et Diderot estime que c'est d' « un système de difformités bien liées et bien nécessaires » (X, 516) qu'une figure plastique doit tirer sa substance. Assurément, même un Picasso ne désavouerait pas une telle vue...

D'ailleurs, afin d'atteindre à l'unité harmonieuse d'une composition, la supercherie est un procédé parfaitement valable. Diderot voit dans « le meilleur tableau... un tissu de faussetés qui se couvrent les unes les autres » (X, 187). Observation qui se trouve répétée dans le *Salon de 1846* : « Les mensonges sont continuellement nécessaires, même pour arriver au trompe-l'œil » (p. 614).

En évaluant la facture des tableaux dont ils devaient rendre compte, les questions qui servaient de pierres de touche à nos deux critiques pourraient se résumer de la manière suivante : le peintre a-t-il révélé, dans sa technique, une maîtrise à toute épreuve de son art ? A-t-il traité son sujet — quel qu'il soit — de manière puissante et poétique, en omettant les détails non essentiels et surtout le remplissage mécanique ? A-t-il fait montre d'imagination et de justesse (qualités qui n'ont rien à voir avec le réalisme objectif) et d'un souci d'harmonie, soit dans ses tons, soit dans ses lignes, soit dans le traitement de ses masses ? Ses plans prêtent-ils de la profondeur, un sens de l'espace à l'ensemble ? L'application des touches suggère-t-elle la qualité « tremblante » de l'atmosphère, les riches fondus des tons de la chair, la texture des surfaces ? Bref, le coloris comporte-t-il de la variété, produit-il des résonances dans notre affectivité et laisse-t-il un souvenir magique dans notre esprit ? Et, finalement, le schème de l'ensemble est-il cohérent, unifié en même temps que suffisamment original pour s'imposer impérieusement à notre imagination ?

Sur la question de l'exécution, nos critiques ont aussi établi quelques comparaisons intéressantes entre la peinture et la sculpture. Au premier abord, il semble bien que les conditions du genre rendent les difficultés à vaincre plus nombreuses dans le domaine pictural, car la statue ne comporte ni couleurs, ni clairs-obscurs, ni fonds, peu de mouvements (Diderot, X, 419 ; Baudelaire, p. 623). Cependant, nos auteurs s'accordent à voir dans la sculpture un genre exigeant un talent opiniâtre, qui doit lutter avec la dureté rebelle de la matière,[19] l'impossibilité de corriger un coup de ciseau malheureux,[20] et « un objet... autour duquel on peut tourner librement » (p. 822),[21] lequel, par sa structure tridimensionnelle, expose et multiplie impitoyablement la moindre défaillance ou maladresse.

---

[19] « Le peintre a couvert sa toile de figures, avant que le statuaire ait dégrossi son bloc de marbre » (Diderot, XIII, 40). La dureté de la matière utilisée donne d'ailleurs à la sculpture un caractère d'austérité et d'éternité, même lorsque le sujet choisi est frivole (Voir Diderot, X, 420 ; Baudelaire, p. 823).

[20] Alors que le peintre « revient sur son travail, et le corrige tant qu'il lui plaît » (Diderot, XIII, 40).

[21] « Nous tournons autour de son ouvrage [du statuaire] et nous en cherchons l'endroit faible », remarque aussi Diderot (XIII, 41). Au reste, l'un et l'autre salonnier notent qu'ils ont plus de mal à évaluer les moyens techniques de la sculpture que ceux de la peinture : « Je crois qu'il est plus difficile... de bien juger d'une statue que d'un tableau » (XIII, 47) ; « Il est... difficile de se connaître en sculpture » (*Sal. de 1846,* p. 672).

*
**

Quand même une œuvre plastique comporterait toutes les qualités soulignées par Diderot et Baudelaire, ceux-ci estiment qu'elle ne vaudrait pas grand'chose si, outre la science évidente de l'exécution, elle ne mettait le spectateur en présence d'une personnalité transcendante, laquelle se traduit toujours par quelque chose de déconcertant, d'*étonnant :* « Touche-moi, étonne-moi... fais-moi tressaillir... frémir » (X, 499), exige impérieusement le philosophe et, aux yeux de l'auteur des *Fleurs du Mal,* « le Beau est *toujours* étonnant » (p. 769).

De ceci il s'ensuit que l'artiste vraiment original est, par définition, un être isolé dans la société, puisque tout ce qu'il crée doit forcément détonner, déconcerter... Aussi l'homme de génie ne doit-il pas attendre grand chose de ses contemporains, heureux si on l'oublie au lieu de le persécuter. Gardant une foi vivace en la postérité, Diderot a cependant toujours fait montre d'une pessimiste prudence lorsqu'il s'agit d'estimer la capacité de compréhension des contemporains :

> Se jeter dans les extrêmes, voilà la règle du poëte. Garder en tout un juste milieu, voilà la règle du bonheur. Il ne faut point faire de poésie dans la vie. Les héros, les amants romanesques, les grands patriotes, les magistrats inflexibles, les apôtres de religion, les philosophes à toute outrance, tous ces rares et divins insensés font de la poésie dans la vie, de là leur malheur. ... Il est d'expérience que la nature condamne au malheur celui à qui elle a départi le génie (XI, 125).

Mais si l'artiste s'épuise à créer quelques chefs-d'œuvre qui n'obtiendront le suffrage que d' « une petite poignée d'hommes de goût qui... admireront en silence, tandis que le stupide, l'ignorant vulgaire... ira se pâmer, s'extasier devant une enseigne à bière, un tableau de guinguette (XI, 294) c'est précisément « cette petite église invisible d'élus... qui assurent tôt ou tard à un artiste son véritable rang » (X, 322).

Si, dans l'introduction au *Salon de 1845,* l'on peut lire une défense du bourgeois, inattendue, de la part d'un jeune *dandy,* cet appel au sens artistique de l'homme moyen atteste surtout un désir de ne pas se conformer à l'opinion générale, car en 1845, il était de mise chez les artistes et les poètes, de ridiculiser « cet être inoffensif » (p. 557). Mais après avoir tendu une main fraternelle au bourgeois, Baudelaire a bien vite été obligé d'assumer une attitude plus semblable à celle de l'Encyclopédiste. Son désenchantement sera d'ailleurs d'autant plus amer qu'il aura été plein de bonne volonté au début de sa tragique carrière. Aussi est-ce sur un ton bien différent qu'il apostrophe « l'Ame de la Bourgeoisie » dans son *Salon de 1859,* voyant à présent en elle une « brute hyperboréenne des anciens jours, [un] éternel Esquimau porte-lunettes ou plutôt porte-écailles, que toutes les visions de Damas, tous les tonnerres et les éclairs ne sauraient éclairer ! » (p. 807). Asselineau, dans sa biographie du poète, écrira d'ailleurs que celui-ci s'est repenti plus tard de n'avoir « su résister au désir de plaire à ses contemporains, ainsi que l'attestent en quelques endroits, apposées comme un fard, certaines basses flatteries adressées à la démocratie ».[22] Mais, de même que Diderot, il ne perdra jamais sa croyance au rôle justicier de la postérité qu'il appelle, à propos des qualités de Delacroix restées incomprises, en 1855, une « redresseuse de torts » (p. 709).

---

[22] Asselineau, *Baudelaire*, p. 127.

CONCLUSION

Nous espérons que cette étude aura révélé plus qu'un certain nombre de parallèles, plus qu'une similitude de problèmes esthétiques traités par nos auteurs. Indépendants dans leurs jugements et indifférents au prestige des gloires du moment, ces deux esprits, aux tendances si différentes à bien des égards, n'en témoignent pas moins d'un profond accord devant les contributions des Beaux-Arts à l'enrichissement humain. Et le recul du temps, en offrant une meilleure perspective et en faisant s'estomper les différences superficielles, ne fait qu'accentuer cet accord fondamental. Même là où leurs opinions ont divergé, nos confrontations nous ont permis, nous osons le croire, d'envisager d'un point de vue nouveau les motifs de ces divergences.

Lorsqu'il s'agissait de points esthétiques importants, nous avons tenté de replacer les observations de nos salonniers, d'une part dans la totalité de leurs théories, d'autre part, dans le courant plus vaste de l'histoire de l'art. On a pu voir que les considérations d'ordre général abondent dans la critique d'art de Diderot et de Baudelaire, ceux-ci ne s'étant jamais contentés de rédiger de simples comptes rendus. Et, en ce sens, leurs *Salons* présentent une convergence féconde de diverses méthodes d'enquête à l'aide desquelles il est possible d'arriver à une meilleure compréhension de la plastique : la méthode expérimentale d'ordre pratique, les généralisations théoriques, les aperçus psychologiques, les confrontations de la peinture et des autres arts, l'induction et la déduction. Il est significatif, à cet égard, que Diderot et Baudelaire, malgré leur formation surtout littéraire, aient rarement avancé une assertion générale sans l'avoir vérifiée au préalable par l'observation attentive des modalités spécifiques de la plastique. D'autre part, leurs commentaires portant sur les questions les plus concrètes, loin d'être gratuits, contiennent toujours, à l'état virtuel, une philosophie de l'art.
Littérateurs, Diderot et Baudelaire ont généralement évité les deux écueils de la plupart des littérateurs : la tendance à envisager l'art sous un angle purement sentimental et psychologique (Stendhal), et la tendance à se servir de la critique d'art uniquement comme prétexte pour rivaliser brillamment avec le langage pictural afin de créer des œuvres « parallèles » dans le domaine littéraire (Gautier, les Goncourt). Le propre de ces deux attitudes est de conduire forcément à la négligence de l'étude sobre et désintéressée des problèmes de la peinture.

Certes, la critique d'art de Diderot et de Baudelaire possède une incontestable valeur littéraire ; mais ce n'est pas cette valeur qu'elle se propose comme objet principal. Ceci parce qu'à la compréhension d'un art autre que le leur, ils ont subordonné toute intention qui leur paraissait étrangère à cette recherche.

Tout en contenant plusieurs notions aujourd'hui quelque peu périmées, les *Salons* de nos auteurs apportent surtout des conceptions novatrices ; explicitement dans tel ou tel jugement sur des styles individuels, et surtout dans le message implicite contenu dans l'ensemble de ces jugements, dans les méthodes d'approche utilisées.

En général, Diderot et Baudelaire ont fait preuve de beaucoup de justesse dans leurs appréciations ; et ceci en dépit des partis-pris de leurs époques respectives. Mais là ne réside point leur principal mérite. Tout critique, quelque perspicace qu'il soit, est quelquefois amené à ne pas anticiper correctement sur les jugements de la postérité, d'ailleurs elle-même toujours en état de flux et de reflux. En accord avec son tempérament, avec ses préférences personnelles, ou avec celles de son temps, il tendra quelquefois à s'exagérer les mérites d'un certain artiste, à sous-estimer ceux d'un autre.

Il eût été aisé de se borner à condamner, en rétrospective, les petites méprises que l'on peut repérer tant dans les *Salons* de Diderot que dans ceux de Baudelaire. De fait, nous avons laissé entendre que même ce dernier ne fut pas infaillible, quoi qu'en ait dit Valéry. [1] Mais nous avons trouvé plus profitable de tenter d'établir dans quelle mesure ces « méprises » ont de l'importance quant à l'entendement de l'esthétique de nos écrivains. Il est bon de garder à l'esprit que nous avons affaire ici, non à des critiques professionnels, dont le devoir se limite à juger avec autant de divination et de prescience qu'il est humainement possible de le faire, mais à des créateurs chez qui une appréciation d'apparence anodine peut souvent fournir la clef à une facette importante de leur « réalité intérieure ». On ne peut donc pas analyser l'apport de nos auteurs sur le même plan que des critiques qui ne sont que critiques. Là réside précisément l'erreur de méthode commise par certains érudits qui ont cru qu'il suffisait de reprendre les évaluations de nos écrivains lesquelles ne cadraient plus très bien avec les tendances ou la mode en faveur. [2]

Tout en confessant librement leurs ignorances, Diderot et Baudelaire ont surpassé les critiques contemporains — certains plus érudits qu'ils n'étaient eux-mêmes — grâce à leur dédain de toute systématisation et de tout esprit d'école, à leur compréhension des problèmes techniques, à leur authentique passion pour la peinture, et surtout grâce à leur génie créateur. Dans la matière picturale, ils étaient à même de discerner les rêves les plus secrets de l'artiste, et à travers leur propre

---

[1] « Baudelaire critique jamais ne s'est trompé », *Pièces sur l'art*, p. 163.

[2] Il a déjà été souligné dans cet essai que Diderot est demeuré particulièrement incompris à cet égard. Cependant, même Baudelaire a été dernièrement l'objet d'un éreintement en règle dans un article adroit mais fallacieux, « Baudelaire et Manet » par Philippe Rebeyrol, paru dans le numéro d'octobre 1949 des *Temps modernes*. Rebeyrol s'y donne beaucoup de peine pour prouver que le poète ne fut qu'un critique limité et rétrograde.

engagement dans le domaine littéraire, ils ont appréhendé l'immensité de la tâche entreprise par celui qui se consacre à l'Art. A cause de leur prestige — l'un comme le Philosophe par excellence, l'autre comme le Poète par excellence — il n'est pas douteux que leur critique d'art a eu d'importantes conséquences et a influé, de manière souvent déterminante, sur les tendances artistiques et le goût en général.

En tant qu'écrivains, ils ont revivifié la langue de la critique par leur maniement magistral des mots et par leur exploitation opportune des ressources de la langue et du style, allant quelquefois jusqu'à l'outrance afin de réveiller l'attention paresseuse du lecteur. Répétons que les différentes méthodes de description élaborées par chacun possèdent ceci en commun : elles offrent une parfaite adéquation de la forme et du fond ; autant que les idées exprimées, elles révèlent les constantes de leur pensée et de leur affectivité.

Continuellement en butte à l'incompréhension du public, et même des critiques, à cause du « frisson nouveau » (pour parler comme Hugo) que créait sa poésie, et témoin de l'isolement moral dans lequel vivaient les artistes novateurs de son temps, Baudelaire, par la force des choses, a développé une esthétique de la *révolte* et de la *modernité*. Il en résulte que sa critique d'art présente un plaidoyer plus pressant que celui de Diderot en faveur de la validité et de l'originalité de l'art moderne. Rares sont les confrontations de Baudelaire avec les accomplissements du Passé et ces confrontations n'ont jamais un caractère nostalgique. Mais en 1765, il n'était pas nécessaire que le critique défendît les meilleurs artistes contre l'hostilité hilare du public, et si Chardin ne s'enrichit jamais de la vente de ses tableaux, il ne devait faire face ni à la pauvreté, ni à la désapprobation des spectateurs...

En ce qui concerne la signification psychologique du thème choisi dans une œuvre d'art, nous avons dit qu'elle intéresse vivement nos auteurs qui accordent à ce thème plus d'importance qu'il n'est usuel de lui en donner de nos jours. De plus, lorsqu'il ne s'agit point de peinture de genre, ils exigent que ce thème ait des assises éthiques aussi bien que spirituelles et esthétiques, qu'il soit autre chose qu'un prétexte ornemental. Pour Diderot comme pour Baudelaire, c'est la forme qui est l'étroit auxiliaire du fond, et non la proposition inverse. Quant à la conception de l'artiste, ou *l'idéal* comme ils préfèrent l'appeler, elle est valable en soi et est antérieure à l'exécution dont l'excellence s'acquiert peu à peu, à force de travail. Sans doute ont-ils estimé que *l'idéal,* pour supérieur qu'il soit, ne peut racheter des défauts de l'exécution ; mais ils tendaient à subordonner celle-ci à celui-là, et à voir une opération dichotomique là où, de nos jours, on s'accorde généralement pour voir un acte simultané : c'est-à-dire un processus au cours duquel la conception a lieu et se précise au fur et à mesure que progresse l'exécution.

Tous deux, Diderot et Baudelaire, ont souligné la part de reconstruction et d'invention qui entre dans l'acte de peindre ou de sculpter. En dépit de sa philosophie matérialiste et des tendances sentimentalement panthéistes de sa génération, Diderot s'est bientôt écarté du concept de « l'imitation de la nature » pour aboutir à un point de vue selon lequel l'artiste est considéré comme un *créateur,* non un copiste habile. Nous nous sommes gardé de nous laisser tromper par l'emploi — inconscient sans doute — que Diderot continue à faire de clichés tels qu' « imitation de nature » ou « imitateur de nature ». [3] Quant à Baudelaire, la théorie de l'imagination qu'il élaborera dans son *Salon de 1859,* sa qualité de poète de la ville, sa méfiance de tout ce qui est *naturel* — à l'état brut, non repensé par l'homme — sa conception de l'homme naturel comme un être de péché, tous ces facteurs le conduiront à se détourner d'une esthétique réaliste ou naturaliste encore plus résolument que son prédécesseur. De là découle également son incompréhension partielle de l'école de Fontainebleau et de l'art d'un Courbet.

Nous avons montré que le goût de nos critiques pour la peinture les portait à apprécier la variété des tons, des empâtements et de la texture dont fait preuve le coloriste plutôt que la ligne austère, les modelés précis et la surface polie des compositions du dessinateur. Les préférences de Diderot et de Baudelaire en matière d'écoles et de styles individuels se ressentent de cette prédilection pour les valeurs colorées.

Spiritualiste, Baudelaire opère devant une peinture un sondage en profondeur, s'attachant moins à découvrir comment l'artiste a peint qu'à déchiffrer l'âme suggérée par le schème pictural. C'est la raison principale pour laquelle le *Salon de 1859* comporte moins d'aperçus techniques que les précédents, et met surtout en valeur les qualités spirituelles de l'art. Matérialiste, Diderot envisage de manière plus analytique et exhaustive les problèmes de composition, l'utilisation du coloris, la caractérologie des personnages et le choix de leurs attitudes, ainsi que la signification psychologique du contenu et de la forme. Ayant délaissé le point de vue abstrait et systématique de son article *Beau,* il en arrive — par une progression souvent irrégulière, il est vrai — à se placer sur un plan plus purement technique et expérimental dans son *Essai sur la peinture* et dans ses *Pensées détachées sur la peinture.* En somme, la critique d'art baudelairienne se distingue surtout par un caractère de *concentration* et d'*unité* : celle de Diderot par un caractère d'*étendue* et de *variété.*

On a souvent critiqué dans les *Salons* de Diderot la présence d'essais psychologiques, éthiques et littéraires, où la plastique est quelque peu repoussée à l'arrière-plan. Mais n'est-il point souhaitable que l'enquête critique, si elle doit transcender le domaine limité du spécialiste et acquérir une portée largement humaine, soit aussi bien philosophique que technique ? A cet égard, notre poursuite des multiples ramifications et prolongements des idées du philosophe nous a amené à établir une autre constatation à laquelle, peut-être, d'aucuns ne se seraient guère attendus : c'est que Baudelaire a en commun plus de pensées sur l'art

---

[3] Par contre, il donne une nuance nettement péjorative à *copiste* : « La Grenée n'a point de style... c'est un *copiste de nature,* froid et monotone » (XI, 406).

avec Diderot qu'avec ses prédécesseurs plus immédiats : les Parnassiens. Ceci s'explique du fait que Baudelaire a toujours insisté sur la nécessité de maintenir des rapports féconds entre l'esthétique et les autres branches du savoir humain — à la condition, bien entendu, que la préoccupation esthétique prédomine chez l'artiste — et a condamné le purisme formel, l'ornementation gratuite tant prônés par Gautier et ses émules. La communauté entre nos deux auteurs s'explique aussi du fait que, tant dans sa critique que dans ses autres ouvrages, Diderot révèle un génie romantique au sens où Baudelaire entendait ce terme : c'est-à-dire authentiquement moderne. Si l'auteur du *Neveu de Rameau* a déclaré se sentir dépaysé dans son siècle c'était à bon escient : car, d'esprit et de tempérament, il appartient à l'ère moderne qui s'ouvre sur la révolution industrielle et la révolte des romantiques, plus qu'au siècle spirituel de Voltaire ou au climat libertin et élégant de Boucher. Certes, personne n'échappe entièrement à son siècle, et Diderot est aussi, à maints égards, homme de son époque, mais l'élément *sui generis* de son génie, essentiellement chercheur et expérimentateur, lui permet de dépasser sa génération sur les points les plus significatifs.

Il convient de rappeler ici une divergence entre Diderot et Baudelaire qui, au premier regard, paraît plus importante qu'elle ne l'est en réalité, et qui découle de leur attitude fondamentale à l'égard de l'homme. A entendre le poète croyant, l'art aide puissamment l'homme à satisfaire son appétence d'immortalité, à triompher des forces du Mal dont il est si souvent la proie impuissante. Selon l'humanisme athée de Diderot, l'art est ce par quoi l'homme découvre sa dignité d'homme et justifie sa situation contingente dans un univers sans Dieu. Baudelaire a vu dans la création artistique la plus belle preuve de la divinité de l'homme, sa victoire la plus durable sur le Mal ; Diderot y a vu la plus belle preuve de son humanité et de sa victoire sur les forces inconscientes qui l'entourent.

Si les conséquences de cette divergence métaphysique sont moins significatives que l'on ne s'y serait attendu, c'est que l'idéalisme de Baudelaire n'est pas un idéalisme absolu et conséquent ; son dualisme chrétien ne l'empêchant point de développer des théories d'application pratique qui pourraient tout aussi bien ressortir au monisme philosophique d'un Diderot. Il a été démontré comment, en développant les corollaires de ses postulats idéalistes et dualistes, Baudelaire rejoignait Diderot par un circuit à travers le monde de ses sensations et de ses perceptions.[4] De fait, l'esthétique de Baudelaire constitue une fusion, unique sans doute, de deux éléments généralement contradictoires, mais chez lui remarquablement intégrés : l'élément spiritualiste et mystique, évoquant la douloureuse angoisse pascalienne, et l'élément philosophique et sensualiste, non pas caractéristique du siècle des « lumières » (les allusions du poète à Voltaire sont loin d'être charitables), mais caractéristique de Diderot.

---

[4] Cf. par exemple le chapitre « Les Critères du Beau ».

Ce qui rapproche aussi nos salonniers, c'est que Diderot a dépassé le rationalisme étroit d'un d'Holbach et d'un La Mettrie, car il pouvait comprendre les appels mystiques, l'élan vers l'idéal et le surnaturel. Il n'était pas insensible non plus à l'apport de l'art d'inspiration chrétienne. Par ailleurs, il a su reconnaître le rôle important de l'affectivité et du subconscient dans la création artistique.

« Comme tout poète, vous contenez un philosophe », écrivait Hugo à Baudelaire dans sa célèbre lettre du 6 octobre 1859. Quant à Diderot, le philosophe chez lui se double d'un poète et d'un artiste, et c'est dans ses *Salons* qu'il nous le prouve de la manière la plus éclatante. Certes, avec sa foi vivace en la Postérité, il eût trouvé beau que ses *Salons* attendent un siècle avant qu'un jeune critique, qui est aussi le premier grand poète vraiment moderne, prenne la plume et refonde dans le creuset de son génie les thèmes qui l'avaient passionné, leur donnant ainsi une digne continuation.

BIBLIOGRAPHIE

ŒUVRES DE DIDEROT

Œuvres complètes, éd. par J. Assézat et M. Tourneux. 20 vols. (Garnier, 1875-1877).

Correspondance inédite, éd. par A. Babelon. 2 vols. (Gallimard, 1931).

Correspondance, éd. par Georges Roth. Vols. I et II (Les Editions de Minuit, 1955-1956).

Lettres à Sophie Volland, éd. par A. Babelon. 2 vols. (Gallimard, 1938).

Supplément au voyage de Bougainville, éd. par Herbert Dieckmann (Droz, 1955).

Le Rêve de d'Alembert, éd. par Paul Vernière (Marcel Didier, 1951).

Salons, éd. par J. Seznec et J. Adhémar. Vol. I : 1759, 1761, 1763. (Oxford, 1957).

ŒUVRES DE BAUDELAIRE

Œuvres complètes, éd. par Y. G. Le Dantec (Bibliothèque de la Pléiade, Gallimard, 1954).

Œuvres complètes, éd. par Jacques Crépet (Conard, 1922-1953), 19 vols.

Œuvres complètes, éd. par Silvestre de Sacy (Le Club du meilleur livre, 1955), 2 vols.

Correspondance générale, éd. par Jacques Crépet (Conard, 1947-1953), 6 vols.

Œuvres posthumes (Mercure de France, 1908).

Souvenirs, correspondance, bibliographie suivie de pièces inédites (René Pincebourde, 1872).

Variétés critiques, éd. par Elie Faure (Crès et Cie, 1924).

Le Salon de 1845, édition critique par André Ferran (Toulouse, éd. de l'Archer, 1933).

Œuvres en collaboration. Idéolus. Le Salon caricatural. Causeries du Tintamarre (Mercure de France, 1932).

Pensées de Baudelaire, recueillies et classées par H. Peyre (J. Corti, 1951).

The Mirror of Art, Critical studies, translated and edited by Jonathan Mayne (Doubleday, 1956).

ŒUVRES D'AUTRES AUTEURS, ETUDES CRITIQUES, OUVRAGES GENERAUX, etc.

ADHÉMAR, Jean. — *Honoré Daumier* (Pierre Tisné, 1954).

AMIEL, Henri. « Réalisme et Positivisme », *Romanic Review*, April 1942, Vol. XXXIII, pp. 105-112.

ARBELET, Paul. — *L'Histoire de la peinture en Italie et les plagiats de Stendhal* (Calmann-Lévy, 1913).

ASSELINEAU, Charles. — *Baudelaire et Asselineau.* Textes recueillis et commentés par Jacques Crépet et Claude Pichois (Nizet, 1953).

BASCHET, Robert. — *E.-J. Delécluze, témoin de son temps* (Boivin, 1942).
BATAILLE, Georges. — *Manet* (Skira, 1955).
BEHETS, Armand. — *Diderot critique d'art* (Bruxelles, J. Lebègue et Cie., 1944).
BELAVAL, Yvon. — *L'Esthétique sans paradoxe de Diderot* (Gallimard, 1950).
— « Nouvelles Recherches sur Diderot », *Critique*, sept-oct. 1955, N° 100-101 ; avril 1956, N° 102 ; mai 1956, N° 108 ; juin 1956, N° 109.
BERENSON, Bernard. — *Aesthetics and History* (Doubleday and Co., Inc., 1954).
— *The Italian Painters of the Renaissance* (Phaidon, 1952).
BEYLE, Henri (Stendhal). — *Œuvres complètes*, éd. par Henri Martineau (Le Divan, 1927-1937).
— *Œuvres complètes*, éd. par P. Arbelet et Ed. Champion (Champion, 1923-1934).
BILLY, André. — *Diderot* (Les Editions de France, 1932).
BOUTET DE MONVEL, A. — « Diderot et la notion de style », *Revue d'histoire littéraire*, LI, 1951, pp. 288-305.
BRUGMANS, H. — « Quelques Remarques sur Diderot et l'esthétique baudelairienne, *Neo-Philologus*, Vol. 23, 1938, pp. 284-290.
BRUNETIÈRE, F. — « Les *Salons* de Diderot », dans *Nouvelles Etudes critiques sur l'histoire de la littérature française* (Hachette, 1882).
BRUNOT, Ferdinand. — *Histoire de la langue française des origines à 1900*, Vol. VI, *Le dix-huitième siècle* (Armand Colin, 1930).
BUSNELLI, Manlio D. — *Diderot et l'Italie* (Champion, 1925).
CASSIRER, Ernst. — *The Philosophy of the Enlightenment* (Beacon Press, 1955).
CATESSON, Jean. — « Baudelaire », *Cahiers du Sud*, XVII, avril-sept. 1938, pp. 634-640.
CHAIX, Marie-Antoinette. — *La Correspondance des arts dans la poésie contemporaine* (Alcan, 1919).
CHARLES, Mary Lane. — *The Growth of Diderot's Fame in France from 1784 to 1875* (Bryn Mawr, Pennsylvania, 1942).
CRÉPET, Eugène et Jacques. — *Charles Baudelaire* (Léon Vanier, 1906).
CROCKER, Lester G. — *The Embattled Philosopher, A Life of Denis Diderot* (Michigan State College Press, 1954).
— *Two Diderot Studies : Ethics and Esthetics* (Baltimore, The Johns Hopkins Press, 1952).
DELACROIX, Eugène. — *Journal*, éd. par André Joubin (Plon, 1932), 3 vols.
— *Correspondance générale*, éd. par André Joubin (Plon, 1936-1938), 5 vols.
DORBEC, Prosper. — *Les Lettres françaises dans leurs contacts avec l'atelier* (Presses Universitaires de France, 1929).
DORIVAL, Bernard. — *La Peinture française* (Librairie Larousse, 1942), 2 vols.
DRESDNER, Albert. — *Die Kunstkritik. Ihre Geschichte und Theorie* (Munich, F. Bruckmann, 1915).
ELUARD, Paul. — *Anthologie des écrits sur l'art* (Editions cercle d'art, 1953), 3 vols.
FELLOWS, Otis E., et Norman L. TORREY, éditeurs. — *The Age of Enlightenment* (Crofts, 1942).
— *Diderot Studies* (Syracuse University Press, 1949).
— *Diderot Studies II* (Syracuse University Press, 1952).

FERRAN, André. — *L'Esthétique de Baudelaire* (Hachette, 1933).

FOLKIERSKI, Wladislaw. — *Entre le classicisme et le romantisme* (Champion, 1925).

— « L'Etat présent des recherches sur les rapports entre les lettres et les arts figuratifs au XVIIIe siècle », *Actes du Ve Congrès international des langues et littératures modernes,* 1951 (Florence, 1955), pp. 233-247.

FONTAINE, A. — *Les Doctrines d'art en France de Poussin à Diderot* (H. Laurens, 1909).

— *Essai sur le principe et les lois de la critique d'art* (Fontemoing, 1903).

FREDMAN, Alice Green. — *Diderot and Sterne* (Columbia University Press, 1955).

FUMET, St. — *Notre Baudelaire* (Plon, 1926).

GAUTIER, Théophile. — *Portraits et souvenirs littéraires* (Charpentier, 1892).

— *Critique artistique et littéraire,* éd. par F. Gohin et R. Tisserand (Larousse, 1929).

— *Fusains et eaux-fortes* (Charpentier, 1880).

— *Ecrivains et artistes contemporains* (Plon, 1933).

GILBERT, Katharine E., et Helmet KUHN. — *History of Esthetics* (Indiana University Press, 1953).

GILMAN, Margaret. — *Baudelaire the Critic* (Columbia University Press, 1943).

— « Baudelaire and Stendhal », *Publications of the Modern Language Association of America,* mars 1939, pp. 288-296.

— « Balzac and Diderot : *Le Chef-d'œuvre inconnu* », *Publications of the Modern Language Association of America,* juin 1950, pp. 644-648.

— Compte rendu, « *L'esprit du mal et l'esthétique baudelairienne* par Marcel A. Ruff », *Romanic Review,* déc. 1955, pp. 280-285.

GONCOURT, E. et J. de. — *L'Art du dix-huitième siècle* (Charpentier, 1882), 2 vols.

— *Journal* (Charpentier, 1888), 3 vols.

— *Etudes d'art* (Flammarion, 1893).

GREEN, F. C. — *Stendhal* (Cambridge University Press, 1939).

HAMILTON, George H. — *Manet and his Critics* (Yale University Press, 1954).

HATZFELD, Helmut A. — *Literature through Art* (Oxford University Press, 1952).

HAUTECŒUR, Louis. — *Littérature et peinture en France du XVIIe au XXe siècle* (Armand Colin, 1942).

Histoire des collections de peintures au Musée du Louvre (Musées nationaux, 1930).

HORNER, Lucie. — *Baudelaire critique de Delacroix* (Droz, 1956).

HOURTICQ, Louis. — *L'Art et la littérature* (Flammarion, 1946).

HUYSMANS, J. K. — *A Rebours* (Charpentier, 1947).

HYTIER, Jean. — *Les Arts de littérature* (Charlot, 1945).

— « La Méthode de M. Léo Spitzer », *Romanic Review,* Vol. XLI, 1950, pp. 42-59.

KRISTELLER, Paul O. — « The Modern System of the Arts », *Journal of the History of Ideas,* oct. 1951, pp. 496-527, Vol. XII, N° 4. Janvier 1952, pp. 17-46, Vol. XIII, N° 1.

LANGEN, August. — « Die Technik der Bildbeschreibung in Diderots *Salons* », *Romanische Forschungen,* 1948, Vol. 61, pp. 324-384.

LASSAIGNE, Jacques. — *Eugène Delacroix* (Flammarion, 1950).

LUPPOL, I. K. — *Diderot,* traduit du russe par V. et Y. Feldman (éditions sociales internationales, 1936).

MACCHIA, Giovanni. — *Baudelaire Critico* (Florence, G. C. Sansoni, 1939).

MALRAUX, André. — *Les Voix du Silence* (Galerie de la Pléiade, 1951).

MARTINEAU, Henri. — « Stendhal aimait-il la peinture ? », *L'Œil,* mai 1956, pp. 12-19.

MARTINO, Pierre. — *Stendhal* (Boivin et Cie., 1934).

MAY, Georges. — *Quatre Visages de Denis Diderot* (Boivin et Cie., 1951).

MAY, Gita. — « Chardin vu par Diderot et par Proust », *Publications of the Modern Language Association of America,* Vol. LXXII, juin 1957, pp. 403-418.

MESNARD, Pierre. — *Le Cas Diderot* (Presses universitaires de France, 1952).

MONGAN, Agnes, éd. — *One Hundred Master Drawings* (Harvard University Press, 1949).

MORNET, Daniel. — *Diderot, l'homme et l'œuvre* (Boivin, 1941).

— *La Pensée française au dix-huitième siècle* (Armand Colin, 1947).

MUSTOXIDI, T. M. — *Histoire de l'esthétique française, 1700-1900* (Champion, 1920).

MYERS, Bernard. — *Modern Art in the making* (Mc Graw-Hill Book Co., Inc., 1950).

— éd., *Encyclopedia of Painting* (Crown Inc., 1955).

NEEDHAM, H. A. — *Le Développement de l'esthétique sociologique en France et en Angleterre au dix-neuvième siècle* (Champion, 1926).

PASCAL, André, et Roger GAUCHERON, éd. — *Documents sur la vie et l'œuvre de Chardin* (éditions de la Galerie Pigalle, 1931).

PEYRE, Henri. — *Connaissance de Baudelaire* (José Corti, 1951).

PIA, Pascal. — « Baudelaire, critique d'art », *L'Œil,* mars 1956, N° 15, pp. 6-15.

POMMIER, Jean. — *Diderot avant Vincennes* (Boivin, 1939).

— *Dans les Chemins de Baudelaire* (José Corti, 1945).

— « Les *Salons* de Diderot et leur influence au dix-neuvième siècle : Baudelaire et le *Salon de 1846* », *Revue des Cours et Conférences,* mai-juin 1936, pp. 289-306, 437-452.

— « Baudelaire et les arts plastiques », *Revue d'histoire littéraire,* 1934, pp. 446-447.

PORCHÉ, François. — *Baudelaire, Histoire d'une âme* (Flammarion, 1945).

PRÉVOST, Jean. — *Baudelaire* (Mercure de France, 1953).

— *La Création chez Stendhal* (Mercure de France, 1951).

PROUST, Marcel. — *Contre Sainte-Beuve, suivi de Nouveaux Mélanges* (Gallimard, 1954).

REBEYROL, Philippe. — « Baudelaire et Manet », *Les Temps modernes,* oct. 1949, pp. 707-725.

REWALD, John. — *The History of Impressionism* (The Museum of Modern Art, 1946).

— *Post-Impressionism from Van Gogh to Gauguin* (The Museum of Modern Art, 1956).

— *Cézanne, sa vie, son œuvre, son amitié pour Zola* (Albin Michel, 1939).

RHODES, S. A. — *The Cult of Beauty in Charles Baudelaire* (Columbia University Press, 1929), 2 vols.

ROBB, David M., et Francis H. TAYLOR. — *The Harper History of Painting* (Harper and Brothers, 1951).
ROQUES, Mario. — « L'Art et l'Encyclopédie », *Annales de l'Université de Paris,* oct. 1952, pp. 92-109.
RUFF, Marcel A. — *L'Esprit du mal et l'esthétique baudelairienne* (Armand Colin, 1955).
— *Baudelaire, l'homme et l'œuvre* (Hatier Boivin, 1955).
SAINTE-BEUVE. — *Œuvres,* éd. par Maxime Leroy (Bibliothèque de la Pléiade, 1956), 2 vols.
— *Causeries du lundi,* vol. III (Garnier Frères, sans date).
SANTAYANA, George. — *The Sense of Beauty* (Dover Publications, 1955).
SARTRE, J.-P. — *Baudelaire* (Gallimard, 1947).
SCHÉFER, Gaston. — *Chardin* (Henri Laurens, 1904).
SÉCHÉ, Alphonse et Jules BERTAUT. — *Diderot* (Louis-Michaud, 1909).
SEILLIÈRE, Ernest. — *Baudelaire* (Armand Colin, 1931).
SEZNEC, Jean. — « Les *Salons* de Diderot », *Harvard Library Bulletin,* Vol. 5, N° 3, Autumn 1951, pp. 267-287.
SPITZER, Leo. — *Linguistics and Literary History* (Princeton University Press, 1948).
STARKIE, E. — *Baudelaire* (Gollancz, 1933).
STEEL, Eric. — *Diderot's Imagery* (The Corporate Press, 1941).
TABARANT, A. — *La Vie artistique au temps de Baudelaire* (Mercure de France, 1942).
TAINE, Hippolyte. — *La Philosophie de l'art* (Hachette, 1948).
THOMAS, Jean. — *L'Humanisme de Diderot,* 2e éd. (Les Belles-Lettres, 1938).
— « Diderot et Baudelaire », *Hippocrate,* 1938, pp. 328-342.
— « Le Rôle de Diderot dans l'Encyclopédie », *Annales de l'Université de Paris,* oct. 1952, pp. 7-25.
TRAHARD, Pierre. — « Diderot », dans *Les Maîtres de la sensibilité française,* Vol. II (Boivin, 1932).
VALÉRY, Paul. — « Situation de Baudelaire », et « Stendhal », dans *Variété II,* (Gallimard, 1930).
— *Pièces sur l'art* (Gallimard, 1934).
VAN TIEGHEM, Paul. — « Diderot à l'école des peintres », *Actes du Ve Congrès international des langues et littératures modernes,* 1951 (Florence, 1955), pp. 255-263.
VERNIÈRE, P. — « Diderot et Hagedorn », *Revue de littérature comparée,* avril-juin 1956, pp. 239-254.
VEXLER, Félix. — *Studies in Diderot's Esthetic Naturalism* (New York, 1922).
WALKER, Eleanor. — *Diderot's « Rêve de d'Alembert », The Literary and the Scientific Imagination.* Thèse, Columbia University, 1953 (non publiée).
— « Towards an Understanding of Diderot's Esthetic Theory », *Romanic Review,* XXXV, 1944, pp. 277-287.
WELLEK, René, et Austin WARREN. — *Theory of Literature* (Harcourt Brace, 1942).
WILSON, Arthur M. — *Diderot, 1713-1759* (Oxford University Press, 1957).
WÖLFFLIN, Heinrich. — *Principles of Art History,* traduit de l'allemand par M. D. Hottinger (Holt, 1932).

INDEX DES NOMS CITÉS

Adhémar, Jean : 1 n. 1.
Albane, Francesco Albani (dit l') : 47, 55.
Alberti, Léon-Baptiste : 134.
André, Yves-Marie (le Père) : 40, 124.
Angelico, Fra Giovanni da Fiesole : 47.
Arbelet, Paul : 17 n. 2, 18 n. 10, 24.
Arioste, Ludovico Ariosto (dit l') : 83.
Aristote : 1 n. 1, 68.
Asselineau, Charles : 16, 55, 89, 116 n. 44, 172.
Aupick, Jacques : 100.

Balzac, Honoré de : 14, 15, 32, 39 n. 37, 70, 115 et n. 42, 135.
Bandinelli, Baccio : 54.
Baroche, Federigo Barocci (dit le) : 47, 49, 50.
Bassan, Jacopo da Ponte (dit le) : 47, 54.
Batteux, Charles (l'abbé) : 40, 52, 71 n. 22, 79 et n. 32, 96, 124.
Baudelaire, Joseph-François : 16 n. 39.
Baudouin, Pierre-Antoine : 54, 95, 121.
Baumgarten, Alexandre : 96.
Beaumarchais, Pierre-Augustin Caron de : 18 n. 9, 41.
Belaval, Yvon : 70 n. 21, 154 n. 13.
Bellini, Giovanni (dit le Bellin) : 47, 54.
Bemetzrieder, A. : 101.
Berghem, Nicolas : 47, 49.
Bernin, Lorenzo Bernini (dit le) : 134.
Boilly, Louis-Léopold : 118 n. 46.
Bonington, Richard Parkes : 54.
Bosch, Hieronymus van Aeken : 47.
Bossuet, Jacques-Bénigne : 57, 96.
Botticelli, Sandro : 47.
Boucher, François : 6, 8, 16, 34, 49, 52, 54 n. 20, 55, 59, 74, 75, 76 et n. 29, 95, 98, 99, 101 et n. 22, 147, 156, 179.
Boudin, Eugène-Louis : 145, 146, 147, 168.
Boulogne, Jean de (dit le Valentin) : 47, 54.
Bounieu, Michel-Honoré : 165.
Bourdon, Sébastien : 47.
Bourguignon, Jacques Courtois (dit le) : 47, 54.
Briard, Gabriel : 99.
Bruegnel, Pierre : 47, 54, 56 n. 31, 152.
Brugmans, H. : 2 n. 4, 13, 14.
Brunetière, Ferdinand : VII, 36, 41.
Brunier, Charles : 99 n. 18.
Brunot, Ferdinand : 3 n. 7, 95 n. 12, 96, 99 n. 18, 101 n. 20, 102 n. 23.
Busnelli, Manlio D. : 50 n. 13, 52 n. 15.
Byron, George Gordon : 83.

Callot, Jacques : 47, 54.
Canaletto, Antonio : 55.
Caravage, Michelangelo Merisi (dit le) : 47, 49, 51 n. 14, 162 n. 10.
Carrache, Annibal : 46, 139.
Carrache, (les) : 20, 47, 49, 54, 57, 129.
Casanove, François : 101, 102, 147, 151, 161.
Castiglione, Benedetto : 47.
Castel, Louis-Bertrand (le Père) : 101 n. 20.
Catherine II : 45, 48, 107.
Caylus, Anne-Claude-Philippe de : 59 n. 34.
Cézanne, Paul : 8, 21 n. 12, 75, 81, 83, 137 n. 13, 143, 147, 168.
Challe, Simon : 99, 102.
Champaigne, Philippe de : 54.
Champfleury, Jules Husson (dit Fleury ou) : 2 n. 3, 14, 35 n. 30, 48 n. 5, 81.

Chardin, Jean-Baptiste Siméon : 5, 7, 8, 28 n. 28, 31, 33, 36, 40, 49, 51, 55, 59, 69 n. 17, 74 et n. 28, 75, 76 n. 29, 79, 83 et n. 40-41-42, 84, 87, 98, 131, 145, 147, 148, 149, 150, 151, 152, 154 et n. 14, 156, 157, 158 et n. 6, 160, 161, 162, 164, 167, 177.
Chateaubriand, François-René de : 96.
Chenavard, Paul-Joseph : 41 n. 42.
Cigoli, Ludovico Cardi : 22.
Cimabué, Cenni di Pepi (dit) : 54.
Cochin, Nicolas : 40, 52, 121.
Colbert, Jean-Baptiste : 163.
Constable, John : 158 n. 5.
Corneille, Pierre : 62.
Corot, Camille : 41, 74, 75, 87, 104, 143, 144, 145 et n. 5, 147, 153, 168.
Corrège, Antonio Allegri (dit le) : 20, 46, 47, 49, 54.
Cortone, Pietro Berettini (de) : 47.
Courbet, Gustave : 41, 57, 74, 81, 82 et n. 37, 83, 143, 178.
Couture, Thomas : 42.
Coypel, Antoine : 47.
Crépet, Eugène et Jacques : 139 n. 16.
Crocker, Lester G. : 36 n. 32, 67 n. 15, 80 n. 33, 124 n. 2, 130 n. 9, 154 n. 14.
Croismare, Marc-Antoine de : 111.
Crousaz, Jean-Pierre de : 40, 124.
Cruikshank, George : 54.

Dante, Alighieri : 83.
Daubigny, Charles : 143, 145.
Daumier, Honoré : 67, 41 et n. 42, 57, 64, 71, 76, 87, 98, 143, 145, 146, 161, 168.
David, Jacques-Louis : 4 n. 8, 26, 53, 55, 56, 59, 74, 112, 135, 136, 137, 162, 163, 165.
Debucourt, Philibert-Louis : 16, 54.
Decamps, Alexandre-Gabriel : 46.
Delacroix, Eugène : 4 n. 8, 5, 11 et n. 23, 13 et n. 27, 17, 18 et n. 3, 27-37, 38, 40, 41 et n. 42, 46, 56 et n. 30, 57, 65, 66 n. 12, 68, 71, 74, 76, 77 et n. 30, 78, 80, 82, 83 et n. 42, 87, 89, 90, 93 et n. 8, 98, 102, 104, 112, 113, 114, 124 n. 3, 136, 137, 140, 142 et n. 1, 143 et n. 4, 144, 145, 153, 154, 155 et n. 15, 156, 157 et n. 1, 158 et n. 5, 159, 160, 161, 162, 163, 166, 167, 168, 173.
Delaroche, Paul : 100, 165.
Delécluze, Etienne-Jean : 4 n. 8, 138 n. 14 bis, 145.
Deroy, Emile : 14.
Désaugiers, Marc-Antoine : 87 n. 46.
Deshays, Jean-Baptiste : 95, 108 n. 34.
Dieckmann, Herbert : 92 n. 5, 96 n. 15, 111 n. 39 et n. 40.
Dominiquin, Domenico Zampieri (dit le) : 47, 49.
Dow, Gérard : 47, 49.
Doyen, Gabriel-François : 164.
Du Bos, Jean-Baptiste : 24, 40, 52, 124.
Dupont, Pierre : 126.
Dürer, Albert : 47, 48, 54, 162.
Dutacq, Armand : 77.

Elsheimer, Adam : 47.

Faguet, Emile : 36.
Falconet, Etienne-Maurice : 36, 40 et n. 41, 47 n. 4 bis, 81 n. 34, 129, 170.
Fantin-Latour, Théodore : 105.
Faure, Elie : 66 n. 12, 120 n. 49.
Ferran, André : 10 n. 21, 17 n. 4, 41 n. 43.
Feti, Domenico : 47.
Folkierski, Wladislaw : 11 n. 25, 70 n. 21.
Fontaine, A. : 1 n. 1, 53, 79 n. 32, 129.
Fragonard, Jean-Honoré : 6, 8, 16, 24, 40, 49, 52, 54, 55, 59, 65, 74, 75, 98, 101, 110, 111 n. 38, 147, 162.
Fromentin Eugène : 1.
Fuseli, Henry Johann Heinrich : 54.

Gainsborough, Thomas : 54.
Galiani, Ferdinando (l'abbé) : 43, 139.
Gautier, Théophile : 1, 5, 10 n. 21, 37, 38, 41, 56 n .30, 61 n. 3, 81 n. 34, 85, 93, 97, 101, 126, 138 n. 14 bis, 175, 179.

Gavarni, Sulpice-Guillaume Chevalier (dit) : 58.
Géricault, J. L. A. Théodore : 55.
Gilbert, K.E. et Helmet Kuhn : 123 n. 1.
Gillot, Claude : 47.
Gilman, Margaret : 2 n. 4, 5, 13 n. 27, 17 et n. 3, 64 n. 5, 66 n. 12 et n. 13, 69 n. 16, 82, 103 n. 24, 140 n. 17, 154 n. 13, 166, 167.
Giorgione, Giorgio Barberelli (dit) : 47, 49, 54.
Giotto, Angiolotto di Bondone (dit): 47.
Girodet, Anne-Louis : 55.
Gleyre, Gabriel-Charles : 99.
Goethe, Wolfgang : 11, 14, 39 n. 37.
Goncourt, Edmond et Jules de : 1, 7 et n. 15, 9, 38, 41, 61 et n. 3, 65, 68, 76 n. 29, 77 n. 31, 93 et n. 7, 97, 148, 175.
Goujon, Jean : 81 n. 34.
Goya y Lucientes, Francisco José : 6, 7, 37, 43, 54 et n. 23, 55, 65, 74, 85, 98.
Greco, Domenico Theotocopuli (dit le) : 43, 47, 48 n. 5, 54.
Greuze, Jean-Baptiste : 6, 7 et n. 15, 8, 26, 36, 40, 53, 54 et n. 23, 64, 74, 76 n. 29, 85, 87, 147, 148-150, 153, 168.
Grimm, Frédéric-Melchior de : 5 n. 11, 10 n. 22, 48 et n. 9, 52, 73, 90 n. 50, 101 n. 21, 107, 109, 110, 149 n. 11.
Gros, Antoine-Jean : 55.
Grünewald, Matthias : 43, 47.
Guardi, Francesco : 47, 54, 55.
Guerchin, Giovanni Francesco Barbieri (dit le) : 47, 54.
Guérin, Pierre-Narcisse : 55.
Guide, Guido Reni (dit le) : 47, 40, 50.
Guys, Constantin : 41, 65, 74, 87, 145, 146, 169.

Hagedorn, Friedrich von : 40.
Hallé, Noël : 100.
Hals, Frans : 43, 47, 51, 56, 162.
Haussoullier, William : 117.
Heine, Henri : 17.
Helvétius, Claude-Adrien : 24, 70.
Hoffmann, Ernest-Théodore-Amédée : 14.
Hogarth, William : 11, 40, 47, 54.
Holbach, Paul-Henri d' : 70, 180.
Holbein, Hans : 47, 54, 162.
Homère : 134.
Horace : 134.
Hostein, Hippolyte : 15.
Hugo, Victor : 39 n. 37, 70, 86 n. 45, 91, 177, 180.
Hutcheson, Francis : 40, 124, 127.
Hytier, Jean : 65.

Ingres, Jean-Auguste Dominique : 19, 26, 41, 56, 71, 74, 76, 77 et n. 31, 78, 98, 114, 135, 157 et n. 1-2-3, 161, 162, 170.

Janin, Jules : 4 n. 8.
Jongkind, Johann : 39.
Jordaens, Jacob : 47, 49, 53 n. 17, 54.
Jouvenet, Jean : 46, 47, 54.

Kaulbach, Wilhelm von : 54.
Knibbergen, François : 47.

Laclos, Pierre Choderlos de : 8, 14.
La Font de Saint-Yenne : 1 n. 1, 40, 48 n. 8, 52.
La Grenée, Louis-Jean-François : 24, 36, 52, 84, 169, 178 n. 3.
Lairesse, Gérard de : 40.
Lamartine, Alphonse de : 86 n. 45.
Lanzi, Luigi : 24.
La Mettrie, Julien Offray de : 180.
Lancret, Nicolas : 54, 55, 59.
Largillière, Nicolas de : 47.
La Tour, Georges de : 47, 48 n. 5.
La Tour, Maurice-Quentin de : 34, 40, 98, 130.
Lavater, Johann Caspar : 24.
Lawrence, Thomas : 54.
Le Brun, Charles : 47, 54, 56, 59, 67, 74, 129, 134, 139, 163 et n. 11.
Lemer, Julien : 90.
Le Mierre, Antoine-Marin : 49 n. 11, 53 n. 17, 105 n. 31, 131, 156.
Lemoine, François : 55, 167.
Le Nain, les frères : 47, 48 n. 5, 54 n. 23, 152.
Lépicié, François-Bernard : 44, 108 n. 34.

Le Prince, Jean-Baptiste : 39, 111, 147.
Lespinasse, Julie de : 28 n. 29.
Lessing, Gotthold Ephraïm : 105 n. 31.
Le Sueur, Eustache : 47, 51, 54, 57, 74, 139.
Lomazzo, Giovanni Paolo : 40, 49 n. 11, 134.
Lorrain, Claude Gelée (dit le) : 47, 54, 152.
Louis-Philippe : 55 et n. 24.
Loutherbourg, Jacques-Philippe de : 155, 156, 161.
Luppol, I.K. : 123 n. 1.

Mallarmé, Stéphane : 86 n. 45, 102, 105.
Malraux, André : 8, 43, 107, 145, 146, 168 n. 17.
Manet, Edouard : 38, 41, 42, 47, 54 n. 23, 56, 57, 65, 74, 143, 148, 168, 174 n. 2.
Mantegna, Andrea : 47, 54.
Martineau, Henri : 24 n. 15, 25 n. 17.
Masaccio, Thomas : 43, 47.
Metsu, Gabriel : 55.
Mayne, Jonathan : 73 n. 27.
Memling, Hans : 47.
Mengs, Anton Raphaël : 40, 47, 53 et n. 18.
Méryon, Charles : 94, 114 n. 41, 145.
Mesnard, Pierre : 12 n. 26.
Metsu, Gabriel : 55.
Metsys, Quentin : 47, 54.
Michel-Ange Buonarroti : 18 n. 8, 22, 43, 44, 47, 49, 50, 54, 56, 58, 60, 77, 81 n. 34, 130, 168 n. 17.
Michelet, Jules : 17, 166 n. 14.
Millet, Jean-François : 114, 115, 145.
Molière, Jean-Bapitste Poquelin (dit) : 102 n. 23.
Monet, Claude : 80, 143, 150 n. 12.
Montaigne, Michel de : 72 n. 25, 93.
Montesquieu, Charles de Secondat de : 24.
Mornet, Daniel : 2 n. 2, 3, 70 n. 21.
Murillo, Bartholomé Esteban : 47 et n. 4 bis, 54, 55, 136 et n. 12 bis.
Musset, Alfred de : 86 n. 45.

Nadar, Félix Tournachon (dit) : 62, 118.
Nattier, Jean-Marc : 54, 55.
Netscher, Caspar : 47, 49.

Orozco, José Clemente : 7.
Overbeck, Friedrich : 54.

Pannini, Giovanni Paolo : 47.
Parrocel, Joseph-François : 10 n. 22.
Pater, Jean-Baptiste : 55, 59.
Pérugin, Pietro di Cristoforo Vanucci (dit le) : 54.
Phidias : 129.
Pia, Pascal : 44 n. 2.
Picasso, Pablo : 7, 170.
Piero della Francesca : 43, 47.
Pierre, Jean-Baptiste : 24, 46.
Pigalle, Jean-Baptiste : 40, 81 n. 34, 129.
Piles, Roger de : 40, 101, 102 n. 23, 163 et n. 12.
Pilon Germain : 81 n. 34.
Pinelli, Bartolomeo : 54.
Pissarro, Camille : 80, 143.
Platon (et platonisme) : 72, 127, 134, 136, 139.
Poe, Edgar Allan : 5, 11 n. 23, 12, 13 et n. 27, 14, 37 n. 34, 63, 109, 113, 119.
Pœlenburgh, Cornelis van : 47.
Pommier, Jean : 2 n. 4, 10 n. 22, 13, 17 n. 3, 18, 37 n. 35, 66 n. 13, 100 n. 19, 140 n. 17.
Pompadour, Antoinette Poisson, marquise de : 75.
Porcellis, Jan : 47.
Potter, Paul : 47, 49.
Poussin, Nicolas : 45, 46, 47, 49, 51, 54, 57, 64, 74, 85, 118, 127, 129, 130, 134, 147, 152, 162, 163.
Pradier, James : 134 n. 11.
Prarond, Ernest : 54.
Préault, Antoine-Auguste : 41 n. 42, 81 n. 34.
Prévost, Jean : 25 n. 16, 63 n. 5, 86 n. 45, 103 n. 24, 165.
Primatice, Francesco Primaticcio (dit le) : 47.
Proust, Marcel : 63, 83 n. 41, 86 et n. 45, 92 n. 2, 98 n. 17.
Prud'hon, Pierre-Paul : 55.
Puget, Pierre : 129.

Racine, Jean : 57, 62.
Ramsay, Allan : 47.
Raphaël, Raffaello Santi ou Sanzio (dit) : 20, 22, 23, 46, 47, 48 n. 9, 49, 50, 51, 52, 54, 56, 57, 62, 74, 77 n. 31, 128, 129, 130, 155 n. 15, 157, 161, 162.
Rembrandt, van Rijn : 22, 39 et n. 38, 45, 46, 47, 49, 51 et n. 14, 53, 54, 56 et n. 30, 58, 74, 85, 104, 114, 136, 145, 149, 153, 157, 162, 163 n. 12.
Reynolds, Joshua : 11, 37, 54.
Ribera, Josué : 47, 54.
Richardson, Samuel : 110 n. 37.
Rigaud, Hyacinthe : 47, 54.
Rimbaud, Arthur : 102, 129.
Robert, Hubert : 71, 144, 147, 168.
Rodin, Auguste : 134 n. 11.
Romain, Jules (Giulio Romano) : 47, 49, 54.
Rosa, Salvator : 47, 49, 54.
Roth, Georges : 92 n. 4.
Rousseau, Théodore : 41, 74, 113, 114, 143, 144, 145, 146, 147, 153.
Rubens, Pierre-Paul : 23, 45 n. 4, 46, 47, 48, 49, 51 et n. 14, 53, 54 et n. 23, 56 et n. 30, 57, 59, 74, 78, 114, 132, 139, 149, 152, 157, 161, 162, 163 n. 12, 168 n. 16.
Ruff, Marcel A. : 5 n. 12, 65 n. 10.
Ruysdael, Jacob-Isaac : 47, 55, 147.

Saint-Aubin, Gabriel de : 54.
Sainte-Beuve, Charles-Augustin : 4 n. 8, 15, 64, 68, 86 n. 45, 91.
Saint-Pierre, Bernardin de : 103 n. 24.
Saint-Yves : 52.
Salviati, Francesco : 22.
Santerre, Jean-Baptiste : 47, 54.
Scheffer, Ary : 100.
Schiavone, Andrea : 47.
Scott, Walter : 83.
Seznec, Jean : 1 n. 1, 7, 37 n. 36, 149 n. 11.
Shaftesbury, Anthony Asley Cooper, 3rd earl of: 67, 73, 123, 124, 127.
Shakespeare, William : 11, 39 n. 37, 83.
Signorelli, Luca : 54.
Smith, Adam : 127.
Snyders, Frans : 47, 49, 51, 53.
Solimène, Francesco : 47.
Spence, Joseph : 40.
Steen, Jan : 54.
Stendhal, Henri Beyle (dit) : 1, 2 n. 3, 13 et n. 27, 17 et n. 3, 18-27, 28, 37, 66, 94 n. 9, 101, 130 n. 9 bis, 138, 140, 141, 157, 175.
Swinburne, Charles-Algeron : 5, 126.

Tabarant, A. : 14 n. 31, 41 n. 43, 115.
Taine, Hippolyte : 18 n. 6, 132, 138 n. 14 bis.
Teniers, David : 47, 49, 51, 52, 53 et n. 17, 54, 55, 59, 74.
Terborch, Gérard : 47.
Thomas, Jean : 2 n. 4, 3, 4, 123 n. 1.
Thoré, Théophile : 38, 55.
Tiepolo, Giovanni Batista : 47.
Tintoret, Jacopo Robusti (dit le) : 22, 46, 47, 49, 54.
Titien, Vecellio : 23, 43, 47, 49, 50, 54, 57, 74, 129, 157, 162.
Torrey, Norman L. : 2 n. 2, 92 n. 2.
Toulouse-Lautrec, Henri de : 146 n. 8.
Trahard, Pierre : 36 n. 33, 105 n. 30.
Troyon, Constant : 145, 164.

Uccello, Paolo di Dono (dit) : 47.

Valdès-Léal, Juan de : 54.
Valéry, Paul : 18 n. 9, 42, 50, 145 n. 5, 176.
Van der Meulen, Antoine : 47, 49, 54.
Van der Werff, Adriaen : 47.
Van der Weyden, Roger : 47, 55.
Van de Velde, Willem : 35, 59.
Van Dyck, Anthony : 46, 47, 49, 51, 54 149, 157.
Van Eyck, Jan : 47, 51, 54, 55.
Van Gogh, Vincent : 27 n. 27, 80, 81.
Van Goyen, Jan : 47.
Van Huysum, Jan : 47.
Van Loo, Carle : 24, 34, 40, 46, 55, 101 n. 22.
Van Loo, Charles-Amédée : 102.
Van Loo, Louis-Michel : 46, 110.

Van Ostade, Adrian : 35, 47, 54, 59.
Vasari, Giorgio : 24.
Vassé, Louis-Claude : 40.
Velasquez, Diego : 47, 54, 55.
Venturi, J.B. : 24.
Verlaine, Paul : 72, 102, 109.
Vermeer, Jan (Vermeer de Delft) : 47, 48 n. 5, 51, 56, 145.
Vernet, Carle : 16.
Vernet, Claude-Joseph : 33, 40, 63, 85, 88, 102, 111, 112, 119, 125, 144, 147, 151, 152 n. 12, 155, 164.
Vernet, Horace : 26, 27, 46, 100, 165.
Vernière, Paul : 45 n. 3, 111 n. 38.
Véronèse, Paolo Caliari (dit) : 22, 47, 49, 54, 56, 57.
Vien, Joseph : 40, 53, 163, 165.
Vigneron, Pierre R. : 26, 27.
Vigny, Alfred de : 86 n. 45.
Vinci, Léonard de : 11, 47, 49 et n. 11, 54, 58, 162.
Virgile : 134.
Vitu, Auguste : 2 n. 3, 84.
Volland, Sophie : 90, 119 n. 48.
Voltaire, François-Marie Arouet (dit) : 28, 44, 71, 93 et n. 8, 179.
Volterra, Danielle Ricciarelli (de) : 47.

Wagner, Richard : 11, 105, 106.
Walferdin, Hippolyte : 13.
Watelet, Claude-Henri : 21, 48, 141.
Watteau, Antoine : 35, 47, 49, 54, 55, 59, 60 et n. 35, 64, 74, 138.
Webb, Daniel : 40, 139.
Whistler, James : 54 et n. 23.
Winckelmann, Jean-Joachim : 40, 50, 53 et n. 18.
Wolff, Jean-Chrétien : 40, 124.
Wölfflin, Heinrich : 162.
Wouwermans, Philips : 47, 49, 51, 53, 74.

Zurbaran, Francisco : 47, 54, 55.

TABLE DES MATIÈRES

PRÉFACE VII

Chap. I. — RAPPROCHEMENTS 1

Parenté entre Diderot et Baudelaire, 1-2. — Jugements sur Diderot critique d'art, 3. — Esthétique et éthique, 4-6. — Greuze, 7-8. — Absence de dogmatisme chez Diderot et Baudelaire, 8-10. — La sensibilité artistique, 10-11. — Parution du *Salon de 1759* et rédaction du *Salon de 1845*, 13-14. — Appréciations baudelairiennes sur Diderot, 14-15. — Communauté d'esprit entre Diderot et Baudelaire, 16.

Chap. II. — LES FIGURES INTERMÉDIAIRES : STENDHAL, DELACROIX 17

Stendhal critique d'art, 17-19. — Points de contact entre Diderot, Stendhal et Baudelaire, 19-20. — Points de contact entre Stendhal et Diderot, 20-23. — Références à Diderot dans l'œuvre de Stendhal, 24. — Divergences entre le point de vue stendhalien et la critique de Diderot et de Baudelaire, 24-27. — Esthétique de Delacroix, 27-28. — Points communs entre Delacroix et Diderot, 29-35. — Références à Diderot dans la correspondance de Delacroix, 36. — La critique de Théophile Gautier ; parenté avec Diderot, 37. — Abus du « style artiste » chez Gautier et les Goncourt, 38. — Problèmes d'influence, 38-39. — L'éducation artistique de Diderot et de Baudelaire, 40-41. — Diderot et le XIXe siècle, 41-42.

Chap. III. — LES CONNAISSANCES ARTISTIQUES DE DIDEROT ET DE BAUDELAIRE 43

Connaissances forcément incomplètes de l'amateur avant le XXe siècle, 43-44. — L'art gothique, 44. — Collections étrangères visitées par Diderot et Baudelaire, 45. — Confrontations avec les grands maîtres, 46. — Artistes autres que des compatriotes et contemporains mentionnés par Diderot, 47. — Diderot reste muet sur des peintres aujourd'hui célèbres, 47. — Galeries et collections parisiennes visitées par Diderot, 48. — L'école flamande et l'école italienne en France au XVIIIe siècle, 49. — Préférences de Diderot à l'égard des Italiens, 49-50. — Le style rococo français et les Baroques septentrionaux ; éclectisme de Diderot, 50-53. — Winckelmann et le néo-classicisme, 53-54. — L'art espagnol en France au XVIIIe siècle, 54. — Artistes autres que des compatriotes et contemporains mentionnés par Baudelaire, 54-55. — Prédilection de Baudelaire pour la peinture espagnole et anglaise, 54-55. — Les collections du Louvre au XIXe siècle, 55. — Les Espagnols finissent par être connus du public français, 55. — Effet du néo-classicisme et du romantisme sur le goût pour les Néerlandais, 55-56. — Eclectisme de Baudelaire, 56. — Pourquoi Baudelaire plaide plus passionnément que Diderot la cause des Modernes, 57. — Raphaël et Rubens, 57. — Admiration de Baudelaire pour Léonard de Vinci, Michel-Ange et Rembrandt, 58. — Watteau et les Flamands ; ce peintre vu par Diderot et par Baudelaire, 59-60. — Nos critiques ne recherchent pas l'érudition, mais le témoignage direct de l'œuvre, 60.

Chap. IV. — UN PHILOSOPHE ET UN POÈTE DEVANT DES TABLEAUX : MÉTHODES DE CRITIQUE 61

Catégories d'amateurs, 61. — Enrichissement des ressources au contact des peintres, 62-65. — Similarité entre les méthodes critiques de Diderot et de Baudelaire ; tous deux rejettent l'esprit de système, 65-68. — La biographie subordonnée à la peinture, 68. — Choix d'une critique empirique et expérimentale, 68-69. — Réceptivité psychologique et contingences physiologiques, 69-70. — Matérialisme de Diderot et dualisme de Baudelaire, 70-72. — Libéralisme critique de Diderot et de Baudelaire, 72-74. — Sévérité mitigée de Diderot pour l'art rococo et pour Boucher, 75-76. — Largeur de vues de Baudelaire, 76-77. — Nature et art, 77-84. — L'ironie de Baudelaire est plus acerbe que celle de Diderot, 84. — Art et sensibilité, 84-85. — Mimétisme comme méthode critique, 85-87. — Pensée rationnelle et intuition artistique, 87. — Dandysme aristocratique de Baudelaire et bonhomie familière de Diderot, 88. — Diderot critique se double d'un poète, 88-89. — Baudelaire critique se double d'un philosophe, 89-90. — Nos deux auteurs tiennent leur critique en haute estime, 90.

Chap. V. — PEINTURE ET LANGAGE : MÉTHODES DE DESCRIPTION .. 91

Transposition d'images visuelles en langage écrit, 91. — Diderot ne transcrit pas des conversations ; il élabore un style critique, 91-93. — Art de la concision et de la concentration chez Baudelaire, 93-94. — Problèmes de description, 94-95. — Comment Diderot « traduit » certains tableaux, 95-96. — La langue classique et la langue de Diderot, 96-97. — Emprunts modérés au vocabulaire de l'atelier, 97. — Les transpositions de Diderot et de Baudelaire constituent de véritables re-créations, 97-98. — Procédés d'ironie et emprunts au langage populaire, 99-100. — Emprunts au vocabulaire musical, 100-106. — L'art de la suggestion, 106. — Pourquoi les descriptions de Diderot sont plus détaillées que celles de Baudelaire, 106-108. — Les « digressions » de Diderot, 108. — Baudelaire ne s'attache qu'à l'essence *sui generis* d'une œuvre, 109. — Variété des descriptions de Diderot, 110-112. — Descriptions synthétiques de Baudelaire, 113-116. — La description analytique : procédés, 116-118. — Méthode « mnémotechnique » de Baudelaire, 118-119. — Divergences entre les descriptions de Diderot et celles de Baudelaire, 119-121.

Chap. VI. — LES CRITÈRES DU BEAU 122

L'esthétique de Baudelaire ne subit point de changement notable, 122. — Progression avec des méandres dans la critique de

Diderot, 122-124. — Définition expérimentale du Beau par Diderot, 124. — Irréductibilité entre le Beau naturel et le Beau artistique, 124-125. — Le Beau et les valeurs spirituelles, 126-127. — Diderot et le Beau classique, 127-129. — Chaque grand artiste élabore son propre style, 129-131. — La beauté d'une œuvre ne dépend pas de son sujet 131-132. — Définition dualiste du Beau par Baudelaire, 132-133. — Points de contact et divergences entre les théories de Diderot et celles de Baudelaire, 134-136. — Delacroix et le Beau, 136-137. — Le Beau et la modernité, 137-138. — Le Beau satanique, 138. — Diderot et le Beau chrétien, 139. — Importance que Baudelaire attache au Beau « transitoire », 139-140. — Diderot a fourni le germe des théories du Beau développées au XIXe siècle, 140.

Chap. VII. — DIDEROT ET BAUDELAIRE DEVANT LA PEINTURE DE GENRE 141

Attention que Diderot et Baudelaire portent au sujet, 141. — Sévérité de Baudelaire pour les paysagistes : théorie de l'imagination, 141-147. — Evolution de l'attitude de Diderot à l'égard de la peinture de genre ; Greuze et Chardin, 147-153. — Sujet et « faire », 153-155.

Chap. VIII. — PROBLÈMES D'EXÉCUTION 156

Diderot et Baudelaire doivent aux peintres leur connaissance des questions d'exécution, 156. — Coloris et dessin, 157-163. — Importance que Diderot et Baudelaire attachent à l'harmonie, 163-165. — Manière dont certains peintres-artisans travaillent, 165. — Style et tempérament, 165-166. — Génie et talent, 166. — Génie et *naïveté,* 166-167. — Esthétique de l'esquisse ; le *fait* et le *fini,* 167-169. — Harmonie des fonds et des matières représentées, 169-170. — Exigences de la loi de l'enchaînement, 170-171. — Qualités primordiales de l'exécution ; peinture et sculpture, 171. — Toute œuvre originale exprime quelque chose d'*étonnant*, 172. — L'artiste et la société ; le rôle de la postérité, 172-173.

CONCLUSION 175

BIBLIOGRAPHIE 181

INDEX 187